MONUMENTA SERICA MONOGRAPH SERIES
XXXVII
Sankt Augustin
Editor: ROMAN MALEK, S.V.D.

SECONDINO GATTA

Il natural lume de Cinesi

Teoria e prassi dell' evangelizzazione in Cina nella *Breve relatione* di Philippe Couplet S.J. (1623–1693)

1642
L. 15 nº 154
[illegible]

China 1682

Brevis relatio de statu et qualitate
Missionis Sinicae
Authore
P. Philippo Couplet Belga Societatis Jesu, eiusdem
missionis in Urbe Procuratore

Copiado tomo 21 [illegible] 382

menos las 2 hojas ultimas desde la *

Pars Prima
§. 1.
Introductio

Mitter ex ultimi orientis Aula Pekinensi Sinensis missionis Procurator, ut nomine P. Ferdinandi Verbiest Provinciae istius moderatoris, et reliquorum nostrae Societatis operariorum cum omni submissione ac debita observantia, reverentiaque Sinicis Principibus exhiberi solita, ter ingenue procumbam, ac noviens capite in terram demisso Sanctitatem suam adorem, atque Eminentias vestras [illegible] Congregationem de propaganda usque ad terminos orbis terrarum fide [illegible] venerer, exequiamque mandata, et eundem quem erga omnes [illegible] amplitudo [illegible] extendit, favorem ac beneficentiam implorem.

Ex Europa perveneram anno 1658 in urbem Macao, ex qua solui anno 1681 die 5 decembris.

Annus hic fuit centesimus fundatae missionis Sinicae a minima Societatis nostrae Patribus Italis Michaele Rogerio Matthaeo Riccio, Francisco Pasio.

Jubilei huius memoria per totam Sinam Christianam solemniter celebrata a nostris fuit 8. Septembris eiusdem anni, auspicatissima scilicet Virginis Deiparae nascentis die. Quo etiam nomine audemus sperare benignitatem Eminentiarum vestrarum, quae et abunde seculi laboribus, periculis, ac persecutionibus agitatos, atque concussos materna pietate consolentur [illegible] nostris, eorumque, qui ad eas expeditiones aspiraturi sunt

Brevis relatio …

Frontespizio della versione di Madrid del manoscritto del P. Couplet
(Madrid, A.H.N., Clero Jesuitas, 273/43, f. 1)

MONUMENTA SERICA MONOGRAPH SERIES
XXXVII

Secondino Gatta

Il natural lume de Cinesi

Teoria e prassi dell' evangelizzazione in Cina nella *Breve relatione* di Philippe Couplet S.J. (1623-1693)

In appendice:
Catalogus Librorum Sinicorum

Institut Monumenta Serica ☐ Sankt Augustin

Sumptibus Societatis Jesu
et Societatis Verbi Divini

Die Deutsche Bibliothek - CIP-Einheitsaufnahme

Gatta, Secondino
Il natural lume de Cinesi : teoria e prasi dell'evangelizzazione in Cine nella Breve relatione di Philippe Couplet S.J. (1623–1693)/ Secondino Gatta. In app.: Catalogus librorum Sinicorum. - Sankt Augustin : Steyler Verl., 1998
(Monumenta Serica Monograph Series ; 37)
ISBN 3-8050-0404-4

Set by the Author and Roman Malek
Edited by Roman Malek. Assistance: Katharina Feith

Printed by Drukkerij Steijl B.V. (NL)
Distributed by Steyler Verlag, Postfach 2460, D-41311 Nettetal

ISSN 0179-261X
ISBN 3-8050-0404-4

INDICE

Appendice

Facsimile

ABBREVIAZIONI

AA.SS.	*Acta Sanctorum*
A.R.S.I.	Archivum Romanum Societatis Iesu
B.A.V.	Biblioteca Apostolica Vaticana
Esp.	Mss. Espagnols
Jap. Sin.	Japonica Sinica
Ind. Or.	Indie Orientali
Ms. Ges.	Manoscritti Gesuitici
Nouv. Acq. Lat.	Nouvelles Acquisitiones Latines
SC	Scritture Riferite nei Congressi
S.C.P.F.	Sacra Congregazione di Propaganda Fide
SOCP	Scritture Originali Congregazioni Particolari
SOCG	Scritture Originali Congregazioni Generali
Vat. Lat.	Mss. Vaticani latini

Premessa

Diversi anni fa, nel corso di una ricerca sul museo del Collegio Romano di Athanasius Kircher, mi capitò di imbattermi in un manoscritto sulla Cina che suscitò la mia attenzione per i molti spunti storici e metodologici sulle missioni dei gesuiti, che erano già state oggetto di miei studi, con riguardo all' America Latina. Proprio occupandomi di America avevo spesso incontrato la Cina come termine di paragone diametralmente opposto al Nuovo Mondo. Nella concettualizzazione occidentale della alterità e della diversità culturale, specie nei due secoli che seguono le grandi scoperte ed esplorazioni geografiche, si fa strada una contrapposizione che è soprattutto un mito, come ha ben rilevato Eugenio Garin, quello appunto del saggio cinese e dell'opposto selvaggio americano, quest'ultimo nella duplice connotazione del „buon selvaggio" e dell' „essere ferino". Cosí dalla osservazione di questa duplice visione è nato in me l'interesse di verificare, nell'ambito dell'attività missionaria, le peculiarità dei metodi di evangelizzazione in Cina. Il manoscritto del P. Couplet, che risultava ancora inedito e mai datato con precisione, sembrava particolarmente adatto per questo studio. L'occasione per una sua contestualizzazione e lettura critica, incentrata su una non facile trascrizione, si è presentata con questo lavoro, consigliatomi e seguito con pazienza dal R. P. Jesús López-Gay, S.I., Decano della Facoltà di Missiologia della Pontificia Università Gregoriana.

Oltre al necessario apparato storiografico di supporto sul testo, sulla figura dell'autore e sulla situazione storica europea e cinese, ho cercato di delineare i momenti fondamentali della teoria e dell'operato missionario quali emergono dalle parole del Couplet e dal ruolo che la *Breve relatione* si trovò a ricoprire nell' ambito dell' attività e della politica degli organismi centrali della Compagnia di Gesù e della Chiesa in genere. Il periodo storico - la seconda metà del sec. XVII - vede intrecciarsi le polemiche generate dalla *questione dei Riti*, dagli scontri di interessi coloniali fra le nazioni europee, dal declino del giuspatronato iberico; a tali vicende - ben note - non ho ritenuto di dedicare una ennesima trattazione, che mi avrebbe portato inevitabilmente ad allargare a troppo ampio spettro i presupposti ed i limiti della ricerca, senza con questo fornire materiale direttamente connesso con i criteri di intervento missionario che sono al centro dei miei interessi di studio. Del resto mi conforta in ciò il taglio logico dello stesso manoscritto, che non indulge più di tanto in considerazioni e polemiche di carattere generale, che il P. Couplet doveva avere sin troppo presenti. Ed è ugualmente dall'ambito stesso del testo che scaturiscono - ad una lettura critica - i dati sul comportamento missionario dei gesuiti in Cina, così come era stato prima dell'arrivo del Couplet, e - per interazione tra questi e l'analisi dei modelli culturali - gli assiomi di quello che egli teorizzava per il futuro.

La romanizzazione dei termini cinesi è stata eseguita mediante il sistema Wade-Giles ma è limitata alle poche citazioni nel nostro testo. In generale ho cercato di trasportare i nomi geografici del manoscritto, espressi in portoghese frammisto a volte al francese, in questo stesso sistema, ma con risultati che potrebbero anche essere soggetti a rettifiche. Non sono un sinologo: debbo scusarmi quindi con gli esperti del settore per le eventuali imprecisioni in ambito linguistico e per la superficiale trattazione della storia cinese. Spero comunque che questo lavoro, di taglio storico-missiologico, possa essere anche per loro un utile contributo.

Roma, dicembre 1991

S.G.

Introduzione

BIOGRAFIA E BIBLIOGRAFIA DI PHILIPPE COUPLET

L'opera che ci accingiamo a presentare non può essere ben compresa se si prescinde dalla personalità, formazione, studi e vicissitudini storiche dell' autore: è quindi necessario contestualizzarla precisamente mediante note biografiche e bibliografiche. Non rientra invece nelle nostre intenzioni e possibilità attuali un più ampio lavoro – di revisione di tutti i dati, e di ricerca di nuove fonti documentarie – sull'intera biografia dell'autore: ciò richiederebbe infatti uno studio a sè stante. Maggiormente approfondita e particolareggiata, anche mediante la utilizzazione e citazione di materiali documentari manoscritti, sarà invece la parte direttamente connessa con la redazione, presentazione ed esito, della *Breve relatione*.

Per questa vicenda ci siamo, tra l'altro, avvalsi proficuamente delle indicazioni contenute nel capitolo che il P. F. Bontinck dedica al nostro autore nel suo libro sulla liturgia cinese.[1]

Per il resto della biografia ci siamo serviti di vari studi,[2] ai quali rimandiamo per indicazioni ed approfondimenti sulle fonti. Si cercherà qui soprattutto di delineare la figura e l'opera del P. Couplet, evidenziandone il profilo di concreto agente evangelizzatore, nonchè quello di uomo di cultura che – pur privilegiando il fine del progresso dell'ideale e dell'opera missionaria – agisce da efficace fermento culturale nell'Europa del suo tempo.

LA GIOVINEZZA E LA VOCAZIONE MISSIONARIA

Sulla data di nascita del P. Philippe Couplet non c'è accordo fra gli studiosi: il P. Waldack,[3] sulla base dei registri di stato civile della sua città natale – Malines, in Belgio –, ritiene di individuare incontrovertibilmente la data del 31 maggio 1623; altri, come il P. Sommervogel,[4] e più recente-

---

[1] F. Bontinck, 1962, pp. 197-228.

[2] Si vedano soprattutto: J. Dehergne, 1973, pp. 66-67; L. Pfister,1932, pp. 307-313; C. Sommervogel, II, 1891, coll. 1562-1566; P. C. Waldack, 1872, pp. 1-9; J. F. Foppens, 1739, pp. 1029-1030; R. Streit, V, 1929, pp. 801-803; J. Heyndrickx (ed.), 1990.

[3] P. Waldack, 1872, p. 6.

[4] C. Sommervogel, II, 1891, col. 1562

mente il P. Dehergne[5] e il P. Bontinck,[6] indicano quella del 31 maggio 1622. Questo dato è accettato anche dal P. Streit nella *Bibliotheca Missionum.*[7] C'è accordo tra le fonti,[8] invece, sulla data di ingresso nel noviziato della sua città, avvenuto l'11 ottobre 1640. A Malines rimane fino all'ottobre 1642, quindi si trasferisce a Louvain per seguire, nell' università di quella città, i corsi di Filosofia. Dopo l'ottobre del 1644 insegna *rudimenti* nel collegio di Anversa e poi, nel 1647, il Greco a Malines.

Si è intanto fatta strada in lui l'idea di partire missionario, ed è a tal fine che lascia per la prima volta il Belgio nel 1647, diretto in Spagna: egli spera di potersi imbarcare per le Indie Occidentali. Alla fine del maggio 1647 risulta essere a Cadice, in attesa dell'imbarco, insieme ad altri aspiranti missionari della provincia Fiandro-Belga; fra questi vale la pena di segnalare il P. Ferdinand Verbiest, futuro suo superiore nella missione della Cina. Ma la partenza è ostacolata dalle autorità civili spagnole: il P. Couplet rientra così in Belgio, dove dal 1648 insegna Umanità e Retorica a Courtrai. Nel 1653 lo troviamo di nuovo a Louvain, dove risulta frequentare il II anno di Teologia. Nell'università di questa città ha come compagno di studi il P. Daniel Papebrochius, con il quale stringe amicizia. Il 1654 è l'anno decisivo, pieno di avvenimenti basilari per la sua vita. Proprio nei primi mesi di questo, il P. Martino Martini, procuratore delle missioni cinesi, visita Louvain, e Couplet, toccato dai suoi racconti, chiede subito dopo - il 6 maggio 1654 - di essere destinato a quelle missioni. Nel novembre dello stesso anno riceve gli ordini maggiori, insieme ad un altro futuro missionario in Cina: il P. F. de Rougemont. Entrambi ottengono nel mese di dicembre l'approvazione a partire per la Cina. Prima che questo anno denso di avvenimenti abbia termine, il P. Couplet parte, con altri compagni, alla volta di Lisbona.

Nella capitale del Portogallo attende pazientemente di potersi imbarcare per Macao: la partenza avviene il 30 marzo 1656 e,[9] all' inizio di novembre, il piccolo gruppo di missionari gesuiti sbarca a Goa. Ancora una lunga sosta è necessaria prima di ripartire; finalmente, nel dicembre 1658, essi arrivano sul suolo cinese, a Macao. In questa città - che

[5] J. Dehergne, 1973, p. 66.

[6] F. Bontinck, 1962, p. 197.

[7] R. Streit, V, 1929, p. 801.

[8] Cfr. note 3-8.

[9] Cfr. ancora Sommervogel, II, 1891, e Bontinck, 1962; il dato non è confermato in Streit, V, 1929, dove l'anno risulta essere il 1655. J. Wicki, 1967, p. 300, propone il 1656.

apparteneva alla provincia gesuitica del Giappone – i missionari diretti verso l'interno della Cina erano frequentemente costretti ad una lunga sosta: in attesa del visto imperiale erano utilizzati per le diverse necessità della locale missione. Philippe Couplet presta per un anno il suo servizio nel collegio di S. Paolo. Nel frattempo arriva a Macao anche Ferdinand Verbiest. L'ingresso nell' Impero cinese, insieme ad altri undici confratelli, avviene verso la fine del 1659.

IL LAVORO IN CINA

Dedicandosi *in primis* allo studio, Couplet impara in breve tempo la lingua e diviene attento e profondo conoscitore della cultura cinese; per queste sue doti intellettuali, oltre che per quelle umane e pastorali, è subito molto apprezzato dai confratelli.

Le notizie sulla sua opera evangelizzatrice non sono molte: tuttavia, dal numero di provincie percorse e dalla gran quantità di chiese costruite, deriva l'impressione di un lavoro infaticabile, nonostante le non sempre perfette condizioni di salute. Dal momento del suo ingresso nell' Impero cinese egli lavora nelle provincie di Chiang-hsi, Fo-chien, Hu-kuang, Chih-chiang, Chiang-nan. Un notevole sostegno economico, per la costruzione e il restauro delle chiese in queste provincie, lo ottiene dalla generosità di una nobile e ricca vedova, Candida Hiu, della quale scriverà la biografia, e alla quale è dedicato il paragrafo IX della *Relazione*. Tra la fine del 1664 e l'inizio del 1665 scoppia una grande persecuzione;[10] i missionari sono arrestati e detenuti a Su-chou, ed il P. Couplet, che è lontano per un ampio giro di predicazione, viene consigliato dal P. Brancati a nascondersi nella città di Chen-chiang. In questo modo potrà assistere clandestinamente i fedeli rimasti senza guida pastorale. Egli inizialmente accetta il consiglio, ma poi decide di seguire la sorte dei suoi confratelli: li raggiunge a Su-chou e, con loro, è condotto prima a Pechino (Pei-ching), poi esiliato a Canton (Kuang-chou-fu). Di questo soggiorno forzato, durato fino al 1671, egli approfitta per approfondire lo studio dei testi classici cinesi e farne la traduzione in latino. L' ideale missionario non è messo in secondo ordine, visto che, proprio in questo periodo, egli è fra gli organizzatori – ed animatore di rilievo – del cosiddetto concilio di Canton.[11] Qui, approfittando della forzata convivenza con i religiosi fran-

---

[10] Cfr. più sotto il capitolo dedicato agli avvenimenti storici cinesi.

[11] Su tale concilio cfr. *Acta Cantonensia Autentica* ..., 1700 e J. Metzler, 1980, pp. 24-28.

cescani e domenicani, lavora per appianare i dissidi e per uniformare le pastorali dei tre ordini.[12]

Ottenuta di nuovo la libertà - nel 1671 - egli riprende l'opera di apostolato, spostandosi nel 1677 - a causa della morte del suo antico compagno P. de Rougemont, nonchè del P. Favre - nell'isola di Ch'ung-ming. Anche qui provvede alla costruzione di nuove chiese in concomitanza con l'allargamento progressivo della Cristianità.

Nel 1679 giunge per Couplet il momento di lasciare il lavoro missionario diretto: le false notizie, e le calunnie, di cui i padri gesuiti della Cina sono fatti oggetto; i contrasti non sopiti con gli altri ordini; ed infine le esigenze pratiche della missione, fanno decidere il P. Verbiest - allora viceprovinciale - ad inviarlo a Roma. Viene quindi nominato procuratore a Roma per la vice-provincia cinese; egli parte immediatamente, e raggiunge Macao nell'ottobre 1680. Nel suo viaggio porta con sè molti libri, stampati in Cina dai Padri della Compagnia, che intende utilizzare come testimonianza tangibile dell'operato dei suoi confratelli. Tra i compiti di grande importanza che gli sono affidati ricordiamo: ottenere l'autorizzazione per celebrare in lingua cinese culta; reclutare missionari; sollecitare la generosità europea nei confronti delle necessità economiche di quella missione.

La sua partenza da Macao viene dilazionata perchè il nuovo viceprovinciale, il P. Domenico Gabiani, intende inviare per il suo tramite in Europa una confutazione delle accuse ivi appena pubblicate dal domenicano P. Domingo Fernandez Navarrete.[13] Finalmente egli può partire e, accompagnato da due novizi cinesi, si imbarca nel dicembre 1681 su una nave olandese.

IL SOGGIORNO IN EUROPA

Sulla data di arrivo in Olanda non c'è nuovamente accordo fra gli studiosi: i PP. Pfister e Dehergne ritengono sia l'ottobre 1682; il P. Bontinck indica l'ottobre 1683.[14] Ciò che è certo è che la sua presenza in Amsterdam è provabile nel dicembre 1683: da questa città, infatti, egli scrive al Preposito Generale per avere assegnato un compagno di viaggio, date le

---

[12] Cfr. più oltre la nostra trascrizione del ms. (f. 34r).

[13] Era uscita nel 1679 in Spagna la seconda parte della sua opera sulla Cina intitolata *Controversias antiguas y modernas de la misión de la gran China*. Su questo missionario domenicano si veda J.S. Cummins, 1962. La risposta del P. Gabiani, intitolata *De Ritibus Ecclesiae Sinicae permissis ...*, è quella di cui parla il ms. A al f. 36v paragrafo n. 6, e fa parte della raccolta inedita da noi individuata alla Bibliothèque Nationale di Parigi (cfr. *Lettres et mémoires ...*).

[14] Si vedano: Pfister, 1932, p. 308; Dehergne, 1973, p. 67; Bontinck, 1962, p. 202.

sue instabili condizioni di salute.[15] All'inizio del nuovo anno - il 1684 - Couplet riprende il viaggio e, ad Anversa, si incontra col P. Papebrochius, al quale chiede di appoggiare, con il peso della sua autorità di bollandista, le richieste che ha intenzione di presentare a Roma. L'antico compagno di studi gli assicura tutto il suo aiuto e si mette subito all'opera per individuare i precedenti storici in cui era stata concessa la celebrazione liturgica in lingua non latina.[16]

Dopo esser passato per Malines, il P. Couplet si incontra a Gand col compagno destinatogli - si tratta del P. Thomas Van Hamme - ed assieme a lui[17] comincia ad assolvere, nelle Fiandre, ad uno dei compiti assegnatigli: fare propaganda presso i collegi e le residenze della Compagnia di Gesù per guadagnare animi alle missioni della Cina. Alla fine dell'agosto 1684 arriva a Parigi; qui si mette in contatto con il P. de Fontaney, invitato più volte dal P. Verbiest a raggiungere la Cina, per mettere le sue competenze matematiche al servizio di quella missione. Si incontra anche con un altro eminente gesuita, François de La Chaise, confessore e consigliere del re Luigi XIV, il quale gli procura una udienza col sovrano. Durante questo incontro, avvenuto il 15 settembre 1684, e al quale era presente anche l'unico dei due novizi cinesi arrivato in Europa, egli narra le cose della Cina,[18] e la gran necessità che vi è di missionari. Il Re, che già da tempo pensava all'invio di missionari francesi - anche con l'intento di controbilanciare l'influenza coloniale portoghese - rompe, dopo questo colloquio, ogni indugio all'attuazione di tale progetto. Il 3 marzo 1685, infatti, alcuni padri gesuiti francesi partono alla volta della Cina, ufficialmente con incarichi di rilevazione geografica per conto della Accademia delle Scienze, ma sostanzialmente come primo contingente di una missione, direttamente dipendente dalla *Assistentia Galliae*, e quindi sotto la tutela della corona francese.

Alla fine di settembre del 1684 il procuratore delle missioni cinesi riparte, ed arriva finalmente a Roma il 7 di dicembre. In questa città egli trova una situazione tutt'altro che favorevole: soprattutto per la politica del

---

[15] Cfr. la lettera al P. C. de Noyelle del 26 dicembre 1683 [Archivio S.C.P.F., SOCP, Indie Orientali, Div. Scritt. della Cina, 1679-1683, f. 446].

[16] I casi individuati sono poi raccolti ed inseriti negli *Acta Sanctorum* XIII, *Propylaeum Maii*, Dissertazioni XVIII e XXX, Anversa 1685, Parigi 1868.

[17] Al riguardo del P. Van Hamme cfr. W. Vander Heyder, 1871.

[18] In V. Pinot, 1932, è pubblicato alle pagine 7-9 un documento della Bibliothèque Nationale intitolato *Questions à proposer au R. P. Couplet sur le Royaume de la Chine.* Si tratta di un questionario-promemoria redatto dalla Accademia delle Scienze, su richiesta del Louvois, per essere sottoposto al P. Couplet in questa occasione. Si occupa di usi e costumi e, soprattutto, dello stato delle scienze in Cina.

clero francese contraria al patronato iberico delle missioni, la Compagnia di Gesù si trova a dover fronteggiare le posizioni e la influenza dei Vicari Apostolici, nonchè della maggioranza dei Cardinali della Sacra Congregazione di Propaganda Fide.

Il Papa Innocenzo XI si mostra comunque ben disposto, ed è a lui che Couplet presenta - all'indomani del suo arrivo a Roma - una supplica[19] contenente tutte le sue richieste. In essa si chiede che siano rese esecutive le concessioni di Paolo V,[20] ossia il poter ordinare preti cinesi che celebrino nella loro lingua (visto che ormai erano state approntate delle versioni in lingua cinese del messale e del rituale romano[21]); si segnala, a tal fine, la difficoltà per i cinesi di imparare e soprattutto di pronunciare il latino nonchè l'esistenza di divieti imperiali all'insegnamento di lingue straniere in Cina; si rende nota la donazione alla Biblioteca Vaticana di numerosi volumi stampati in caratteri cinesi; si conclude con dati informativi sullo stato della missione.

Nel giugno 1685 il P. Couplet è ricevuto in udienza dal Papa: qui ripete le sue richieste e approfitta per argomentare la mancata applicazione delle concessioni di Paolo V. In sostanza egli dice che, al di là della opposizione di alcuni visitatori - poco addentrati nelle questioni cinesi -, ciò era dovuto alla mancanza dei testi liturgici in quella lingua. Ora che il messale era stato preparato, necessitava solo la approvazione pontificia.

Innocenzo XI promette il proprio appoggio per la questione della lingua, ma ritiene che la richiesta sia di competenza della Sacra Congregazione di Propaganda Fide e ad essa la rimette perché sia discussa e, possibilmente, risolta in tempi brevi. Sulla approvazione dei testi, invece, il Pontefice preferisce non pronunciarsi. La richiesta viene presentata nella congregazione generale del 16 luglio 1685[22] ed esposta fedelmente secondo quanto riportato nella supplica al Papa. Ma i cardinali, ritenendola una questione particolarmente grave, preferiscono prendere tempo, e decidono quindi di attendere il parere del Santo Uffizio.

---

19 Questa supplica è conservata nell'archivio della S.C.P.F., SC, Indie Orientali - Cina, III (1681-1684), f. 396.

20 Su questi permessi, ottenuti nel 1615 dal procuratore delle missioni della Cina, il P. Trigault, e sulla loro mancata messa in opera, vedi l'interessante contributo del P. J. Jennes, 1946.

21 Di questi testi, facenti parte del gruppo di quelli portati dalla Cina, il P. Couplet intendeva chiedere la approvazione. Su di essi (Messale, Breviario e Rituale) e sul Padre Buglio, curatore della traduzione, si veda P. D'Elia, 1942, p. 260.

22 „(...) Il P. Couplet della Compagnia di Giesu Procuratore della Provincia della China ha supplicato la Santità di Nostro Signore delle seguenti Grazie e la Santità sua n'ha rimesso il memoriale a questa S. Congregatione (...)" [Archivio della S.C.P.F., SOCG, vol. 501 (1685), ff. 434- 435].

Nel frattempo Couplet lavora alacremente: fa notificare ai Cardinali di Propaganda il dono dei volumi, in lingua cinese, fatto alla biblioteca del Collegio Urbaniano e alla Biblioteca Vaticana;[23] presenta una piccola memoria esplicativa del messale del P. Buglio;[24] porta a termine e consegna la *Breve relatione dello stato e qualità delle Missioni della Cina*. Con essa intende argomentare ampliamente le sue richieste, illustrando - al tempo stesso - lo stato della missione e l'opera ivi svolta dai padri della Compagnia di Gesù. Una copia la invia al suo amico Papebrochius che, servendosi in parte delle informazioni in essa contenute, scrive - in appoggio alle richieste presentate - una ulteriore dissertazione, inserita negli *Acta Sanctorum*, nella edizione del 1688.[25] Il Santo Uffizio intanto, che già si era espresso positivamente sulla questione nel marzo 1615, ritiene di non avere altro da dire e di dover rimandare l'*affaire* a Propaganda Fide, in quanto ormai di sua sola competenza.

Il P. Couplet, a questo punto, fa di nuovo appello al pontefice affinchè intervenga per far risolvere la questione in tempi brevi: egli vorrebbe infatti ripartire per la Cina. Il 19 novembre 1685, in vista di una congregazione generale, la Segreteria di Stato inoltra una sollecitazione[26] a

---

[23] „Il P. Filippo Couplet della Compagnia di Giesù Procuratore delle Missioni della Cina, ha desiderato si notifichi all' EE VV, il dono fatto alla libraria di questo Collegio Urbano di molti volumi (...) oltre a questi egli ha donati 330 volumi alla Libraria Vaticana." Questo documento, di poche righe, datato 13 agosto 1685, è conservato nell'archivio della S.C.P.F., SOCG, vol. 501 (1685), f. 444. Di questi volumi il P. Couplet presenta anche un indice, di cui si ha solo notizia, ma che deve essere servito per la redazione del catalogo Ecchellense-Naironi della B.A.V., in quanto i due bibliotecari omonimi non conoscevano il cinese. Di tale *Catalogus librorum Sinicorum*, manoscritto, conservato nel fondo Vat. Lat. 13201, ai ff. 281-302v, si darà in appendice la trascrizione.

[24] Per questo manoscritto, dal titolo *Appendice al messale Cinese*, cfr. sotto la bibliografia delle opere autografe.

[25] *Dissertatio XLVIII: quibus de causis Paulus V indulserit lingua Sinensibus eruditis communi per indigenas sacerdotes celebrari Sacra,* in AA. SS., *Propylaeum ad septem tomos Maii, XIII, Conatus chronico-historicus Romanorum Pontificum,* Antuerpiae 1742, pp. 501-506. Questa dissertazione, seguendo le sorti del resto dei *Propylea Maii* (1688), lungamente e ingiustamente messo all'indice, non compare in molte edizioni degli AA. SS.: siamo riusciti finora a rintracciarla solo in alcune edizioni: quella di Parigi e Roma - 1868 - per i tipi di Palme, e quella di Anversa - 1742 - per i tipi di Knobbarum.

[26] „Dalla segreteria di Stato, 19 novembre 1685. Il S. Padre ha raccomandato che nella prima congregatione si proponga l'istanza di quel P. Gesuita, che dive andare alla China, il quale supplica di poter celebrare La Messa in Lingua Cinese (...) e se ne dà perciò questo Cenno a Mons. Segretario della Medesima congregatione. a Mons. Cybo" [Archivio della S.C.P.F., SOCG, vol. 494 (1685), f. 284]. Il Cardinale Alderamo Cybo-Malaspina (1613–1700) era all'epoca anche Segretario di Stato.

Monsignor Cybo, segretario di Propaganda Fide. Questi puntualmente ripropone l'istanza nella congregazione del 26 novembre.[27] Ma i Cardinali, nonostante il consenso di Cybo - e il palese favore del Papa - non intendono accondiscendere alle richieste dei missionari della Cina e, ancora una volta, rinviano la decisione ad una congregazione più specifica.

Vista la situazione, e la impossibilità di accelerare il verdetto mediante altri interventi influenti, il P. Couplet decide di non fermarsi oltre a Roma: accondiscendendo al desiderio del re di Francia di rivederlo a Parigi, parte alla volta di quella città. Prima di lasciare Roma però egli vuole dare una ennesima prova di buona volontà e di lealtà nei confronti della gerarchia ecclesiastica: il 12 dicembre 1685 si assoggetta al tanto controverso giuramento di sottomissione ai Vicari Apostolici.[28] A Parigi, dove soggiorna fino al novembre 1687, egli lavora alla pubblicazione delle sue opere sulla Cina e di quelle elaborate con i confratelli durante l'esilio di Canton: prima fra tutte la famosa *Confucius Sinarum Philosophus*. In questa città entra in relazione con i circoli intellettuali parigini, fortemente interessati alle „cose della Cina". Molto successo, ed ampia risonanza culturale - tale da influenzare il pensiero filosofico contemporaneo -, ha la pubblicazione degli scritti di Confucio e, soprattutto, la diffusa prefazione che Couplet antepone ad essi. Mediante una ampia informazione sulla cultura cinese, infatti, egli mette in grado gli studiosi europei di capirne più agevolmente il significato. La morale molto pragmatica di Confucio avrà grande influsso sulle successive riflessioni filosofiche, specie su quelle intorno alla „morale naturale". Nonostante questa opera fosse dovuta a più autori, Philippe Couplet diventa l'interlocutore *par excellence* degli studiosi francesi, specie di quelli del secolo successivo. Può essere interessante segnalare qui che lo stesso Montesquieu e lo storico Nicolas Fréret rivol-

[27] „Dalla segreteria di Stato mi viene dato ordine per parte di Nostro Signore di proporre nella prossima Congregatione l'istanza del P. Couplet (...)"; il documento prosegue ripetendo le note richieste. In fondo a destra è stata annotata la decisione presa: sotto la data del 26 novembre 1685 c'è scritto in latino „Fiat Congregationis Particolaris" [Archivio della S.C.P.F., SOCG, vol. 494 (1685), f. 287v.].

[28] Tale giuramento, con il decreto della S.C.P.F. del 19 gennaio 1680, era stato imposto a tutti i missionari. Il siglarlo creava grandi difficoltà ai missionari delle Indie Orientali, specie a quelli della Cina, poichè era fortemente avversato dai portoghesi - che vi vedevano una lesione dei loro diritti di patronato - e anche dall' Imperatore della Cina, che lo considerava come un tradimento alla assoluta fedeltà dovutagli da chiunque risiedesse nel suo Impero. Per una chiara schematizzazione dei problemi con il Portogallo si veda C. R. Boxer, 1948.

geranno le loro riflessioni, in alcuni saggi sulla Cina, direttamente al P. Couplet e ai suoi scritti.[29]

Le altre opere date alla stampa in questo periodo godono di una notorietà appena minore: quella sulla cronologia e genealogia cinese e la già citata biografia di Candida Hiu, che vedrà numerose traduzioni ed edizioni. In questo periodo di soggiorno in Europa cura anche la pubblicazione di un testo astronomico del P. Verbiest.[30] A Parigi lo raggiunge la notizia che i Cardinali di Propaganda Fide, nella congregazione particolare dell' 11 agosto 1687, hanno respinto definitivamente la richiesta di poter celebrare in lingua cinese, nonostante ulteriori ed eminenti interventi favorevoli.[31]

IL RITORNO VERSO LA CINA

Nel novembre dello stesso anno il P. Couplet lascia Parigi per riprendere la sua strada per la Cina, avendo comunque ottenuto nuove vocazioni, aiuti in uomini e mezzi, e di far conoscere largamente la situazione della sua missione. Passando per il Belgio, l'Inghilterra e la Spagna, arriva a Lisbona nella seconda metà del 1690, ma qui lo attendono ancora difficoltà ed opposizioni da parte portoghese, dovute al suo giuramento di obbedienza ai Vicari Apostolici. Appianati finalmente i dissidi tra il Portogallo e Roma, gli è permesso di imbarcarsi nel marzo 1692, ma non arriverà mai in Cina: egli muore infatti al largo di Goa, ferito accidentalmente durante una bufera. Anche il giovane cinese che lo aveva accompagnato in Europa, Michael Shen, era morto nel viaggio di ritorno in Cina nel 1691, dopo essere entrato nel 1686 nella Compagnia di Gesù.

Sulla data esatta della morte di Couplet manca di nuovo l'accordo tra gli studiosi: i Padri Bontinck e Pfister ritengono accettabile quella del 15 maggio 1692; i PP. Dehergne, Sommervogel e Streit indicano il 16 maggio 1693; infine il P. Waldack addirittura l'anno 1694. La data del 1693, visti anche i contributi contenuti nel volume di Heyndrickx, è senz'altro da ritenere la più attendibile.

---

[29] Cfr. L. Desgraves, 1958, e la edizione delle *Notes de Freret sur la traduction de Confucius des PP. Jesuites* compresa in V. Pinot, 1932, pp. 115-126.

[30] Si tratta di *Astronomia Europaea sub Imperatore Tartaro*, Dillingen 1687.

[31] Cfr. Bontinck 1962, pp. 224-227.

BIBLIOGRAFIA DI PHILIPPE COUPLET

Opere pubblicate in Cina ed in lingua cinese[32]

Catechismus per 100 quaesita et responsa, Pekin 1675 (Tsa-ka-wei 1868).
Vera doctrina quatuor novissimorum, Pekin 1675 (1825).
Calendarium perpetuum festorum omnium Sanctorum et martyrum, s.l., s.d.
Vita S. Francisci Borgiae, s.l., s.d.
Compendium vitarum Sanctorum pro singulis diebus anni, s.l., s.d.
Explicatio doctrinae, s.l., s.d.
Litanie S. Joseph, s.l., s.d.

Opere pubblicate in Europa

Elementa linguae tartaricae, Parigi 1682. È una vera e propria grammatica della lingua tartara, di 34 pagine, in cui sia la fonetica che la traslitterazione sono trattate in riferimento alle norme della lingua latina. La attribuzione di questo libro non è certa: solo sul dorso c'è una indicazione del curatore, M. Thevenot, ma alla Bibliothèque Nationale, ove è conservato, è stato attribuito al P. Couplet. Paul Pelliot, che ne ha fatto oggetto di studio in un suo saggio del 1922 (cfr. la bibliografia), ritiene che l'autore sia Verbiest, che sia stata portata in Europa da Couplet, e quindi edita dal Thevenot.

Confucius Sinarum philosophus, sive Scientia Sinensis latine exposita, Parigi 1686–1687. Opera scritta in collaborazione con i PP. Intorcetta, Rougemont, Herdtrich. La prefazione, *Proemialis declaratio*, di 114 pagine, è del solo P. Couplet e comprende 12 paragrafi sulla cultura cinese: libri, sètte, princípi filosofici e politici, diluvio, conoscenza del vero Dio, libri stampati dal P. M. Ricci per diffondere la dottrina.

Tabula chronologica monarchiae sinicae juxta cyclos annorum LX. Ab anno ante christum 2952 ad annum post christum 1683, Parigi 1686. Si trova pubblicata in aggiunta al *Confucius* ... e tratta, in 106 pagine, della cronologia cinese e dell'albero genealogico delle relative dinastie.[33]

Catalogus Patrum Societatis Jesu qui, post obitum S. Francisci Xaverii, primo saeculo, sive ab anno 1581, usque ad annum 1681, in imperio Sinarum Jesu Christi fidem propagarunt. Ubi singulorum nomina, patria, ingressus,

---

[32] Di queste diamo solo il titolo nella traduzione latina e nessuna nota, data la rarità dei testi che noi non abbiamo potuto consultare. Per redigere questo elenco ci siamo basati soprattutto sul catalogo pubblicato dallo stesso P. Couplet (si confronti sopra tra le opere edite) e sui dati forniti da Cordier, 1901; Sommervogel, II, 1891; Pfister, 1932.

[33] È questa l'opera pubblicata a seguito degli studi fatti in Cina e testimoniati dai due manoscritti (del 1666), segnalati nella sezione „opere manoscritte" di questo capitolo.

praedicatio, mors, sepultura, libri sinice editi recensentur, Parigi 1686. Questo catalogo, di cui si parla anche nel manoscritto,[34] è stato dal Couplet aggiunto nel 1687 al libro del Padre F. Verbiest, *Astronomia Europea sub Imperatore Tartaro,* nella edizione da lui curata e data alle stampe nel 1687 a Dillingen. È stato nuovamente pubblicato nel 1901 come supplemento al numero 30 della rivista *Woodstock Letters,*[35] ma il curatore, il P. H. Imoda, lo attribuisce erroneamente al P. Verbiest.

Imperi Sinarum et rerum in eo notabilium Synopsis, Parigi 1687. Si tratta di 4 fogli di notizie e dati statistici - datati 1687 - che si trovano pubblicati in fondo al *Confucius* dopo la *Tabula chronologica* di cui, però, non proseguono la numerazione delle pagine.

Histoire d'une dame chrétienne de la Chine, Candide Hiu, où, par occasion, les usages de ces peuples, l'établissement de la religion, les maximes des missionaires et les exercises de pieté des nouveaux chrétiens sont expliqués, Parigi 1688 (Madrid 1691, Anversa 1694, Milano 1700, Tou Sai Wai 1882, Taiwan 1965).

Breve ragguaglio delle cose più notabili spettanti al grand' Imperio della Cina, Roma 1694 (1706). Si tratta degli stessi dati e notizie dell' *Imperi Sinarum* ... più estesamente commentati. Il testo è datato 1687.

Philippi Couplet, de Statu & qualitate missionis Sinicae, Epistola cum notis ..., in *Biblioteca Historico-Philologica-Theologica,* Classis Quintae, Fasciculus Quartus, Brema 1721, pp. 618-655.[36]
Alcune lettere sono state pubblicate dal P. Waldack nel suo articolo già citato;[37] altre dal P. Visschers in *Onuitgegeven brieven van eenige Paters der Societeit van Jesus, Missionarissen in China ...,* Arnheim 1857 e da M. Neyens in „Twee Brieven van P. Philip Couplet, S.J., missionaris in China en diens betrekkingen tot de O. I. Compagnie", articolo comparso in *Studia Catholica* III (1926–1927), pp. 35-51 e 119-135.

Opere manoscritte ed inedite

Prolegomena ad synopsim chronologicam monarchiae sinicae. Ex Quam cheu fù metropoli Provincia Quantum in regno Sinarum die 24 Decembris Anno 1666. È un fascicolo di 49 fogli che tratta della cronologia cinese comparandola con quella ebraica: contiene anche tabelle e tavole sinottiche. È conservato alla Bibliothèque Nationale di Parigi, fondo Nouv. Acq. Lat., 1076.

---

[34] Cfr. la nostra trascrizione, ff. 2-3r.

[35] Cfr. *The First Century ...,* 1901, pp. I-XX.

[36] Per le relazioni fra questa pubblicazione e il nostro manoscritto si veda la trattazione nel prossimo capitolo.

[37] Cfr. Waldack, 1872, pp. 9-31.

Ex prolegomenis ad annales sinicos nec non synopsim chronologicam autore P. P. Couplet Soc. Iesu anno 1666 in Provincia Quam Tum. È un fascicolo di 68 fogli che tratta della cronologia cinese e della genealogia della monarchia sinica, in riferimento alle cronologie occidentali. È conservato a Roma, presso la Biblioteca Nazionale Centrale „Vittorio Emanuele", fondo Manoscritti Gesuitici, 1314.

Beatissimo Padre ... Si tratta della supplica al pontefice Innocenzo XI, presentata nel 1684, di cui abbiamo già segnalato il contenuto. È conservata nell'archivio della Sacra Congregazione di Propaganda Fide, segnatura SC, III (1681–1684), f. 396.

Breve relatione dello stato e qualità delle Missioni della Cina, composti dal P. Filippo Couplet Fiamingo della Compagnia di Giesù procuratore a Roma per quelle Missioni, dedicata agli Eminentissimi e Reverendissimi Signori Cardinali di Propaganda.

Che nella Cina non v' ha sinora fondamento stabile per propagare, e conservare la Religione Cristiana. ... Per questo manoscritto, come per il precedente, si veda la trattazione fatta più avanti.

Appendice al messale cinese. Si tratta della nota esplicativa del messale in lingua cinese, scritto dal P. Buglio, di cui si è già parlato. È conservato nell'archivio della S.C.P.F., segnatura SOCP, 1686–1689, ff. 123r-124v.

Un foglio manoscritto, firmato dal P. Couplet, è posto in testa ad una raccolta intitolata *Lettres et mémoires pour les jésuites dans les contestations relative au culte des chinois. 1638–1683* (ff. 1-242). Dell'esistenza di tale raccolta si aveva notizia dai Padri Sommervogel e Pfister[38] che, seguendo una indicazione di H. Cordier,[39] ne segnalano la presenza nel catalogo di un antiquario francese, come titolo di un'opera ormai già venduta. Poichè noi siamo riusciti ad individuare e consultare questo volumetto di manoscritti alla Bibliothèque Nationale – non sappiamo come ci sia arrivato! – ne daremo ora qualche informazione più dettagliata. È infatti necessario rettificare quello che è riportato dai due studiosi gesuiti sopra citati, che non ebbero modo di consultare personalmente i materiali. La pagina in testa alla raccolta, quella a firma del P. Couplet, non è attinente ai materiali attualmente esistenti. Si tratta invece di un elenco contenente il regesto di alcuni documenti (dal f. 356 al f. 358) di un fascicolo non compreso nel volume. E anche l'argomento non è direttamente attinente, in quanto vi si tratta dei riti malabarici. Il foglio è comunque firmato dal P. Couplet e datato 5 settembre 1688. All'interno della raccolta non risulta altro a firma dello stesso, anche se la tipologia dei materiali (lettere e relazioni dei PP. Gabiani, Intorcetta, A. de Santa Maria, ecc.) lascia capire che sia stato lui a

---

[38] Cfr. Sommervogel, II, 1891, col. 1565/C, e Pfister, 1932, p. 312, paragrafo 20.

[39] Cfr. Cordier, II, 1905–1906, col. 1063.

collazionarli e portarli in Europa, tanto più che di alcuni di questi trattati egli parla nel nostro manoscritto ai fogli 36-37. La segnatura di tale volume, peraltro molto interessante e degno di studio per la storia delle missioni cinesi, è Esp. 409.
Si ha notizia infine di un *Dizionario Cinese* e di una Grammatica Cinese, usate rispettivamente da due studiosi - Bayer e Mentzell - per la redazione delle loro opere omonime.
Si conservano diverse lettere del P. Couplet in vari archivi e biblioteche; fra i principali ricordiamo la Biblioteca dei Bollandisti, l'archivio della S.C.P.F., l'Archivio Romano della Compagnia di Gesù.

CAPITOLO I

IL MANOSCRITTO INTITOLATO *BREVE RELATIONE DELLO STATO E QUALITÀ DELLE MISSIONI DELLA CINA*

Abbiamo già visto come e da quali esigenze sia nata questa relazione, e quando sia stata presentata. Ci accingiamo ora, prima di presentarne la trascrizione integrale, a fornire ulteriori e più precisi elementi su di essa. Nonostante sia a tutt'oggi inedita, se ne conosce da tempo l' esistenza: cercheremo perciò di segnalare ciò che di essa è stato detto, rettificando le notizie imprecise. Daremo inoltre ragguagli sulla sua redazione e sulle correlazioni che essa ha con altri materiali manoscritti.

LE DIVERSE REDAZIONI ED I DOCUMENTI AD ESSE CORRELATI

È necessario innanzitutto rilevare che di essa siamo riusciti a reperire quattro redazioni, tre in lingua italiana, pressoché identiche, ed una in lingua latina. Di quelle in lingua italiana due sono nell'Archivio Romano della Compagnia di Gesù (mss. Jap.-Sin. 131, ff. 1-37v, e Jap.-Sin. 125, ff. 164-199) e una nell'archivio della Sacra Congregazione di Propaganda Fide (SOCP, Indie Orientali, Divisione scritture della Cina, 1686–1689, ff. 225-255v). Quella latina è conservata invece a Madrid presso l'Archivo Histórico Nacional (Clero Jesuitas, Leg. 272, n. 43). Le tre redazioni romane – che d'ora in avanti identificheremo, per comodità, come ms. A, ms. B, ms. C, nell'ordine sopraesposto – sono organizzabili in una sequenza temporale che vede nel ms. A la prima stesura, e in quello C l'ultima. Molti sono gli elementi che ci permettono questa affermazione: il primo testo (ms. A), significativamente redatto in italiano, rivela il lavorio tipico dell'autore durante una prima stesura: ci sono infatti correzioni, aggiunte, cancellazioni in corso di opera, inserzioni di brani a margine e su foglietti supplementari (che si aprono lateralmente o che sono incollati sulla pagina per coprire brani cancellati). La seconda redazione (ms. B) presenta la maggior parte dei cambiamenti già inseriti nel testo. Un certo numero di rimaneggiamenti vi compare ancora e, talvolta, variazioni evidentemente apportate nel corso di questa stesura si ritrovano riportate – *a posteriori* – nel testo del ms. A. Tutto questo lavorio, e la presenza di una stessa mano in questi due casi, ci autorizza sufficientemente ad ipotizzare una stesura diretta dell'autore o almeno sotto sua stretta dettatura. La copia conservata presso Propaganda Fide (ms. C) è quella redazionalmente più „pulita", senza correzioni e variazioni, e contiene regolarmente inserite nel testo tutte quelle delle altre due. Denota però essere opera di un semplice copista: spesso vi si possono rilevare, infatti, delle dimenticanze - come la sottolineatura di passi -, o errori di copiatura e di interpretazione, come ad esempio parole simili scambiate, con grave pregiudizio del senso della frase; anche i vocaboli cinesi sono spesso trascritti non correttamente. È questa molto chiaramente la copia definitiva, destinata alla presentazione ufficiale, ma che sembra non essere stata rivista dall'autore.

Il manoscritto madrileno, proveniente dall'Archivo Jesuítico del Extremo Oriente di Macao, si intitola *Brevis relatio de statu, et qualitate Missionis Sinicae Author P. Philippus Couplet Belga Societatis Iesu eiusdem missionis in Urbe Procuratore* e corrisponde in buona parte letteralmente alle copie italiane. Il documento, molto deteriorato, contiene numerosissime correzioni ed aggiunte, ha i paragrafi non ancora numerati e presenta un inizio di suddivisione - come ad esempio una *introductio* - tipicamente da libro. Da un suo attento esame è possibile ipotizzare che si tratti della copia personale di lavoro del P. Couplet che egli intendeva forse pubblicare. Alcuni rimaneggiamenti rispetto al ms. C, a cui rassomiglia maggiormente, ci rivelano che l'autore lo stava preparando per pubblicarlo, forse in Cina, dopo averlo sfrondato delle parti più funzionali alla lettura dei cardinali di Propaganda Fide - ai quali il titolo non lo indirizza più -, di quelle già pubblicate nel frattempo in altre opere - come il capitolo su Candida Hiu - e dei brani più didattici sui costumi cinesi. Non è improbabile che questo manoscritto viaggiasse con il P. Couplet nel suo sfortunato viaggio di ritorno, e che sia comunque arrivato a Macao dopo la morte del suo autore. A Macao, attorno al 1750, ne sarebbe stata inoltre fatta una copia - come per altri materiali - per essere mandata a Lisbona, dove è conservata nella Biblioteca Da Ajuda. La nostra trascrizione è basata sul ms. A; le altre redazioni sono state utilizzate, a scopo comparativo, tutte le volte che ci siamo imbattuti in passi di difficile decifrazione o comprensione; le differenze di rilievo, e i cambiamenti significativi apportati, sono stati segnalati in nota al testo.

La *Breve relatione* si preoccupa, in quanto ai contenuti, di confutare le calunnie sui missionari gesuiti, evidenziandone la meritoria opera evangelizzatrice e culturale in quell'Impero. Ad una prima parte (di 13 paragrafi) più strettamente dedicata alla narrazione degli eventi degli ultimi decenni della missione - in relazione alle vicende storiche cinesi -, segue una seconda parte (di 6 paragrafi) sui metodi pastorali più opportuni nei confonti degli uomini e della cultura cinese. La conclusione è una lunga esortazione alla concordia fra tutti i missionari. Ci troviamo chiaramente di fronte ad un'opera organicamente strutturata e conchiusa. Negli stessi archivi segnalati, esistono però altri documenti del P. Couplet ad essa strettamente connessi: si tratta di otto copie manoscritte di una ulteriore dissertazione sulle questioni cinesi, particolarmente incentrate sulla liturgia cinese. Tale opera non ha titolo nè introduzione, e consta di due ampi paragrafi non ancora numerati.[1] In alcune di queste redazioni è riconoscibile la stessa mano dei mss. A e B; altre sono evidentemente opera di un generico copista: vi si trovano i classici errori di copiatura. Due delle copie A.R.S.I. sono in lingua latina,[2] tutte le altre sono redatte in lingua italiana.

Il primo paragrafo di tali manoscritti è intitolato *Che nella China non vi sia sin' hora fondamento stabile per propagare, e conservare la Religione Christiana, e pertanto che ciò debba procurarsi per mezzo de Sacerdoti nativi.* Il paragrafo successivo ha il seguente titolo: *Si esaminano le ragioni che mossero la Santità di Paolo V a concedere à Cinesi di poter celebrare in lingua nativa, et humilmente si chiede l'esecutione di tal Indulto.* È opportuno riportare anche, a questo punto, l'esordio del primo paragrafo:

> Benche da questa breve relatione si possa tanto quanto raccogliere ciò che il paragrafo propone, tuttavia essendo cosa di si gran momento, trattandosi di salute di popolo innumerabile, si è stimato bene qui brevemente raccogliere, e porre sotto gli occhij le cose sparsamente sopra riferite.

È evidente, da questo brano, che l'autore - magari in un secondo momento - deve aver ritenuto opportuno aggiungere in chiusura della *Breve relatione* questi due paragrafi, con funzione di riepilogo e di promemoria delle sue richieste. Si può ragionevolmente supporre che, anche in vista di una autonoma utilizzazione e più ampia diffusione, il P. Couplet abbia provveduto sia alla moltiplicazione delle copie, che alla traduzione in lingua latina. Che fosse prevista una integrazione al corpo principale - tuttavia mai portata a compimento per ragioni che ci sfuggono - ci è confermato dalla suddivisione in paragrafi e dalla loro mancata numerazione. Non sappiamo ugualmente se intendesse aggiungerli direttamente alla fine della seconda parte, proseguendo quindi la numerazione dei paragrafi

[1] A.R.S.I.: Jap.-Sin. 124, ff. 199-210 e 211-222; Jap.-Sin. 165 ff. 211-220 e 221-228. Archivio S.C.P.F.: SOCP, Indie Orient., Div. scritt. d. Cina, 1686–1689, ff. 68-78, ff. 80- 90, ff. 92-102, ff. 125-132v.

[2] Si tratta dei mss. Jap.-Sin. 124, ff. 211-222 e Jap.-Sin. 165, ff. 211-220.

precedenti, oppure farne i paragrafi I e II di una ulteriore e conclusiva parte - la III quindi - della sua relazione. Sia come sia, va segnalato che le otto copie di questi documenti sono sempre archiviate autonomamente e separatamente da quelle della nostra relazione. All'intento di segnalare l'esistenza della relazione, e di favorirne la conoscenza, si possono collegare due altri documenti dell'archivio della S.C.P.F.: si tratta di due compendi intitolati *Relationis Missionis Sinicae* (SOCP, 1686–1689, ff. 119-122) e *Ristretto della relazione della Missione della China presentata dal P. Filippo Coplet della Compagnia di Giesù* (SOCP, 1686–1689, ff. 219-224). Il loro contenuto dà sommariamente conto degli argomenti trattati nei vari paragrafi della *Breve relatione*. Entrambi sono incompleti - quello in latino arriva a trattare del contenuto del paragrafo I della II parte; quello in italiano si ferma al paragrafo V della stessa - ed anche poco accurati: la numerazione dei paragrafi - ad esempio - continua progressivamente senza azzerarsi all'inizio della seconda parte; si riscontrano inoltre dimenticanze, salti di paragrafo etc. Non c'è data di redazione e la calligrafia non è di quelle già incontrate.

LE FONTI SUL MANOSCRITTO

Veniamo ora alle segnalazioni bibliografiche della *Breve relatione*. La prima segnalazione in ordine di tempo la troviamo in una pubblicazione anonima del 1700, interamente dedicata al concilio di Canton: si tratta dei già citati *Acta Cantonensia Autentica*.[3] In questo completo rapporto su tale sinodo non solo si parla del P. Couplet come partecipante, ma si cita chiaramente in più occasioni la sua relazione. L'anonimo autore mostra di conoscerla bene, indica il luogo ove si trova conservata, l'A.R.S.I., e la cita chiamandola „Relatione“ o „Informatione Italica de Sinica Missione“.[4] Vi sono, inoltre, alcune precise citazioni di brani del manoscritto, con la esatta indicazione della numerazione del foglio da cui sono tratti. Sottoposte a verifica, queste sono risultate pertinenti al ms. A. Solo la data di presentazione alla S.C.P.F. (1688) non è esatta, ma l'errore può essere stato indotto dalla annotazione che è presente sul frontespizio del ms. A, e di cui parleremo tra poco. Da questo testo, quasi coevo, emerge un altro elemento, che sarà utile in seguito: l'originale fu redatto in italiano.

---

3 *Acta Cantonensia Authentica*, 1700. Di questo libro *in quarto* (cfr. sopra la bibliografia per i dati completi) se ne conservano ben 8 copie alla Biblioteca Nazionale Centrale di Roma. Inoltre è anche pubblicato insieme ad altro materiale sulla Cina in *Monumenta Sinica* edito sempre anonimo nel 1700. Anche di questo si può trovare copia nella predetta biblioteca.

4 *Ibid.*, p. 82.

La successiva citazione la incontriamo negli *Acta Sanctorum*. Il P. Papebrochius la cita sotto il titolo latino di *Relatio R.P. Philippi Couplet S.J. de statu et qualitate missionis Sinicae post reditum Patrum e Cantonensi exilio sub annum 1671*, ed inserisce nella sua *Dissertatio XLVIII* alcuni *excerpta* liberi, in lingua latina, tratti dai due paragrafi non numerati che riguardano la liturgia in lingua cinese.[5] Degli stessi tratta, nella cosiddetta *Biblioteca Braemensis* (1721), l'erudito Maturini Veyssière La Croze.[6] Facendo diretto riferimento a quanto pubblicato negli AA.SS., egli dichiara che la dissertazione del Papebrochius non riporta integralmente il testo del Couplet, per cui si è deciso a curarne lui stesso la pubblicazione, basandosi su un autografo che il P. Couplet aveva inviato al Mentzel. Il La Croze stesso opera qualche variazione, ad esempio suddivide il testo in 13 paragrafi, dei quali solo il primo e il quarto corrispondono nel titolo agli unici due redatti dal P. Couplet. Egli confonde inoltre la trattazione sulla liturgia cinese con la *Breve relatione* vera e propria, chiamandola però *Dissertatio (...) de Statu & qualitate Missionis Sinicae*. Anche l'anno di presentazione alla S.C.P.F. è errato: egli dice infatti essere il 1681, epoca in cui, come sappiamo, il P. Couplet era ancora a Macao. Della molto più nota utilizzazione negli AA. SS. ci informa anche il P. Pfister,[7] e a lui si rifà direttamente il P. Sommervogel.[8] Egli tuttavia ritiene che la nostra relazione sia stata scritta in latino e poi pubblicata in italiano come *Breve ragguaglio delle cose più notabili spettanti al grand' Imperio della Cina*, titolo questo di un testo che invece, come abbiamo visto, tratta di dati statistici. Nella stessa confusione è incorso H. Cordier.[9] Il P. Pfister, e con lui il P. Sommervogel, segnala inoltre – nella sezione bibliografica riservata ai manoscritti – la esistenza di una versione autografa *tradotta* in italiano' quella oggetto del presente studio:

---

5 AA. SS., *Propylaeum* ..., 1742, pp. 501-506.

6 La Croze, 1721, pp. 618-655.

7 Pfister, 1932, p. 310-311.

8 Sommervogel, II, 1891, col. 1563.

9 Cordier, II, 1905–1906, coll. 1062-1063.

> (...) cet ouvrage paraît être le numéro précédent [la versione latina utilizzata dal P. Papebrochius] traduit en italien; cependant d' après le § 1 et 9 de la première partie, que j'ai sous les yeux, il me semble être plus considerable et n'avoir point été imprimé.[10]

Il P. Pfister però, basandosi sulla comparazione con quanto pubblicato negli AA. SS., esprime in questo passo anche legittime riserve circa la reale coincidenza delle due opere. Non approfondisce tuttavia oltre queste sue supposizioni, lasciandone evidentemente il compito a studi più specifici e meno vasti dei suoi. Il P. d'Elia,[11] in quegli stessi anni, continua ad identificare la *Breve relatione* come quella pubblicata negli AA. SS.

Tutti questi storici, basandosi sulla citazione del P. Papebrochius, danno per presupposta l'esistenza di due distinte versioni della relazione, una latina originaria ed una in traduzione italiana; ciò vale anche per il P. Pfister che pure, come abbiamo appena visto, ha qualche dubbio sulla identità delle due. Ed è proprio dalla errata identificazione fra la *Breve relatione* ed i due paragrafi autonomi sulla liturgia cinese che nascono le confusioni. La relazione originale invece, come abbiamo già detto, è in lingua italiana - e di ciò abbiamo anche avuto felice conferma da una fonte coeva[12] - ed è certamente da questa che è stata tratta l'unica versione latina - quella di Madrid -, che tuttavia è ignota a questi studiosi. Couplet scrive dunque in italiano, e traduce „nell'italiano“ (f. 12r) quando cita da altre lingue. Anche i materiali manoscritti dell'epoca, su cui abbiamo svolto parte delle nostre ricerche, ci parlano solo della versione italiana. Ad esempio alla Biblioteca Nazionale Centrale „V. Emanuele“ di Roma, *nei Manoscritti Gesuitici*[13] è conservato un documento intitolato *Papiers du feu P. Couplet* che contiene una lista di carte appartenute al medesimo: fra queste troviamo citata *la Breve relatione dello stato e qualità delle Missioni della Cina* e la già menzionata *Appendice al messale cinese*.

L'apporto critico più approfondito è quello del P. Bontinck,[14] già citato, il quale segnala correttamente alcune delle imprecisioni e incomprensioni degli studiosi precedenti, da noi stessi nuovamente e indipendentemente rilevate nel corso della ricerca. Seppur interessato esclusivamente alla parte riguardante la liturgia cinese - infatti egli analizza unicamente il contenuto dei due paragrafi non numerati - dimostra di aver avuto sotto mano, e

---

[10] Pfister, 1932, p. 311.

[11] D'Elia, 1927, p. 25.

[12] Cfr. *supra*, note 3 e 4.

[13] La collocazione è: Ms. Ges. 1253 n. 50.

[14] Bontinck, 1962, pp. 215-220.

scorso con qualche attenzione, la *Breve relatione* (ma solo i mss. B e C; del ms. A non sembra conoscere l'esistenza). Di questa egli dà un ragguaglio in poche righe.[15] Anche questo studioso però, nonostante il rigore dimostrato, incorre nell'imprecisione e nella confusione. Egli, pur individuandone la autonomia archivistica, considera i due paragrafi non numerati (che inoltre segnala sempre come uno solo) come se fossero il III paragrafo della II parte della relazione,[16] non tenendo presente che tale parte possiede già un suo paragrafo 3° (intitolato *Virtù morali de Cinesi*); non solo, ma i paragrafi continuano fino al 6°, cosa di cui egli non fa assolutamente menzione.

Un più recente contributo è quello del P. Dehergne[17] che, nel suo repertorio (ordinato per anni) delle fonti per le missioni gesuitiche della Cina, cita la *Breve relatione* con la corretta segnatura archivistica del ms. A, ma la include inspiegabilmente fra i materiali attribuibili all'anno 1668. Più avanti - in corrispondenza dell'anno 1671 - ascrive allo stesso P. Couplet una *Brevis relatio de numero et qualitate christianorum apud Sinas*, segnalandola come conservata in alcuni archivi: l'Archivo Histórico Nacional di Madrid, la Biblioteca da Ajuda di Lisbona[18] e l'A.R.S.I., per il quale indica come collocazione quella dei nostri mss. A e B. A parte la non corrispondenza idiomatica fra quelli iberici e quelli romani, il titolo riportato dal P. Dehergne non appartiene a nessuna delle varianti del P. Couplet, ma bensì alla relazione - edita nel 1654 - di un precedente procuratore di quelle missioni, il P. Martino Martini. Ancora oltre - all' anno 1681 - viene segnalata per il nostro autore una *Relatio de statu et qualitate Missionis Sinicae* (questo titolo è evidentemente quello usato da Papebrochius) che sarebbe per il P. Dehergne da identificare con quella precedentemente segnalata all'anno 1671. Oltre al problema delle contrastanti indicazioni sull'anno di redazione, non possiamo non notare anche qui il ripresentarsi della confusione tra la *Breve relatione* e quanto pubblicato negli AA. SS. Ancora più recente (1990), infine, è la uscita, in questa stessa collana, del volume *Philippe Couplet, S.J. (1623-1693). The Man*

---

[15] *Ibid.*, p. 216.

[16] *Ibid.*, nota 73: „(...) Pourtant nous le regardons comme le troisième paragraphe de cette deuxième partie."

[17] Dehergne, 1982, pp. 261-265.

[18] Il P. Dehergne ricava queste indicazioni su Madrid e Lisbona dall'inventario dei documenti gesuitici estremorientali dell'Archivo Histórico Nacional pubblicato dal P. Schütte negli anni 1978-1979 (cfr. la bibliografia). Di questo rigoroso lavoro ci siamo serviti anche noi per andare a verificare il manoscritto madrileno.

Who Brought China to Europe, che raccoglie i contributi di vari studiosi in occasione di un convegno tenutosi a Louvain nel 1986. I rari accenni in esso contenuti alla *Breve relatione* non forniscono elementi di novità rispetto a quanto già pubblicato da F. Bontinck, a cui fanno diretto riferimento; il volume è invece senz'altro utilissimo per gli approfondimenti biografici sul nostro autore a cui rinviamo per integrare - soprattutto rispetto al suo ruolo di intellettuale - quanto da noi riportato nell'introduzione.

LA DATAZIONE

Abbiamo già incontrato dei riferimenti cronologici sulla redazione del manoscritto originale, ma poichè i pareri degli studiosi non sono concordi,[19] tenteremo ora di mettere assieme tutti gli elementi disponibili per ottenere una indicazione quanto più possibile precisa. Innanzitutto, poichè i manoscritti non sono datati, e nemmeno è stato possibile trovare in proposito un dato documentario esplicito, è bene aspettarsi una indicazione cronologica relativa, ovvero la individuazione di un arco temporale probabile. Vediamo i dati di cui siamo in possesso: un primo elemento di datazione ci è fornito direttamente dal ms. A; in alto a destra sul foglio 1r. c'è infatti scritto *Ab anno 1688.*

Questa annotazione di altra mano - probabilmente dell'archivista - è un primo *terminus ante quem*. La lettura del testo ci fornisce il *terminus post quem*. All'inizio della sua relazione, per giustificare il breve periodo storico narrato, dice infatti il P. Couplet:

> Avea deliberato esporre minimamente quanto, in questo secolo passato (...) erasi operato (...). Ma sentendo le calunnie, e menzogne stampate in questo triennio del mio viaggio (...) ho giudicato meglio soprasedere da una sì lunga e forse non grata narratione.[20]

È evidente che l'autore inizia a scrivere la sua relazione a tre anni di distanza dalla sua partenza dalla missione, cioè verso la fine dell'anno 1683 (considerando logicamente compreso nel „viaggio" anche il tempo passato a Macao nell'attesa dell'imbarco). Questo dato ci viene confermato dalla lettera che egli scrive dall'Olanda al Padre Generale il 26 dicembre 1683:[21]

---

[19] D'Elia, 1927, p. 26, sostiene esser stata redatta entro il 1684; Pfister, 1932, p. 311, dice 1683 o 1684; Bontinck, 1962, p. 215, scrive „redigé probablement en novembre 1685"; infine Dehergne, 1982, p. 261, segnala il 1668.

[20] Cfr. sotto la trascrizione al f. 1v.

[21] Cfr. la nota 15 del capitolo precedente.

in questa egli promette che invierà - dopo i fascicoli di lettere già spediti - una relazione personale sulla situazione della missione cinese. È chiaro che questa non era pronta per essere inviata insieme alla lettera, ma appena messa in lavorazione, oppure ancora nella fase progettuale. Per quanto riguarda la data estrema sappiamo ancora che le richieste del missionario furono prese in considerazione dalla S.C.P.F. nel luglio 1685 e poi nel novembre dello stesso anno: è proprio in rapporto a quest'ultima data che troviamo nominata la relazione. Nella già incontrata richiesta che Mons. Cybo presenta ai Cardinali si legge: „(...) sopra di che ha egli presentato una diffusa scrittura".[22] E ancora, ad ulteriore conferma che si sta parlando proprio della nostra relazione ormai diffusa, abbiamo un riferimento in un altro documento manoscritto - datato 29 novembre 1685 - in cui il P. Fabri S.I., alla cui competenza Mons. Cybo si era rivolto per un parere da sottoporre ai Cardinali, afferma:

> Omitto alia ferè innumera quae peti possunt", deducibili „ex prolixiora scriptione a Patre Couplet Eminentissimi porrecta.[23]

In conclusione, quindi, la redazione deve essere avvenuta in un lasso di tempo individuabile tra il dicembre 1683 e il novembre 1685.

---

[22] Cfr. la nota 27 del capitolo precedente.

[23] H. Fabri, *Quamvis per grandaevam* ..., archivio della S.C.P.F., Indie Orientali Cina, Scritture Riferite nei Congressi (SC), 4 (1685-1687), f. 370r. Anche in A.R.S.I., Jap.-Sin. 124, ff. 180-182 e Jap.-Sin. 163, ff. 308-310v.

Capitolo II

LA CINA DEL PERIODO: LINEAMENTI STORICI

La relazione che segue investe il decennio della storia cinese che va dal 1671 al 1681 con alcuni riferimenti ai periodi immediatamente precedenti. Senza voler per nulla fare una storia di tale periodo, né potendo apportare elementi nuovi a quanto già noto – del resto non è questo il nostro scopo né il campo – ci limiteremo a dare elementi di riferimento per inquadrare meglio quanto nel manoscritto si dice.[1]

Nel 1644, a seguito di torbidi e rivolte in tutto l'impero, culminate con l'assedio della capitale, l'ultimo imperatore Ming si toglie la vita. Provenienti dalla vicina Manciuria, stato vassallo della Cina e sostanzialmente sinizzato, i Tartari Orientali si impadroniscono del potere mettendo sul trono un ragazzo di otto anni, nominalmente nella linea dinastica Ming, ma a tutti gli effetti primo imperatore di una nuova dinastia denominata Ch'ing o Mancese. Impadronitisi del potere dopo essere entrati in Cina per difendere dai ribelli la precedente dinastia, i Mongoli orientali o Mancesi lo manterranno fino alla instaurazione della Repubblica Cinese (1911/12). Il nuovo imperatore, Shun Chih, che aveva trovato i Gesuiti a corte, mantiene una condotta a loro molto favorevole. Amico personale del P. Johann Adam Schall, nominato prima presidente del Tribunale di Astronomia, poi Mandarino, ne utilizza le conoscenze astronomico-matematiche per riformare il calendario dinastico ufficiale. A lui affida anche parte dell' istruzione di suo figlio, il futuro imperatore K'ang Hsi. È nel penultimo anno di regno di Shun Chih che arriva in Cina il P. Couplet, trovando una nazione completamente pacificata sotto il dominio mancese: la resistenza nazionalista, durata sette anni, è ormai definitivamente sconfitta; le responsabilità di governo sono affidate saggiamente a uomini di entrambe le etnie; la popolazione cinese, in cambio di una prospettiva di pace duratura, pare accettare il cambiamento di dinastia; l'atteggiamento verso gli stranieri promette maggiori aperture che in passato. Ancor giovane Shun Chih muore nel 1661: il suo successore designato è ancora giovanissimo, ed il

---

[1] Per queste brevi note sulla storia cinese ci siamo serviti soprattutto di alcune opere – già citate in bibliografia –, a cui rimandiamo per ulteriori approfondimenti: Cordier, 1920; Grossuet, 1946; *Handbook* ..., 1951; Martinelli, 1967; Reischauer – Fairbank, 1974; Lanciotti, 1980.

governo è quindi affidato a quattro reggenti. I nemici di Schall, gelosi della sua influenza a corte, ne approfittano per ottenere dai reggenti un editto contro il Cristianesimo (4 gennaio 1665). Il P. Schall è imprigionato e condannato a morte (con lui anche il P. Verbiest); al suo posto è nominato un astronomo musulmano. Gli altri missionari sono arrestati e condotti a Pechino, poi sono esiliati a Canton. Intanto la pena di morte per i due Padri non viene eseguita e anzi, grazie alla intercessione dell'imperatrice, nel 1666 il P. Schall viene liberato: già vecchio e provato morirà poco dopo.

Il 25 agosto 1667 il giovane imperatore decide di assumere personalmente il potere. Negli anni che seguono egli sottopone ad un severo esame l'operato dei reggenti, giungendo fino alla condanna a morte di alcuni di essi. La astronomia gesuitica è riammessa a corte e al P. Verbiest, ritenuto l'unico in grado di riformare il calendario, viene affidata la presidenza del competente tribunale (1669), già occupata dal P. Schall. Nel 1671 l'imperatore pone termine all'esilio dei missionari e li riammette alle loro chiese con grandi onori; tuttavia lascia in vigore l'editto del '65 che, ovviamente, i governatori delle varie provincie saranno liberi di rispettare, o meno, a seconda della personale disposizione nei confronti del Cristianesimo, e degli interessi politici prevalenti. Ci vorranno ancora ventidue anni per arrivare alla promulgazione di due editti di tolleranza (17 e 19 marzo 1692) che, del resto, non faranno altro che formalizzare una prassi ormai consolidata. Ma lasciamo da parte questo importantissimo atto, dato che il P. Couplet non deve mai esserne venuto a conoscenza: proprio in quegli stessi giorni, infatti, egli si imbarca per far ritorno in Cina, ma non riuscirà neanche ad arrivare a Goa.

L'ultima parte di storia cinese a cui egli assiste di persona – e di cui ci dà una dettagliata cronaca nella prima parte della sua relazione – riguarda il tentativo di ribellione di alcune provincie meridionali. Al riguardo può essere utile inquadrare tutto ciò nella situazione storica più ampia generata dal cambiamento di dinastia. Gli eserciti mancesi, abbiamo visto, entrarono in Cina per difendere la dinastia Ming, invitati per questo compito dal generale lealista Wu San-kuei. Costui aiutò poi i mancesi a sottomettere tutte le province e ne ricevette in premio il governatorato delle province di Yunnan e di Szechwan. Alcuni anni dopo (1673), dopo aver ripetutamente opposto un rifiuto alla chiamata dell'Imperatore a Pechino – si trattava di sottoporsi alla periodica verifica del proprio operato, per ricevere o meno la conferma dell'incarico – si solleva in armi dichiarando di voler cacciare dalla Cina gli usurpatori mongoli. Aderiscono i governatori dell'isola di Taiwan e delle province di Canton e Fukien; tentano di approfittare dell'occasione anche i vassalli della Mongolia Interna. Il deciso intervento imperiale mette fine alle ribellioni dei mongoli, annettendo direttamente alla Cina la Mongolia Interna, come era già stato fatto per la Manciuria.

Il capo della rivolta cinese, intanto, non riuscendo a trascinare nella sollevazione le altre province - nemmeno con il miraggio di una restaurazione nazionalista -, e non potendo neanche mantenere la compattezza degli alleati, si ritira (1677) nella provincia Yunnan, ormai isolata e circondata. I mancesi non attaccano subito e, nel frattempo, Wu San-kuei muore. Agli altri non rimane che sottomettersi mentre le truppe imperiali occupano (1681) tutta la provincia Yunnan. Nel 1683 anche il regno autonomo di Formosa viene annesso all'Impero. Ma qui siamo già oltre il periodo interessato dal nostro manoscritto, visto che le fasi finali di questa guerra vengono comunicate per lettera al P. Couplet, già partito.

Capitolo III

IL TESTO
BREVE RELATIONE DELLO STATO E QUALITÀ DELLE MISSIONI DELLA CINA ...

Nota redazionale

La trascrizione qui di seguito presentata è stata effettuata attenendosi alle indicazioni del P. Rabikauskas per la *editio scientifica specialis*, cioè è stata fatta rispettando fedelmente il modo di scrivere dell'autore, che presenta parecchie forme lessicali e sintattiche - non più in uso - tipiche del suo periodo storico. Ad esempio l'uso della lettera maiuscola e della punteggiatura, la costruzione delle frasi, la separazione delle sillabe per andare a capo, rendono spesso difficile la lettura e la comprensione del testo: anche in tali casi si è scelta la fedeltà all'originale. Le abbreviazioni, che ricorrono spesso, sono invece state sciolte per la maggior parte (sono rimaste solo quelle chiare e di uso frequentissimo, come le formule di cortesia, e i titoli appellativi reverenziali). Persino di fronte ad evidenti errori di redazione ci si è attenuti allo stesso criterio, cioè non intervenendo. All'interno del testo sono segnalate le andate a capo e i cambiamenti di pagina secondo la normativa più diffusa in materia di trascrizioni, cioè con una barra semplice e doppia, rispettivamente. La numerazione originale dei fogli del manoscritto è stata riportata - per comodità di consultazione e di raffronto - ad ogni nuova pagina. Ad essa, più che a quella delle pagine del nostro lavoro, faranno riferimento le citazioni di brani che si incontreranno nei capitoli successivi.

BREVE RELATIONE DELLO STATO E QUALITÀ DELLE MISSI/ONI DELLA CINA, COMPOSTI DAL P. FILIPPO COUPLET FIA/MINGO DELLA COMPAGNIA DI GIESÙ PROCURATORE A ROMA PER QUELLE/ MISSIONI, DEDICATA AGLI EMINENTISSIMI E REVERENDISSIMI SIGNORI CARDINALI/ DI PROPAGANDA

Parte Prima

§ primo

(f. 1r) Vengo mandato dall'ultime parti dell'Oriente, e dalla gran Corte di Pekin/ Procuratore delle Missioni della Cina, accio à nome del P. Ferdinando Verbiest/ Provinciale della stessa Provincia e Superiore di tutti gli Operarij della nostra/ minima Compagnia, à lui subordinati secondo il costume di quei Paesi con la ri/verenza, e veneratione solita à pratticarsi con quei Principi in ginocchij/ e con la testa nove volte prostrata à terra adori la Santità sua e profon/damente mi humilij all' EE VV cio è alla S. Congregazione de Propaganda fide, e di piu/ supplichevole ne riceva i commandamenti, e ne implori quel favore e/ benificenza, che suole dall EE VV propagarsi, e stendersi per tutt'il mondo,/ in accrescimento della Religione Cattolica et in estirpazione dell'Idolatria./ Giunsi nella Città di Macao l'anno 1680,[1] donde l'anno 1681 ne partij à/ 5 di Decembre. Questo anno stesso fù il centesimo della Missione Cinese/ fondata da' Padri della Compagnia Italiani Michaele Rogerio, Matteo Ricci, e Francesco Pasio./ Fù dalla Christianità di tutta la China nelle nostre Chiese celebrata la me/moria di questo Giubileo agli 8 di Settembre,[2] giorno dedicato a' natali/ della gran Madre di Dio, per il qual titolo ancora habbiamo ardire di spe/rare la benignità delle EE VV con la quale consolino chi con le fatighe,/ pericoli, e persecutioni, d'un secolo, e stato sbatuto, e travagliato, ed aggiun/ ghino novi, e piu forti stimoli, si gli animi d'ogni un di noi si di coloro/ che aspirano à quelle Missioni, per poter sopportare à gloria di Dio,// **(f. 1v)** ad accrescimento della Chiesa Romana, ed à salute dell'

---

[1] Il ms. C riporta l'anno 1658, cioè quello dell' arrivo in Cina del P. Couplet, che può quindi andare altrettanto bene nel testo; tuttavia siamo propensi a ritenere che è della partenza che si parla.

[2] Nelle altre due redazioni (mss. B e C) questa data è stata corretta in 8 dicembre.

animе desiderata uni/camente dall' EE VV le fatighe, e stati del secolo avvenire./

Avea deliberato esporre minimamente quanto, in questo secolo passato à prò della Religione Cattolica erasi operato: comminciando il racconto sin da/ primi trent'anni doppo la morte di S. Saverio in cui la Fede Cattolica rotte quel/le porte di diamante, che gli havea opposte la perfidia, comparve nella Chi/na bambina, indi crebbe nel mezzo di persecutioni, patimenti e fatighe sino alla/ sua gioventù, in cui tutt'hora si trova robusta, e de' suoi nemici trionfan/te. Mà sentendo le calunnie, e menzogne stampate in questo triennio del/ mio viaggio contro i nostri Promulgatori del Vangelo, e sparse per la Spa/gna, francia, fiandra, et Italia, ho giudicato meglio soprasedere da una sì/ lunga e forse non grata narratione. In tanto confidato nella benignità/ dell' EE loro, che san gradir molto, anche il poco, ardisco offerire loro questo/ semplice Catalogo[3] dè Padri della nostra Compagnia i quali per un intero secolo/ lavorarono nella Vigna Chinese, e sparsero la semenza di Christo per 15 vas/tissime Provincie, dal frutto delle quali sarà agevole à raccogliersi la qua/lità e bontà de' Coltivatori./

Questo Catalogo fù la prima volta stampato in lingua Cinese l'anno 1647/ con l'approvatione ed autorità de primi Scientiati Han yu Cum et Cham em/ indi accresciuto di più e più libri e soggetti sopravvenuti, e finalmente in questi/ ultimi anni e stato ristampato. Egli vi se contiene, i nomi cognomi, e Patria/ di 106 nostri Sacerdoti, che nell'estension d'un secolo s'impiegarono in Sa/lute dell'anime; assegna di più l'anno in cui la prima volta posero/ piede nella China, le Provincie dove si portarono a predicar la fede,/ in qual parte della China hebbero il/ Sepolcro; e finalmente dassi ragguaglio della qualità e quantità de libri dati/ alle stampe Cinesi da' nostri Padri di materie sacre 126, di Scienze ma/tematiche, filosofiche, e morali 89, et in ultimo 286 volumi anno/verati fra' i nostri e mandati alla luce da Convertiti Cinesi.// **(f. 2r)**

§ 2°.
Per qual fine fosse stampato nella China questo Catalogo.

Essendo la Natione Cinese non meno ricca d'ingegno, che avida di sa/pere, convenne notificarsi à Studiosi, e curiosi lettori il numero de libri/ e delle materie mandate in luce, acciò potessero agevolmente procacciarseli et ap/prendere da quelle morte carte con viva favella, i sodi fondamenti della

[3] Per indicazioni su questo catalogo, aggiornato e riedito in Europa a cura del P. Couplet, si veda quanto riportato più sopra.

nostra Re/ligione, e detestare le vane fintioni della loro falsa Superstitione: di più accio/ remanesse qui in Europa qualche pegno e memoria delle nostre fatiche, tutte indirizzate alla gloria Divina, et alli accrescimenti trionfali della Chiesa sua Spo/sa. Quindi è che tutti quei libri, che potei haver nelle mani, involati alle/ fiamme della ultima persecutione, che ne consumò molti, ho meco portati, per tri/butarli come è di dovere à Santissimi piedi del regnante Innocenzo: accio/ finalmente trovasse nella libraria Vaticana qualche angolo da riporsi questa/ operetta del primo secolo e piccola libreria Cinese.[4] Dal che ne potrà nascere/ almeno questo di frutto, che se mai veranno (e verranno forse una volta Eu/ropei intendenti de caratteri Cinesi) potranno esaminare i nostri libri,/ singolarmente quelli spettanti à dogmi di religione, e far palese al mondo che/ cosa habbiano in quelle parti predicato i nostri Padri, i quali poterono/ promulgare altro, che cio che scrissero, ne contradirsi o sparger tenebre d' er/rori contra la luce de' proprij libri, che haverebbero richiamato manifestamente/ contro di loro, qual'ora havessero insegnato l'opposto egli haverebbono fatti/ rei di Severa riprensione appresso gli Europei ivi dimoranti, et esposti allo scherno di quella ingegnosa Natione. In questi libri dunque troverà/ il perito lettore esser stato predicato dai primi nostri Padri della Missi/one Giesù Christo, e questo Crocifisso: Leggerà nel simbolo stampato dal/ Padre Rogerio l'anno 1584 stesamente spiegata la passione di Christo, e la/ rivederà nel primo Catechismo chiamato *Kiao yao*. Troverà nel libro/ del P. Ferreira,[5] et in quello del P. Froes le meditazioni sopra le pia/ghe di Christo, per lasciare molti altri, i quali da studiosi Lettori possono// **(f. 2v)** facilmente vedersi. E pure siamo calunniati di non haver predicato Christo/ Crocifisso, mentre oltra i libri, che di Christo parlano e la sua Passione/ spiegano: posso produrre più di 130 Chiese, e d'altri tanti Oratorij, dove/ ogni venerdì in memoria della Passione davanti un'imagine del Crocifisso, finite le solite preghiere si flagelano i Congregati, oltre i libri instruttioni/ troverà chi legge altri tutti intesi à debelar Idolatria, quali potrebbono ba/stare à rimover da noi ogni menzogna fabricata dall'invidia. Di più chi/ mai di fermo e savio giuditio potrà persuadersi che persone religiose, per altro/ di patrie si diversi, si constantemente per quasi 100 anni siano convenuti in/ una stessa sentenza, la quale permettesse à suoi neofiti ombra alcuna di/ Superstitione, e volesse con ciò metter à pericolo d'eterna

---

[4] Cfr. sopra il cap. introduttivo, nota 23.

[5] Sul catechismo citato cfr. Shih, 1964, p. 194. Il missionario segnalato è il P. Gaspar Ferreira; su di lui cfr. Sommervogel, III, 1892, coll. 682-683 e Dehergne, 1973, pp. 91-92. Per quanto riguarda il libro citato del P. Ferreira cfr. la nostra appendice, n. 67.

dannatione l'anime/ loro, doppo haver superati tanti pericoli in mare ed in terra, con som/ma penuria di tutte le cose; sapendo per altro non esser lecito com/metter, ne pure un peccato veniale, quantumque da quello ne potesse pro/venir la salute del mondo. Finalmente troveranno altri libri spet/tanti, si à virtù morali, come anche alle scienze filosofiche, astronomiche,/ le quali sogliono cagionar in queste parti grand'ammiratione dell'ingegno/ Europeo: Questo concetto del nostro sapere suol condurre di molti alla/ fede cattolica da insinuarsi loro, argumentando in tal guisa: non poter es/sere che soda, e vera quella Religione, la quale abbracciano huomini di sì/ grand'ingegno, e in tante scienze periti. Di questo argomento si ser/vì efficacemente un principale Tartaro nel Consiglio Cinese, mentre trat/tavasi del ritornar dall'esilio della Provincia di Canton de nostri Padri,/ dicendo, se l'astronomia del P. Ferdinando è si regolata, e conforme à moti del Cielo, come noi habbiamo osservato, che non ne apparisce/ ombra di fallo, come potremo temere d' inganni per quel che spetta alla sua Religione?// **(f. 3r)** Di più un'altra maggiore di non minor momento m'ha spinto à di/vulgare questo catalogo in Stampa Cinese, accioche, essendo per il genio della Na/tione politica e per l'innata avversione da forastieri poco sicure le cose Christiane/ di questa missione, e potendo accadere per grandi vicende de' tempi per l'insta/bilità de' Cinesi, e de' Tartari, e per l'incertezza de favori reali, e della continuazione/ della nostra Astronomia, che li predicatori dell'Evangelio siano cacciati da/ tutto l'imperio accioche dico possa prendersi una volta occasione d'implorare il ritorno con questo solo titolo, che ci sia lecito di far sacrificij à Christo/ Signore del Cielo per l'animo de' nostri maggiori Padri e fratelli di rinnovare la loro/ memoria e ristorare le sepulture, gia quasi distrutte al quale Officio di pietà/ tanto li Tartari quanto li Cinesi stimano una gran sceleratezza il resistere,/ e contradire. Quindi à questo fine le sepulture di quelli della nostra Compagnia/ (che secondo il costume della Natione si fabricano fuori della Città) in questi ultimi tempi sono state erette in luogo e forma più decente. In tal paese an/cora, come fuori della metropoli della Provincia Nankim havendo à pena/ lasciate vestigie di se per l'inondationi dell'acque sono state trasferite in/ luogo più alto inalzatovi un gran sasso, nel quale si legge scolpito il nome/ di Gesù con altri nomi de defonti e la predicatione e morte. Per la medesima/ cagione ancora altrove tre miglia italiane lontano dalla metropoli della/ Provincia Khekiam in una cassa di Pietra furono più honorevolmente collo/cati li cadaveri di dieci della Compagnia trà quali il corpo del P. Martino Mar/tini sepolto 18 anni prima, fù trovato intiero et incorrotto, senza puzza/ alcuna con la barba, e legami intieri non senza gran meraviglia mia, e di molti altri sì Christiani come Gentili che si trovarono presenti à vederlo./ Quindi accio si stabilissero meglio alcune Chiese e case nostre che hab/biamo fabricato nove sepolture compratone prima il luogo. Così quando/ doppo la persecutione ciascuno ritornò alle sue Chiese, il Cadavere del P./ Francesco Brancati, il quale in Canton nel medesimo anno poco avanti del nostro ritorno morì, per quasi 300 leghe flaminghe fu trasportato à secondo del// **(f. 3v)** fiume, accio sepelendosi nel novo sepolcro fabricato da Christiani con grandi/ spese fossero la nostra casa, e tante illustri Chiese d'attorno maggiormente/ con cio stabilite. Così ancora, il P. Giacomo Motel portò in una cassa il/ Corpo di Claudio suo fratello, il quale era morto nel ritorno dall'esilio, alla nostra sepoltura posta fuori della metropoli della Provincia Kiamsi; della/ quale di nuovo Cavollo con il corpo di Nicolò pure suo fratello, e seco tras/portollo nella provincia ampijssima Huquam, dove fuori della Metro/poli in un campo da se comprato restituì ambedue alla terra preparando/ insieme à se il luogo vicino a' suoi fratelli si per provedere in avenire alla/ Chiesa metropolitana di quella Provincia, si accio un'istesso seno della terra/ richiudesse quei tre fratelli, da un istesso ventre di madre in francia haveva dati/ al mondo, alla Compagnia et alla Missione della Cina, finalmente à sollievo della Chris/tiana pietà et à ribattere le Calunnie de' Gentili, che dicono non essere tra Chris/tiani rispetto alcuno verso de' Defonti pare santamente instituito, che essendo noi/ esclusi rimanghino anche doppo molti secoli questi monumenti, e memorie/ della nostra religione predicata in questo regno in quella maniera che nella/ Provincia Xensi anche oggi si vede una memoria di pietà[6] scavata l'anno 1625/ dalla quale si convince che Sessanta Religiosi Sacerdoti, e Vescovi (i nomi dei quali/ sono ivi scolpiti in lettere Siniche) andati dalla Palestina annunciarono nella/ Cina la Christiana Religione, l'anno 606 doppo di Christo; della qual cosa/ anche fà mentione in libro arabico, sicome io intesi gia in Parigi: oltre à cio/ nelle nostre Sepolture overo orti vicini alla Città sta affisso alle porte un titolo/ con lettere assai grandi, il cui senso è questo, *Sepultura de Maestri Religi/osi della Compagnia di Giesù dell'occidente remoto*. Accanto poi in varij/ luoghi sono edificate chiese, e Capelle per celebrarvi in tempi stabiliti le mes/se, se v'è Sacerdote, ò se non v'è per farvi orationi per suffragio de Defonti con/correndovi li Christiani, li quali da per tutto percio cercano à gara di fare/ le sue sepulture vicine alle nostre.// **(f. 4r)**

---

[6] Si tratta della famosa stele nestoriana di Hsian-fu; su di essa si confronti soprattutto P.C. Saeki, 1928 e, per una fonte dell' epoca, A. Kircher, 1667.

§ 3°.
Stato della missione ritornato all'essere di prima doppo il ritorno dall'esilio.

Richiede ora lo stato delle cose ch'esponga in qual'essere si ritrovi lo stato/ della missione da che ritornammo dall'esilio di Pekin nell'anno 1671, e ri/pigliammo l'investitura delle Chiese, delle quali eravamo stati spogliati, come/ rei di lesa Maestà, onorevolmente richiamati per commandamento dello stesso Imperatore/ dopo la rilegazione di sei anni. Io qui non dico quanto glorioso fosse il nostro ri/torno, che parve un grandissimo miracolo à quelli che erano prattici del genio di questa/ Natione tanto politica, e tenace delle sue leggi contro de' forastieri, e delle reli/gioni pellegrine: Impercioche che cosa più facile v'era che trovandosi vinti tre/ huomini Stranieri su la spiaggia del mare nella porta dell'Imperio rimandarli/ in dietro anco senza taccia di cortesia, con qualche sussidio di viatico, dicendo/ che s'approvava la religione nostra come quella, che nella publica radunanza/ di tutto l'Imperio doppo la deliberazione di sei giorni era stata dichiarata,[7] che/ non conteneva in se cosa alcuna di cattivo, ò che sapesse di ribellione, mà che/ non pareva giusta ne pia cosa lasciati i Parenti, et amici Divisi per un mondo/ doppo haver tolerato tante fatiche, e pericoli di mare, e di terra annuntiarla/ quivi. Al certo pare cosa incredibile, et una frottola à questi Atheopolitici [sic!],/ quando noi ci protestiamo di patir volentieri tanti travagli per dargli la co/gnitione di Dio, e della Gloria Celeste (che non può connoscersi dal senso) e/ pensano che sotto queste parole vi sia nascosto non sò che, il quale à suo tempo/ una volta uscirà fuori: ma à questi discorsi politici ostò la sola Astrono/mia Europea, anzi l'unico frà tutti, che ardisse d'assumersi la cura di essa, il/ P. Ferdinando Verbiest Fiamingo[8] della nostra Compagnia, il quale pare che sia/ stato riservato con particolar providenza da Dio à questo tempo, et à questa/ singolar'impresa: Percio essendo stato due volte in Sevilla per passare nell' America, e nell'anno 1647 meco, e doppo nell' 1655, fù respinto à dietro. Dipoi/ ritornato à Roma s'accompagnò col P. Martino Martini, con cui partì/ per la Cina.// **(f. 4v)**

Numerava allora la nostra Compagnia nella Cina 4 Collegij, 41 Residenze, e per/ non parlare degli Oratorij 159 chiese. Il numero de'

---

7 Da questi accenni non appare possibile individuare ulteriormente l'oggetto della citazione del P. Couplet.

8 Per i dati biografici sul P. Ferdinand Verbiest cfr. Sommervogel, VIII, 1898, col. 574; Pfister, I, 1932, p. 338-352; Josson - Willaert, 1938, pp. VII-XVIII; Dehergne, 1973, pp. 288-289; Blondeau, 1983.

Christiani era sopra 200 mila. La prima sollecitudine de' nostri Padri, fu di rimettere in essere, e ripo/lire gli altari sporcati dalla superstitione gentilesca, e ridurli alla an/tica forma di Religiosa maestà, consolare i Christiani rimasti per tanto tempo orfani di Padri e Pastori, confortarli co' Sacramenti, de quali erano/ stati gran tempo digiuni, salvo che una sol volta, quando furono con pasto/ral cura e frutto visitati dal Reverendissimo Padre Gregorio Lopez[9] Cinese, e vero fi/gliuolo di S. Domenico, il di cui instituto haveva professato huomo/ ugualmente nella prudenza, e nel zelo che in tutte l'altre virtù segnalato./ Non minor cura e fatiga posimo in ridurre alla fede coloro, che per timor/ di persecutione, e natural' incostanza à Cinesi molto familiare, o havevan'/ abbandonato, ò dissimulato il culto della vera Religione, ne senza gran frutto,/ mentre costoro pentiti del fallo diedero segno di molto pentimento/ e sommo fervore./ Cio esseguito si rivolse da' nostri ogni pensiero in ristorare i libri col/ nostro esilio consumati, e dispersi, sapendo benissimo che nell'Armeria dei Cat/tolici, non v'è arme più possente per espugnare gli animi alieni della vera/ Religione de libri, i quali oltre essersi stesi nella Cina si sono penetrati ne'/ Regni del Giappone, Corea, Tumkin, Filippine, Camboia, Siam, e due Provincie/ e altri luoghi della stessa Cina, dove per anco non hanno potuto penetrare/ i Missionanti Europei. Longo sarebbe ridirne tutte le vittorie che della su/perstitione, anche invecchiata riportate ne hanno, tre o quattro ne accen/no brevemente. Un certo nominato Cen nella Provincia Huquam huomo inol/trato nell'età et in mezzo alle prefetture, stimato molto retto, non haven/do veduto mai huomo europeo si rese vinto alla sola lettione d'un libro; si battezzò, ed il di lui esempio seguirono 40 della sua famiglia, et altri 50 con/noscenti, talmente che in quel luogo fù eretta una Chiesa, che ogni giorno piu// **(f. 5r)** nella pietà, e religione s'avvanza. Lo stesso vuol dirsi di due altri Capitani/ di gran nome, i quali letti i nostri S. preghieri, e digiuni soliti à farsi, li osser/varono molti anni, essendo anche Idolatri: finalmente spinti à professare quel/la fede, i di cui precetti havevano in parte adempiti si resero Cattolici. Un di questi/ per nome Ciao ritornando dalla condotta del suo esercito, quasi consapevole/ della sua morte vicina, si fece battezzare, indi spirò. Un altro per nome Hen,/ quasi ottegenario, morta la sua concubina si battezzò con 70 capi di Casa,/ e morto di li ad un anno, lasciò 700 scudi per fabbricare la Chiesa, nella quale/ gia si numerano molti Christiani nel celebre Emporio Siu ceu della Provincia/ di Nanchim./ Un vice Rè di quattro Provincie chiamato Su alla

---

[9] Si tratta del cinese Gregorio Lo, dell'ordine dei Domenicani, primo vicario apostolico e vescovo indigeno (1674). Su di lui si veda *Sinica Franciscana* IV, 1942, p. 515, e i contributi di Gonzalez, 1946, e di Ho Yen-long, 1959.

lettione di libri Cattolici si/ diè vinto à Christo, la di cui Imagine portò ad adorarsi nel Palazzo, piegandosi ad/ essa in oratione col capo prostrato in terra tutti li giorni. Lo stesso av/venne ad un altro stato quattro volte Vice Rè di più Provincie nominato Tum, il quale letti i Dogmi Evangelici, anche gentile hà fabricato chiese, stampato ca/thechismi, e doppo rinunciate le dignità offertegli, gli agi, e le lusinghe della/ carne, contento di sua vera moglie si ritirò à passare il resto della vita al Palazzo di Nam him per attendere à Dio/ solo et all'anima sua/ conducendo seco una gran turba di suoi servi, costanti in un'istesso proposito;/ Dalche si vede, quanto di bene farebbesi, se in Europa si facesse una fon/datione, di stampare ogn' anno e propagare libri in ossequio della fede,/ e conversione de Popoli./

§ 4°.
Nasce frà tanto una nuova guerra per tutto l'Imperio.

Mà per ritornare in dove siamo partiti tre anni doppo il ritorno/ alle Chiese, mentre attendiamo in riformare, e ristorare la Christianità, ecco/ nascer un nuovo turbine della guerra, che scosse tutto l'Imperio, e talmente mise/ in timore ogni cosa che nella corte stessa si trattava di ritirarsi nella Tar//taria, **(f. 5v)** e l'istesso nostro P. Ferdinando pensava di trasportare altrove i suoi libri, in/stromenti, et ogni altra cosa di mattematica, non dubitando che l'Imperatore il vo/rebbe condur seco, rimanendo frà tanto tre altri della Compagnia in mano della Divina/ Providenza nella Corte di Pekin; E pero brevemente la cosa conforme potrò ricordarmi,/ benche paia che non appartenga à noi, lasciando che altri siano piu diffusi in questa/ ampissima materia d'una guerra che durò 8 anni./

Nell'anno 1673 Viangueyo[10] benche gia vecchio Rè potentissimo della Provincia Yunan,/ il quale non poco avanti haveva con poca prudenza intromessi nella Cina questi/ Tartari Orientali, chiamato dall'Imperatore alla Corte per mutargli il Regno, ricusava/ di venire, anzi di piu infastiditosi del giogo dei Tartari, tentò con quest'occasione di/ scuoterlo dal collo suo, e de' suoi: radunato un grand'essercito si fè Padrone non solo/ della Provincia Yunan, mà anche di due altre vicine Quey cheu, e Su chuen: divulgò anco un nuovo Calendario secondo l'antica norma de' Cinesi, quasi per contra segno/ dell'Imperio assettato, e il medesimo trasmise con certi Ambasciatori al Re del Tonchino,/ e della Cocincina, il quale però fu rigettato dal Rè Tonchinense, che con ambasciaria/ à posta professò all'Imperatore obedienza: inoltre anelando la quarta Provincia:

[10] Su questo personaggio (Wu San-kuei) si veda il capitolo II.

Huquan una/ delle maggiori sen'impossessò d'una metà; e per l'altra combattè piu volte si per terra come/ per acqua in un lago vastissimo à guisa di mare, vincendo per lo più e fugando i tartari./ Due anni doppo altri due Re giovani tocchi dal contagio di questa ribellione/ di Viangueyo essendo anche essi stati chiamati alla Corte benche doppo si dasse loro licenza/ di rimanere per la morte del Padre dell'uno e l'altro ardirono il medesimo nella provincia Quam/ tum Quansi, e Fokien. Radunato l'essercito ciascuno da se sottomisero la Città, e Cas/tello di quella introducendo da per tutto l'antico vestire, costumi, e modo di portare li/ capelli usati prima da' Cinesi. Si aggiunse à questi un Principe dell'Isola di formosa,/ e d'altre non anco soggiogate da Tartari, e invitato dal Rè di Fochien ad unire l'armi,/ questo havendo una potentissima armata per mare occupò le Città maritime di quella Pro/vincia, ma poi essendo trattato dal Rè di Fokien con titoli, e doni mandatigli quasi/ ad inferiorem, talmente si sdegnò, che rotta la lega ambedue si rivoltarono contro l'armi/ prima congiunte; seguirono frà essi varie battaglie riportandone la pegio per lo/ più il Re di Fokien. Fra tanto dalla Corte s'erano spediti con eserciti varij re/goli del sangue reale, il zio stesso dell'Imperatore nella Provincia Huquam, un'altro in// **(f. 6r)** Chechian, e Fokien, un'altro in Quantum, e Quangsi. Percio il Rè di Fokien indebo/lito da varie stragi de' suoi, dopo haver ucciso molti Prefetti con dire d'esser stato in/dotto da essi a ribellarsi, finalmente si sottomise al Tartaro, dal quale fù trattato con/ Clemenza. Quello poi di Canton che da Viangueyo non haveva ricevuto altro tito/lo che di Capitano, offeso per cio rese di novo tutta la Provincia al Dominio de' Tartari./ Viangueyo finalmente il di cui figlio era stato decapitato in corte infelicemente/ morì lasciando pupillo un nepote sotto la tutela d'un segnalato Capitano, il qua/le anche esso finalmente si rese à Tartari, come ultimamente ci avvisano le lettere de' nostri./ Il Tartaro non si fidava in tutto del Rè di Canton benche gia si fosse sottomesso, co/nosceva ch'egli era huomo turbulento, che haveva grand'autorità nell' esercito/ che del comercio benche spesse volte proibitogli da Spagnoli, Olandesi, et altri cavava/ grandi tesori, e che per cio era intanto alla ruina di Macao, la quale era stata forza/ta di mandargli tutta la suppellettile sacra d'argento cavata dalle Chiese per sadisfare/ alla di lui insatiabile, e crudele ingordigia. Avicinandosi per cio la Divina vendetta fù/ gli commandato dall'Imperatore che possasse con il suo esercito contro de' Rebelli della Provincia/ Quangsi; mà un giorno essendosi scostato da' suoi soldati fù con stratagemma ri/condotto nel suo palazzo di Canton, et ivi per commando dell'Imperatore fù ritenuto in prigione onoraria. Doppo alcuni mesi da due ministri princpali che à gran corsa vennero/ dalla corte nello spazio di 17 giorni circa la quarta hora di notte a' 9 d'Ottobre del/ 1680 gli fù presentato per onore il Capestro, e commandato che si appiccasse, decapi/ tandosi al medesimo tempo cento e dodeci altri, tra' quali erano tre fratelli di lui, fù/ Principe per altro degno di miglior fine come quello che haveva favorito la Re/ligione Christiana come si vide nel tempo del nostro esilio, e ultimamente ha/veva commandato, che si edificasse nel suo palazzo una Chiesa del R.P. Fr./ Francesco della Concettione francescano, et un altra volle che se ne fabricasse/ fuori della Metropoli, la quale fù fabricata dal R.P. Fr. Bonaven/tura Ybankies Provinciale assai bella, e che anche in Roma sarebbe stata ap/plaudita./

Dopo la morte di questo Rè Macao respirò, alla quale Città fù so//lamente **(f. 6v)** di nuovo permesso il commercio con la Metropoli di Canton, venen/do così a Macao quelli due gran Ministri, à fine di significare a' Cittadini/ la benevolenza dell' Imperatore il quale gli ne haveva dato commando fù anche/ ricuperata, e ricondotta con allegrezza di tutti la suppellettile sana d'argento/ già rubato, come lampadi, Croci, Candelieri, et altre cose tutte intiere, poi/che qualmente li gentili l'havevano cercato di struggerla e rifonderla, due aspetti/ di gran statura apparendo l'havevano intimoriti, e forzati a desistere con/forme attestarono costantemente li gentili stessi, finalmente quanto apparti/ene al Rè di Fokien, doppoche gli fù permesso per qualche tempo il guerre/ggiare sotto del Tartaro finalmente fù squartato nella Corte, et insieme l'/ ossa di Viangueyo, il quale era morto ò di capestro ò di vecchiaia dissepolte,/ e trasferite in Corte, ridotte in Cenere furono date à ludibrio, de venti, e del/ popolo. Questo fu l'esito di tre Rè della Cina che parve esser stato pro/nostico d'alcuni prodigij interpretati da Tartari per fatali non à se, ma/ a' suoi Ribelli./

§ 5.
Quali Prodigij accadessero frà queste Cose.

Pare non altro che bene il riferire quali fossero questi prodigij ri/traendolo dalle lettere scritte di Corte, e da testimonij di veduta. Nel/ che prima s' averta che cio che di prodigioso accade nella Cina, primiera/mente da Presidenti de luoghi viene riferito a' Governatori della Pro/vincia poi da questi alla Corte si tramanda nel Tribunale de riti, dal/ quale esaminati et approvati sono stampati come ogni altra cosa che si/ stabilisce da sei supremi consigli[11] e dall'Istesso Imperatore e per li Corrieri è di/vulgato

[11] Questi consigli o tribunali – come anche vengono chiamati nel manoscritto – erano le sei strutture istituzionali, i ministeri diremmo oggi, che sovraintendevano a tutta la

per tutti li paesi dell'Imperio: Si conservano poi tali cose dall'historia// **(f. 7r)** Imperiale nell'archivio della Corte per essere inferiti negli annali dell'/ Imperio, li quali secondo l'uso della natione si danno in luce nella seguente/ famiglia, come gia le cose fatte dalla precedente famiglia si danno in luce da/ questa famiglia Tartarica. Questo hò voluto quì di passaggio insinu/are perche sono già incirca 20 anni da alcuni de' nostri, et altri Religiosi so/no state scritte alcune cose incredibili, le quali però mai si dissero in corte, mà/ (come dipoi si seppe) furono finte da alcuni rei di morte, e divulgate per le/ Provincie remote della Corte (come che la Natione Cinese è sagace e pronta à si/mili fintioni) accio forsi potessero in tal guisa commuovere la Clemenza dell'/ Imperatore, il quale in simili accidenti suole ò sospendere l'esecutioni delle senten/ze già date, o dichiararsi per tutte le Provincie scordato delle cose passate,/ ò rilassare li pesi de' Tributi./

De prodigij poi li quali nell' Imperio della Cina paiono più frequenti/ che altrove l'anno 1680 cosi scrive della Corte il P. Ferdinando Verbiest/ testimonio di vista di molti./ Nel secondo giorno di Settembre 1679 un quarto dopo la 10 hora/ della mattina un gran terremoto[12] scosse tutta la Citta di Pekin, e l'altre/ Città d'intorno tanto che nello spatio d'un miserere in circa caddero in/numerabili edificij, li maggiori Palazzi, li Tempi de' Dei, le torri, e le por/te quasi tutte della Città: nella sola Città la più vicina à Pekin (chiamata/ Tumcheu) piu à 300 mila huomini furono sepolti nelle ruine delle Case,/ e che si questo terremoto fosse venuto di notte, gia piu centinaia di migli/aia dormirebbero eternamente nel loro letto. Noi quattro, che stiamo in/ questa Corte, mentre sedevamo à tavola vidimo con gran/ fragore riempirsi la tavola, e le sedie con le tegole caduteci dal tetto, essen/done noi poco avanti scampati per misericordia Divina. Del resto la mag//gior **(f. 7v)** parte della nostra casa caduta mostra anche adesso la ruina da non/ ristorarsi con piccola spesa. La città di Pekin capo dell'Imperio, alla quale/ come le ricchezze e delicie di tutte le altre Provincie, così anche vengono li/ peccati, gente piu d'ogni altra Città sotto le ruine de' suoi edificij, l'istessa/ terra quasi sdegnando di sostenere più il peso de peccati s'aprì in piu luoghi,/ et insieme aprì à peccatori più strade verso dell'inferno: così per tre mesi se/guitò di notte, e di giorno con scuotimenti ora maggiori, et ora minori a mo/strare orrore dell'humane

---

organizzazione civile e militare dello Stato. Il primo controllava e dirigeva i mandarini; il secondo si occupava delle entrate reali; il terzo, importantissimo, era quello dei riti, sia civili che religiosi; c'erano poi quelli dei lavori pubblici, delle forze armate e della giustizia. Cfr. al riguardo Bartoli, 1975, pp. 182-190.

[12] Su tale terremoto cfr. P. Hoang, 1909, *ad annum*.

sceleratezze. Gia l'Imperatore e gli altri Personaggi/ lasciavano i suoi Palazzi, e li Tartari volontieri ritornavano all'antiche/ loro tende alle quali da fanciulli erano avvezzi, che à Superbi edificij de/ quali ora si servono; la plebe poi, et il volgo portava seco nell'aperta/ Campagna la sua povera suppellettile, e per molti giorni volle più/ tosto sotto delle stuore tolerare l'ingiurie dell'aria che verun terremoto, ò rovina delle mura domestiche. Nel medesimo mese cad/de per così dire il Cielo nella Provincia Occidentale detta Xensi con/ piogge dirottissime non mai intermesse per 20 e piu giorni, Certo che/ il P. Domenico Gabiani, il quale dimorava nella Metropoli di quel/la Provincia, scrive che l'inondatione dell'acqua non hanno ap/portato minor danno ò strage d'edificij à quelle Città che à Pekin li/ terremoti./

L' anno 1680 4 di Gennaro nella seconda hora doppo la mez/za notte essendo all'improvviso nato un incendio nel Palazzo dell' Im/peratore, la sala maggiore d'esso con li prossimi edificij fù ab/brugiato sino alla distruttione d'ogni cosa: il danno fù stimato pas//sare **(f. 8r)** due milioni, ottocento cinquanta mila scudi. L'Imperatore però/ per mostrare il suo animo maggiore di quel grandissimo e superbissimo/ elemento quattro giorni doppo se n'andò à sua caccia reale assai dis/tante della Corte. Sin qui il predetto P. Ferdinando (cio di passegio intorno allo stato politico or parliamo, il che spetta alla religione.)/

§ 6°.
Quanto fosse facile propagare la S. Fede nel tempo della guerra.

Veleggiando sicura frà le tempestà di quelle rivolutioni e/ battaglie la Fede Cattolica, fece in quel mar di discordie una pesca, et una preda d'anime à Christo, la maggiore che havesse mai fatta/ nel tranquillo di pace, e ne passati sereni. Perdemo non hà dub/bio quatro overo cinque Chiese, che co' suoi Città furono dal/ furore de' Tartari demolite; mà ne acquistammo altrove più di/ venti, e quel che più rilieva, guadagnammo l'ingresso in un' Iso/la fioritissima del mar d'Oriente situata frà il Giappone, e le/ Città Sucheu della Provincia Nankim nominata Cum Nim, in/ cui non era gia mai entrato Europeo alcuno, ne senza gran frut/to, essendosi inalzate sette chiese al vero Dio, e ridotte al di lui culto/ molte migliaia di Persone d' ogni conditione, dal che puol raccogliersi/ la somma vigilanza, e zelo de Missionarij, i quali anche frà mu/giti d'un borascoso mare di rivolutioni, non tralasciarono di git//tare **(f. 8v)** le reti in ogni parte alla pescagione dell'anime, e di tentare il guado ad ogni Paese, per piantarvi in esso come al/bero di pace la Croce di Christo./

In tanto nella Cina messe in rovina dal ferro, e fuoco guer/riero le chiese Idolatre, restorono libere da ogni ingiuria/ le nostre, le quali erano frequentate dalla Christianità colti/vata nelle ville da Cathechisti, da Popoli ammaestrata nelle/ Città e da fanciulli instrutti nella dottrina christiana; facevasi/ nell'oratorio di S. Ignatio nel primo giorno di ciaschedun mese/ da un Giovane provetto nelle lettere un sacro discorso doppo/ quello del Pastore cosa solita à costumarsi anche in piu altre chiese/ de' nostri non senza gran frutto, et edificatione de Popoli. I Cathe/chisti poi, i quali erano sotto il titolo e protettione de' Santo Save/rio, a' quali si apparteneva distribuire i libri sacri, quattro volte/ l'anno visitare le case di ciaschedun Christiano, essaminare/ se fosse collocata in luogo decenti l'Imagine di Christo Sal/vatore, se si trovasse cosa alcuna che havesse specie di super/-stitione; se vi fossero fanciulli non battezzati, e finalmente/ se vi fosse alcuno che non havesse sadisfatto all'annual confes/sione Etc. con cio che ne quattro tempi dell' anno, secondo il Solito rife/rivan in scritto al Padre per questo deputato./

Il numero de' Christiani suol crescere per ciaschedun an/no a 11, 12, e al volta à 13 mila in questo Sommo bene, v'è questo/ solo di male, che in una messe si grande v'è tanta scarsezza de'/ Operarij, i quali se pieni di zelo potessero venire à coltivar questa// **(f. 9r)** vigna, ritrarebbero il preggio delle loro fatighe con una raccolta soprabun/dante./

§ 7°.
Qual sia la Conversione de Scientiati alla Fede.

Volle Dio con particolar providenza, e protettione accreditare i principij/ della Chiesa nascente; onde è che mosse il cuore à molti, e primi Dottori del Regno, i/ quali di Maestri divennero Scolari nella Scola di Christo, e con la stima e venera/tione che havevano d'ingegno resero stimabile, e venerata la nostra Religione./ Questi promossero la matematica Europea, di cui non v'era mezzo piu oppor/tuno per seminare la fede, e nell'anno 1615 non meno con la voce, che con la loro/ autorità fecero salda trinciera alla Religione Perseguitata: frà questi segnalato fù il Dottor Paolo,[13] Supremo Cancellario di tutto l'Imperio, il quale attestò/ francamente avanti l'Imperatore che la Religione Christiana propagata dagli Eu/ropei, era

[13] Per questo alto magistrato cristiano, Paolo Sui, si veda quanto il P. Couplet dice più avanti al f. 11r; cfr. anche Ricci, 1949, IV, pp. 250-255.

ugualmente vera, che sincera, concludendo con constanza più che Cinese,/ che se dalla Maestà Imperiale, ò qualsivoglia altra autorevol persona si fosse/ trovata, e provata cosa alcuna contraria all'asserito, si contentava soggiacere/ à qualsivoglia pena per il che offeriva da quel punto in ostaggio le sue ricchezze,/ la sua dignità, la sua vita, e quella di tutti i suoi. Questo testimonio sì grande ac/ illustre più volte stampato non è credibile à dirsi, quanto peso habbia appresso/ i Gentili./

In questi tempi però in cui la Religione Cattolica è alquanto cresciuta s' osser/va sminuito il concorso de Nobili, e Scientiati, che la professino per esser gran/de in essi la cupidigia delle dignità e ricchezze, e non minor la superbia et arro/ganza, recandosi à vituperio d'incostanza abbandonare una setta da loro mag/giori nella China per tanti anni professata, per abbracciare una nova, e sconno/sciuta Religione in cui il maggior preggio è l'esser povero e negletto. L' impe/dimento però maggiore che tratiene questi gran Personaggi dal rendersi vinti/ alla verità è un certo rispetto humano, e timore di non controvenire a' ban/di Regij,[14] de quali ne vive ancora fresca la memoria vietandosi per essi à qua//lunque **(f. 9v)** farsi, e molto meno dichiararsi Christiano. Cio confessò ingenuamente (per/ non dir degli Altri) al nostro Padre Grimaldi un Regolo Parente dell' Imperatore il quale/ con la sua moglie adimpiendo quanto si richiedeva da un buon Cattolico non si potè mai/ indurre à ricevere il Battesimo per timor di non controvenire a' bandi promul/gati, quindi ne nasce, che molti nobili quantumque Cattolici fuggono l'appa/rirlo, e nell'operare si governano più con la politica del mondo che con la sapi/enza di Christo. Ne vogliono più honorare co' loro prefationi, e sigilli i nostri li/bri, cosa pratticata per il passato anche da Primati e Dottori Gentili, che in cio fare/ si stimavano onorati da noi. Niente dimeno concorse un gran numero de Bac/calaurei,[15] quali da noi si ricevono lentamente e doppo lunghi esperimenti si amettono/ al Battesimo, cio che non sogliamo usare con le persone rozze e plebee, non essendo/ queste tanto ovvie à pericoli d' essere sovvertiti. Quelli però, che stanno saldi/ alle prove sono ammessi al grembo della Chiesa, la di cui opera è alla Religione/ utilissima perchè essendo costoro di talenti e virtù grandi, sono anche rispettati/ da Grandi./

[14] Si riferisce qui ai bandi del gennaio 1665 (cfr. sopra il capitolo II).

[15] Per le diversificazioni dei gradi letterari cinesi e le connessioni con il sistema politico cfr. M. Weber, 1953, pp. 416-444; per la correlazione stabilita dai missionari con i gradi accademici europei vedi sotto la nota 6 del cap. IV.

§ 8°.
Morte d'alcuni dè Compagni e de che maniera gli altri succedono.

Quello che più ci afflisse frà tumulti della gia accennata guerra per 8 anni/ continuata fù la morte d'alcuni nostri Padri, i quali piamente/ si può credere che andassero à premij delle fatighe sofferte per tanti anni. In/ luogo di questi dovettero succedere altri, e raddoppiar la fatiga che hav/evano per l'incombenza alle sue Chiese particolari: altri segretamente chiamati/ da Macao, entrarono in questi Paesi, imperoche essendo noi nominatamente richia/mati per lettere regie ogni uno al suo luogo per ivi privatamente attendere al/ culto Divino, bisognava introdurre gli altri come compagni, e confratelli della/ medema famiglia (costume usitato appresso i Cinesi, che frà di se stabilis/cono queste sorti di fraternità, siche qualunque volta accada, che noi siamo/ interrogati circa la venuta di questi novi) (cosa assai facile à seguire):/ potremo rispondere essere questi venuti per assistere alla morte et alla sepoltura de loro fratelli, e per haver de medesimi cura, la qual cosa quanto quì// **(f. 10r)** sia stimata non puol esprimersi, con parole, essendo questo la Ciri/monia principale e maggiore che sia nella Cina, e la mostra sin/golare d' obedienza, osservanza che ogni uno gareggia continuare/ sopra degli altri verso i suoi Maggiori Defonti e suoi Maestri./ Questo genio Cinese cosi partiale à Morti, è à noi di grand' utile, poiche/ se mai si desse il caso (il che tolga Iddio) che i Missionarij fossero cacciati/ da tutta la Cina, haverebbero un pretesto gagliardissimo di ritornarvi di/cendo venire puramente per fare gli anniversarij a' Defonti, quasi sicuri di non/ essere esclusi, essendo i Cinesi tanto religiosi per quel che spetta al guardar' e ri/staurare i sepolcri, che ne pure a' propij nemici sanno negare il passare un/ simil'officio di pietà verso i Morti, quindi è, che i Nostri Padri vedendo essere/ i sepolchri il refugio piu sicuro per introdurvi la Religione, quando fosse bandita,/ hanno ristaurati a' Morti Compagni le sue sepolture./

Dunque al mio partir della Cina erano in quei Paesi 18 de' nostri Sa/-cerdoti aspettando fra tanto gli altri che di Europa erano giunti à Macao l'occasione d' entrare, e cio per quasi tre anni intieri, nel qual negotio quanta/ diligenza, circospettione, e Santo inganno deva adoprarsi si vedrà per quel/ che io soggiungo./ Nell' anno 1680 due Padri Reverendi de Predicatori[16] per consiglio et aiu/to del nostro Padre Sebastiano d'Almeida

---

[16] Si tratta dei missionari domenicani Juan de Santo Tomás e Salvador de Santo Tomás. Cfr. Gonzalez, I, 1964, pp. 489-490.

Visitatore, erano entrati in Can/ton. Doppo sopravvennero à questi, due de' PP. Augustiniani, cio è il Reverendo/ P. Fr. Alvaro da Benevento, et il Reverendo P. Fr. Gio. Ribera l'uno e l'altro per/ virtù e prudenza segnalati, i quali nel giorno e festa de' SS. Innocenti dell'/ anno medessimo essendo pervenuti al luogo, e Casa del Reverendo P. Fr. Bo/naventura Ybanches, questo soprafatto da tal novità ne scrisse al/ nostro Padre Filippucci à 31 del Decembre l'anno medesimo con queste// **(f. 10v)** parole*: Al vederli mi meravigliai della loro temerità, gli essag/erai il fatto mostrando il pericolo con cio di rovinar tutti noi*; e poco/ doppo*: Scriverò a Manila, che non si pensi piu oltre à mandare di/ là in quà Religiosi, perche in modo alcuno noi li ammetteremo* etc./ Che se della Città di Macao dalla qual sola alla Cina è aperto il passo/ si deve entrare con tanta cautela, chi non vede con quanto perico/lo della Religione, e della Fede in quei Paesi sia per tentarsi l'in/gresso da huomini stranieri in queste parti? e pure à questi tempi/ la libertà di dilatare la Religione Cattolica sotto all' Imperatore Tar/taro, che ne dissimula gli avanzamenti tanta è quanta à pena/ si potrebbe sperare in quella parte d'Europa, dove si permette il libero/ essercitio d'ogni religione, anzi è maggiore di quella, che fosse ne' primi secoli della Chiesa, siche doverebbe haver' hogni riguar/do à non impedirne i vantaggi quasi Sicuri./ Potrei qui raccontare le virtù e glorioso transito di nostri Mis/sionanti che per venti, trenta e più anni faticarono nella vi/gna Cinese, come furono i Padri Ignatio d'Acosta, Michele/ Trigaultio, Francesco Brancato, i quali morirono nell'esilio: e di/ altri Padri che doppo la ritornata alle nostre Chiese passarono a/ miglior vita: cio è i PP. Claudio Motel, Francesco de Ferrarijs,/ Pietro Canevari, Gabriele de Magalhanes, Antonio de Govea,/ Jacobo Le Faure, Humberto Augeri, Emanuele Georgio, Frances/co de Rugemont, Luigio Buglio: mà per maggior brevità, me con/tenterò di passarli sotto silentio, e solo m'accingo à descrivere le/ virtù e la morte d'una gran Serva di Dio.// **(f. 11r)**

§ 9°.
Narrasi la morte della Illustrissima Signora Candida: chiamata secondo la favella Cinese Hiu.

Richiede ogni ragione di gratitudine farsi in ultimo da me men/tione del felicissimo transito all'altra Vita di questa si nobile Matrona,/ à cui deve molto, non meno la nostra minima Compagnia che tutta la reli/gione Cattolica per gli aiuti singolari che da essa hà ricevuti, ò si guardi/no quelli che spettano all'elemosine, o quelli che s'appartengono agli/ esempij, che sono i più efficaci per l'accrescimento della fede Christiana;/ E si come nella morte dell'avo si stimò da Christiani tolto il Padre,/ così essa defonta si credette perduta la madre./ Era questa l'ultima Nipote di quel celeberrimo Dottore, e Cancellario Sui/ Pavolo, e come egli schiettamente confessava la più diletta delle sette, che/ ne haveva; quasi scorgesse in essa una singolar pietà, e prudenza, accom/pagnata da un sommo zelo d' ampliare la fede, le quali virtù pareva/no spuntare nel di lei volto col nascere della ragione. E per toccar qualche/ prerogativa sua particolare, in cui si rese riguardevole anche fanciulla/ hassi da sapere, che sin dal decimo anno di sua età, legossi quasi con voto/ di onorare con speciali divotioni la gran Madre di Dio,/ et in particolare di recitare ogmi giorno il Santissimo Rosario, non mai intermesso,/ salvo che nella somma violenza d' infermità più gravi. Restò di 14 anni/ priva di madre D. Maria Sui, e di sedici anni accasata nella famiglia/ Hui molto bene stante, e riccha; di trent'anni incirca perdette il Con/sorte, gia prima con la fede instillatagli, guadagnato à Christo, a cui/ parimente soggettò con il Santo Battesimo otto frà figluoli, e figluole, che// **(f. 11v)** n'ebbe, tutti di bell'indole, e gran speranza. Sciolta ella dunque da ogni/ legame, e fatta di se stessa Padrona, rivolse con l'animo tutte le sue/ forze à porger aiuto alli Propagatori della Fede, dal benesser de quali/ dipende la Conversione della Cina. Or sapendo per una parte questa/ savia Matrona l'angustie, e povertà estrema de' Nostri Padri, come quel/li, à quali venivano assegnati dall'elemosine d'Europa intorno à 40/ scudi d'oro, apena bastevoli, non che d'una Missione, al sostentamento di due soggetti; per l'altro quanto disconvenisse à nostri Sacerdoti e/ Missionanti mendicare da Christiani l'elemosina, come sogliono fare ap/presso i loro Gentili i Bonzi, e porre per cio Polize, ò cassette, mentre/ i Cinesi non hanno motivo piu gagliardo per abbracciare la nostra fe/de, che il vederla da noi per tante fatighe, e pericoli annunziata loro,/ senza ricevere ne pure à conto d'elemosina un minimo denaruccio, non/ perdonò à spesa ò industria alcuna per provederci, tanto più essendo ad essa/ ben noto, che il minor bisogno di quattrini era in ordine al nostro aiuto, e/ vestito in riguardo à quell'estremo, che havevamo per fomentare l'ami/cizia co' Mandarini, da quali dipende tutta l'autorità de Missionanti/ à deprimere gli emoli[17] del Vangelo, per amministrare à moribondi poveri/ i Sacramenti, per sovvenire gli estremamente bisognosi, per stampar libri,/ per far con il devoto decoro tanti viaggi. Non solo dunque ci mantenne/ con le sue entrate di nascosto, mentre eravamo nell'essilio di Canton, mà/ in ogni luogo provedendoci sempre occultamente con ampie limasine, in

[17] Con questo appellativo, come vedremo meglio in seguito, vengono chiamati i monaci buddisti.

tutti/ li 40 anni della sua Vedovanza. Ne contenta delle sue entrate giunse à/ disfare gli argenti, à ristringere il suo vitto, à rompere in minuti pezzi/ il lembo d'argento della sua veste, che con molti titoli gli haveva donata/ l'imperatore, à cagione della sua lunga, e gloriosa dimora, nello sta/to vedovile, e finalmente à ricamare, tessere reti, et impiegarsi con l'// **(f. 12r)** altre serve in lavori, non disdicevoli ad una nobile Matrona per sovvenirci./ Et acciò l'Europa ben capisca il Zelo, e Pietà d'una Signora si pia, mi fò qui/ lecito tradurre dalla lingua Cinese nell'Italiano fedelmente una sua lettera,/ che 20 anni sono inviò al P. Francesco Brancati, questa cosi dice,/ „Ho ricevuto una lettera del Padre Spirituale scritta di suo pugno, le cose che/ in essa si contengono sono à me molto note, mà subito che giunsi à/ quel punto in cui il P. Spirituale scrive mancare a' Padri il neces/sario sostentamento quotidiano, e à pena vivere, fui talmente nel cuore/ punta dal dolore, come se due Saette me l'havessero trapassato, onde/ balzata dalla sedia corsi alla Cappella et inginochiatami avanti l'ima/-gine del Crocifisso, feci voto di porgere qualche aiuto à Padri sì neces-si/tosi, e sì meritevoli; determinai per cio assegnare per ciaschun Padre/ ducento scudi d'oro, la qual determinatione sigillata dal voto, ch' hò/ fatto, rinnovai cinque volte il giorno al Rè del cielo, domandandogli/ gratia di poterlo subito adempire giunta che sarò alla mia abitazione,/ alla quale lo prego mi faccia quanto prima tornare. Io dunque come/ figluola spirituale, subito che giungerò alla mia casa darò di mia mano/ l'argento al Padre spirituale, acciò lo distribuisca secondo il bisogno à/ ciascheduno de Padri. Non vorrei però, che pensassero i Padri doversi/ al mio figluolo quest'argento, guadagnato ne tribunali, e forse mala/mente acquistato, poiche devono sapere, che da quel tempo, in cui mi/ sposai con il Signor Hui Io in compagnia delle mie serve lavorando/ giorno, e notte incessante-mente ora fabricando reti, ora tessendo ricami, or'/ impiegandomi in altre simili opere, venni ad ammassare qualche som/ma di denaro, quale havendolo consegnato a' due miei Servi Puon/ e Chao, accio lo traf-ficassero, è finalmente oggi giunto ad alcune migliaia,// **(f. 12v)** di scudi d'oro, da quelli potranno esser sollevate in questo tempo le/ necessità de' Padri"./ Mà il sin qui narrato è poco in paragon di quello, che è da narrarsi di ques/ta nobilissima, e santissima Cinese. Ella fabricò nove chiese sontuo/se per cinque Provincie, oltre le trenta, e più inalzate nel suo pro/prio Paese, di molte delle quali fù sola fondatrice, dell'altre tutte con/fondatrice provocando con le sue larghe limosine, quelle de Neofiti. Trop/po tempo consumar dovrei, se volessi far minuto racconto delle migliaia/ de libri, et imagini fatte stampare, e spargere in dono, singolar-mente di quel/le, che rapresentano l'effige del Salvatore, e della Vergine, come fu di/pinta da S. Luca, essendo una tale imagine molto a caso per i Cinesi ;/ ne bastandoli le stampe, faceva lavorare i pennelli, impiegandovi anche/ essa il suo, reso arguto e pregevole, non meno dal suo ingegno natu/rale che dall'innata divozione. Che dirò delle migliaia d'Agnusdei,/ brevetti, e crocette, le quali fece penetrare sino nella Corte reale; di/ tanti si varij, e ricchi ornamenti tessuti in oro, e messi à ricamo, con cui/ abellì tante Chiese, de quali, assieme con un sacro Calice mandò à re/galarne, e ornare in Roma l'altare di S. Ignatio, altri sacri abelli/menti mandò in Goa per l'altare di S. Xaverio, altri in varie parti/ d'Europa, à cio non vi fosse angolo alcuno del mondo Christiano, ove/ non fossero i pegni della sua pietà, e Religione./ Mà piu oltre l'avanzò il suo zelo, ne bastandoli haver adornate con/ le sue facoltà, e fatighe i sacrij tempij, passò ad abellire con Apostolica/ carità l'anime che sono i tempij vivi dello Spirito Santo. Per con/seguir cio più facilmente si servi di questa industria, e fù che quante// **(f. 13r)** Donne christiane sapeva esser dotate della natura di molta eloquenza, et/ arichite di non minor sapere, appresso ne libri, tutte le manteneva à sue/ spese, a cio à guisa de Chatechisti annunziassero Christo alle Matrone Gentili,/ le disponessero al Battesimo, non tralasciando in tanto di spronare le Chris/tiane all'uso frequente della Confessione, e communione, visitar gl'infermi,/ assistere à moribondi; faceva di piu larghi presenti alle Raccoglitrici, à/ cio que fanciulli nati da' Gentili, che stimavano dover presto morire gli/ purgassero con l'acqua del Battesimo, onde morti alla terra rinascessero/ al cielo./ Persuase al Dottore Basilio suo unico figluolo,[18] che nella Città paterna no/minata Sum Kiam erigesse un magnifico palazzo per ricevere in esso, et/ educare i fanciulli esposti, alla qual opera di pietà concorse co' mandari/ni, ed altri nobili principali lo stesso Vice Rè, il quale diede in cura d'una famiglia Christiana quel edifizio, nella quale ogni anno essendone bat/tezzati à centinaia, à centinaia ancora volavano à popolare il Para/diso./ Alli defonti essa à sue spese faceva fare il funerale et il sepolcro, haven/do comprato, e fatto benedir à quest'effetto un campo, ove honorevolmente/ giacessero que corpi innocenti. Provvide parimente di Sepoltura tutti quei/ Vedovi, e quelle Vedove, che con le sue limosine haveva sostentato, se ben/ non restringeva à questo solo genere di persone la sua Christiana libe/ralità ma à tutti, da quali chiedeva in ricompensa un numero de/terminato di rosarij, e preci, quali inviava in elemosina all'anime del/ purgatorio, delle quali era sommamente divota. Anzi havendo inteso, che/ i Reverendi Padri di S.

[18] La affermazione che segue sembra contrastare con quella del f. 11r, che parla di 8 tra figliuoli e figliuole. Probabilmente non tutti erano vissuti fino all'età adulta e Basilio era l'unico figlio maschio rimasto.

Domenico s'obbligavano à ricompensar l'elemosine con/ altre tante opere di pietà, essa volendo insieme sovvenire alle loro neces//**(f. 13v)**sità, et alle anime purganti, mandò più volte quantità d'argento. À/ quelli poi, che invitati da noi venivano ad aiutarci à confessare nel loro/ partire oltre molte limosine, dava il viatico, vesti nuove, libri, et altre/ simili galanterie./ Al Padre Spirituale diede le cose piu pretiose, e sue, et hereditate da Mag/giori, che dall'Europa li fossero venute, canochiali, altri lavori di vetro,/ e cristallo come specchi etc.: pitture et altre curiosità europee, le quali/ tutto che à presso di noi quì si stimano poco, sono molto pretiose nella/ Cina, come horologi à ruota etc.: accio le donasse à Prefetti Regij e Mandari/ni, senza riceverne da essi in ricompensa regalo veruno, col quale si dis/obligano se sono uguali, o rendono schiavi gli animi altrui se sono/ maggiori. La ricompensa dunque diceva essere il loro favore, e pro/-tettione, del quale sempre siamo bisognosi, molto piu quando si sol/levasse qualche borasca di persecutione./ Haveva tre fratelli, ancora sopraviventi, i quali per mezzo del suo Padre/ Spirituale la pregavano à voler esser più liberale de danaro verso/ loro; la risposta di questa Savia Signora era, haver loro havuta la/ lor parte molto copiosa nella divisione ugualmente fatta da suo Padre,/ la quale tutta havevano spregata ne convitti, e nel lusso, haver di/ più notato, che quando abondavano di ricchezze erano molto tiepidi,/ e quasi freddi negli essercitij di religione, ora che scarsegiano, esser/ molto ferventi, et edificativi; e però accio si mantenessero così, vo/levali dare sol tanto, quanto li basta à vivere volta per volta, e/ niente più: stimare assai meglio impiegato il denaro verso i Padri/ Europei, tutti intesi alla Conversione de' Popoli, et alla Salute dell'// **(f. 14r)** anime, alla conversione delle quali li pareva poco concorrere puramente/ col'oro, se non vi concorreva ancora con le sue opere, e fatighe./ Fu conferita al suo figluolo Basilio una nobile Prefettura: volle ella ac/compagnarlo (cosa per altro insolita) sin'alla Provincia Kiangsi, e di/ poi all'altra Hug quam con soffrir molti incommodi nel viaggio, e tutto/ questo non per altro, che per dilatare la Religione, e fabricar molte Chiese, come/ si venne fatto, dichiarandosi apparecchiata ancora à venire in Eu/ropa, se cio li fosse lecito, e possibile, per esporre à quelle Matrone, quan/to gran campo sia nella Cina da dilatare la Religione, e quanta scar/sezza, e povertà d'operari./ Queste sono l'opere raccontate in iscurcio, et in breve d'una sua sola virtù,/ cio è del suo zelo della Religione Cattolica or che dovrei dire, se mi volessi inol/trare à narrare tutte quelle delle sue molte virtù, le quali ora tralascio,/ perchè in altro tempo mi riserbo à metterle et esporle in un grosso, e lun/go volume in cui oltre l'heroico e pregievole delle sue opere si leggeranno/ li favori singolari, con cui Dio l'esaltò in modo maraviglioso.[19] Morì/ alli 24 d'Ottobre del 1680 nel qual giorno si predisse la morte. Ri/cevuti con somma riverenza tutti li Sacramenti; quel tempo, che altri/ passano con estremi dolori d'agonia, passò ella con dolcezza di Paradiso,/ dicendo tutt'allegra vedere Iddio, e gli Angioli suoi, che l'invitavano alla Patria Celeste. Oltre molti legati di Pietà lasciò alla Chiesa della Ver/gine fabricata da essa fuori delle mura una tenuta vastissima per abondan/te mantenimento. Li fù dal figluolo inalzato un sontuoso sepolcro[20] di legno, il più pretioso, e come essi chiamano incorruttibile, per cui spese/ piu d'ottocento scudi d'oro.[21] La pianse secondo il costume Cinese per tre anni, ne quali s'astenne d' ogni offizio, convito e splendida pompa, ne com/pilò in un libro fatto stampare la vita, e le virtù, e mandollo in dono// **(f. 14v)** a' Mandarini in testimonio d'affetto, che conservava ardentissimo ver/so la sua Madre, e del conto che faceva delle di lei maravigliose at/tioni./ Secondo il costume pratticato inviolabilmente dalla Compagnia la quale à coloro,/ che danno tanto, quanto basta alla fondazione d'un Collegio fà dire/ da tutti li Sacerdoti tre messe, e da non sacerdoti tre corone, e cio per/ due volte: anzi per mostrarsi sempre riconoscente de benefizi, hà sta/bilita ad ogni Sacerdote una messa il mese, ad ogni Laico una coro/na per i Benefattori. Demmo avviso della morte di questa/ si gran Benefattrice in ogni parte del Mondo, ove si trova sparsa la/ nostra Religione, acciò ne fossero celebrati per l'anima i soliti suffra/gi, e ne habbiamo qui dato ora un piccolo saggio del suo gran zelo,/ accio s'intenda non mancar nella Cina su' primi albori della Religione/ nascente quello splendore d'heroiche operazioni, che/[22] ammirò Roma nelle sue Marcelle e Lucine et caetera.// **(f. 15r)**

---

[19] Si tratta del già citato *Histoire d'une dame Chrétienne de la Chine* ... stampato a Parigi nel 1688.

[20] Nelle successive redazioni (mss. B e C) questa prima parte della frase è stata sostituita con: „Il figluolo fecela collocare in una cassa", forse perchè il pomposo sepolcro ligneo poteva sembrare ad alcuni lettori poco ortodosso e troppo affine alle usanze „superstitiose" cinesi.

[21] Nel manoscritto C manca la precisazione sul genere (d'oro) degli scudi.

[22] Nel ms. B sono presenti in questo punto le parole „nel meriggio della fede adulta", frase che risulta cassata nel ms. C.

§ 10.
Qual sia hoggi la libertà della Religione Christiana.

Nelli primi anni che la Missione incominciò nella/ Cina non si havevano Chiese publiche, mà solo Oratorij/ e Capelle nelle nostre Case, ò de' qualche Mandarino ò Prin/cipale venuto alla nostra S. Fede, dove si faceva la/ radunanza dei Neofiti con gran circospettione e ri/guardo: pero circa il fine dell'Imperio Cinese, e nel/ Principio del Presente Impero Tartarico in risguardo/ dell'Astronomia Europea se sono aperte e delatate/ in maggior numero le Chiese di modo che ardisco/ credere che da Settanta anni in quà si contino piu/ Chiese cattoliche, e publiche nella Cina che si contavano in Europa nelli tre primi secoli de' suoi Natali./ Oltre cio hebbe sempre Imagini, et altari publicamente/ esposti, quali anche in tempi di persecutione, quando/ eravamo citati in giuditio, come rei di rebellione, uscì/ legge Imperiale, che niuno ardisse di distruggere e pro//fanare **(f. 15v)** le nostre chiese. Chi non si maraviglia, che/ Regoli e Governatori di primo nome, e carica Gentili/ venuti à visitar le nostre habitationi, prima d' ogni/ altro ingenocchiati avanti una Sacra imagine con la/ testa in terra prostrata adorare il Salvatore; quando doppo 300 e piu anni nella Chiesa di Roma publi/camente consacrata da S. Silvestro Papa appari prima in una pa/riete esposta alla publica veneratione l'Imagine/ del Salvatore? A chi non sembrerà haver specie di/ miracolo cio che continuamente vedevasi far da Chris/tiani che in tutte le feste e le Domeniche in molte Città/ si adunavano à Tempij per udire la predica, e la Mes/sa, dissimolando questa publica pietà i Tartari et i/ Cinesi che la vedevano? finalmente che cosa puo dirsi/ di piu illustre, e conspicuo in cui trionfasse la Re/ligione Christiana, quantoche non solo nelle Provincie lonta/ne dalla Corte imperiale, mà anche nell'istessa Città dove/ resiede l'Imperatore con infinito applauso di molti/tudine celebrarsi con rito Cattolico la pompa fune/rale de Defonti precedendo ad essa la S. Croce in una machina/ superbamente adornata et portata da molti huomini et altre/ Machine con l'Imagine della Vergine e dell'Arcangelo San// **(f. 16r)** Michele con sacri stendardi, trombe, ed incensieri girare per le strade più fre/quentate fremendo l'Inferno, l'Idolatria, l'empietà, l'arroganza politica,/ e la perfidia Mahometana; da quelle pacifiche insegne profligata; ne cio una/ sol volta, mà più e più volte, e specialmente nel celebrarsi l'essequie à Padre Longo/bardo, Adamo, Buglio, e certamente (come ci si fece noto dalle lettere/ scritte della Corte à 21 d' Ottobre del 1682) l'Imperatore istesso intesa la/ morte del Buglio stato Missionario 45 anni, l'honorò con un bello e glorio/so Epitafio mandati 200 scudi d'oro, e 10 pezze di seta per la spesa, un/ Primate, et altri Nobili d'inferior dignità, i quali accompagnassero l'es/sequie et à suo nome facessero al Defonto gli ultimi officij; secondo l'uso/ della nostra Religione, del quale l'istesso Imperatore volle prima esser fatto con/sapevole. La quale solennità stampata e promulgata/ per la Cina ne servì di predica piu efficace/ che molte altre prediche non solo concilia gran credito a' nostri la Cortesia dell'Imperatore mà/ ancora gran veneratione alle Chiese da lui privilegiate con queste 4 parole/ *Tum, chi, quei, tam* cioè: *Per Decreto Regio ritorno alla Chiesa*, le quali pa/role con lettere cubitali, et indorate impresse nella seta imperiale, e scolpite nelle tavole si mostravano per tutta la strada del nostro ritorno, come in trionfo/ dell'esilio: et oggi si vegono affisse in tempij. Cio che però diede molto più d'/ Autorità alle nostre Chiese, furono due caratteri cubitali stesi col penello/ di sua mano dall'Imperatore et ornati del suo sigillo, e donati a' Padri di Pekin, i/ quali caratteri questo gran Monarca stese, quando à 12 di Giugno dell'/ anno 1615 venne per la prima volta in casa nostra, e per due hore in circa vidde/ la nostra Chiesa, il nostro giardino, e la nostra Casa. I Caratteri, la di cui/ copia meco porto, son questi *Kiem tien*, cio è *venerare Coelum*, venera il cielo, il che significa lo stesso che adora il Signore del cielo, secondo il modo di/ parlare famigliarissimo a' Cinesi, i quali sogliono pigliare il contento per/ il contenuto, la Regia per il Padrone della Regia, la curia per i Senatori Et Caetera:/ le copie di queste parole furono mandate ad altre Chiese, e da esse ricevute/ in un panno di seta ricamato d'oro con quella veneratione, con cui sogliono/ ricevere i doni reali, cio è in genochioni, e con la testa nove volte inclinata/ à terra, indi collocate ò ne' frontespicio de Tempij,ò altro luogo magnifico,// **(f. 16v)** con l'armi, et insegne reali, per la maggior stabilità e credito appresso quei Po/poli, che vedono onorata da affetto regio la nostra Religione: le copie di queste/ lettere l'ebbero in mano, e le affissero alle loro Chiese li Padri di S. Domenico/ e di S. Francesco, stimando per quello, essere assicurate maggiormente./ Questa libertà pero di Religione non è sempre e d'ogni tempo, mà si vuol usar/si con gran cautela, e prudenza, mentre ancora sono nel suo vigore, e pos/sanza i rigorosi bandi con cui si prohibiscono le adunanze a' Tempij anche idolatri,[23] e l'abbracciare qualunque straniera religione, nel che tal' hora ci/ troviamo in molte angustie per non poter rimovere i Neofiti, che in gran/ moltitudine concorrono alle Chiese non sempre con tutta la prudenza,

[23] Si ha qui probabilmente un riferimento all'editto dell'845 d.C. che proibiva tutte le religioni straniere (Buddismo, Manicheismo, Nestorianesimo).

e circon/spetione, che si deve, dalche può temersi, che non si perda in un punto la fa/tica di molti anni./

§ 11.
La predetta libertà doppo Iddio devesi alla mathematica Europea e alli favori Regij.

Questa libertà di propagare la Religione Christiana senza dubbio devesi alla astronomia Europea per mezzo/ di cui, come ho detto altre volte ci siamo fatti largo appresso de' Grandi i/ quali ci hanno havuto in molta stima, e con questa habbiamo havuto campo/ di promulgar la detta legge. Connobbe il primo di tutti, esser questo l'unico/ modo di legare gli animi Cinesi congl'insegnamenti matematici per tirarli poscia/ alla fede, quell'apostolo della Cina S. Saverio, indi l'essegui il P. Mattheo/ Ricci, il quale doppo le persecutioni e contrasti di 17 anni arrivò finalmente alla/ Corte Cinese, dove doppo deci anni morì pieno di meriti, la di cui anima/ coronata di Gloria per la conversione di quel Regno sì felicemente cominciata/ fù veduta in una revelatione dal P. Mancinelli come ampiamente si raccon/ta nella sua vita lib. 3 cap. 10 stampata in Roma.[24]/ Di questa scienza si servirono ancora tutt' i seguaci di lui sino a questo/ tempo, ne altro che la matematica fù, che ricondusse trionfante nella/ Cina la Religione doppo l'ultima persecutione e nostro essilio: il che quan/tumque sia noto ad ogni uno, niente di meno, mi giova qui porre il testi/monio verace del molto Reverendo Padre Commissario Provinciale Ybanches dell'ordine/ serafico di S. Francesco, il quale nella lettera scritta al P. Verbiest a 28 di No//-vembre **(f. 17r)** del 1678 in idioma Spagnolo cosi dice: *Si è dato à vedere manifestamente in questa persecutione passata, che i mezzi che Vostra Reverenza/ hà presi e conserva sono stati efficaci a risarcire la rovinata missione di questo/ Regno, e sono anche attissimi in questo tempo à mantenerla e maggiormente sten/derla* Et caetera: e in due altre lettere scritte allo stesso a' 13 et 31 di Maggio del 1679 dice *Iddio per mezzo della matematica di Vostra Reverenza ha ridotto allo stato primiero la/ Religione Christiana rovinata nella Cina, quando era gia in procinto d'/ esser esterminata con esserne cacciati i di lei Promulgatori, e/ sicome per opera di S. Silvestro Papa fù posto fine alla persecutione della/ Chiesa, così per opera di Vostra reverenza fù, messo termine alla persecutione della Chiesa/ Cinese./* Questo testimonio finalmente basti, che il Santissimo

---

[24] Sul Padre Mancinelli cfr. Sommervogel, V, 1894, coll. 460-461. La biografia a cui si fa riferimento nel testo è quella del P. Jacobo Cellesi, *Vita del Servo di Dio Giulio Mancinelli della Compagnia di Giesù ...*, Roma 1668.

Pontefice regnante Inno/centio XI con un suo breve mandato allo stesso Padre Verbiest nel mese/ di Decembre del 1681 si degno di approvare il tutto, scrivendo cosi: *Jucun/dissimum praecaeteris vero fuit cognoscere quam Sapienter, atque opportune/ profanarum scientiarum usum ad Cinensium populorum salutem et ad/ Christianae fidei incrementum utilitatemque deflexeris. E poco doppo:/ Socios quoque tuos ab exilio revocaveris, et Religionem ipsam non solum/ pristinae libertati, dignitatique restitueris, sed etiam ad meliora in dies/ Speranda provexeris./*[25] Certamente tanti e sì straordinari segni della cortesia e benignità reale ci dan/no occasione da molto temere che li Politici, e gli Inimici della Cattolica Reli/-gione, che non sono pochi rivoltino l'animo Imperiale, e con maledicenza/ e falsa mormoratione cangino le gratie in castighi, e la benevolenza in sde/gno, il che accio Iddio tolga, non cessiamo di pregarlo perche scuopra tutte/ le orditure e metta in chiaro le calunnie contro i suoi Servi tessute in ester/minio della sua Chiesa crescente; giache dal solo favore del Rè come da un/ filo dipende la Religione Christiana: nè può conservarsi altrimenti la bene/volenza regia, che con la matematica, la quale guadagnandoci l'amore del Rè/ e de regij, assicura i progressi della fede.// **(f. 17v)**

Il che connoscendo benissimo Colui, che mosse la tempesta della persecutione/ contro la Religione Yam quam, nel suo libro carico di Calunnie ripette es/ser cosa indegna dell'Imperatore, e del nome Cinese riformare il proprio Calendario secondo le regole della Astronomia Europea, il che è lo stesso che sog/gettare à un piccolissimo Regno, e straniero un Vastissimo e fioritissimo Im/pero. Un'istessa cosa è togliere la matematica, et il favor del Rè,/ che da quella suol derivarsi in noi, che alienare da noi i Principali di tutto/ l'Imperio, come sperimentammo nella ultima persecutione; imperoche i/ Politici non riguardano alla nostra religione mà alla propensione del/ Rè verso gli Europei, secondo la quale si governano nel perseguitarci, ò fa/vorirci.

Né questo solo accade nella Corte Imperiale, ma anche in tutte le Provincie ad essa soggette, in cui i nostri Operarij tanto hanno/ di credito, e tanto fanno di frutto quanto si sà essere stimati e fa/voriti dal Rè./ Si che l'esser i Padri della Corte così ben veduti dal Rè ci partorisce/ questo di bene, che tutt' i Prefetti e Primati i quali vanno à Regere le Città/ nell'ottener la dignità et il sigillo dall'Imperatore, e nel veder i nostri tanto sti/mati in Corte, e nel riceverne le raccomandationi del P. Verbiest tanto/ accetto all'Imperatore, partono con gran stima di quei soggetti, che sono/

[25] Per questa lettera di Innocenzo XI al P. Verbiest cfr. Josson - Willaert, 1938, pp. 368-370.

sparsi a seminare l'Evangelio in quelle Città al loro governo com/messe; Onde giunti colà vanno à visitare i nostri in casa, dal che ne nasce som/ma veneratione appresso il Popolo, e sommo timore appresso i/ Bonzi, i quali non ardiscono o malt//rattarci **(f. 18r)** con parole, ò insidiarci co' fatti, e però resta à noi libero cam/po da promovere la Religione e predicare Christo Crocifisso./

§ 12.
Si prova cio con essempij

Quanto habbino giovato alla fede Christiana in questi anni li detti favori,/ et in qual maniera essi giovano non solamente nella Corte, e nella persona d'un/ solo, mà à tutta la Missione et à Ciascun promulgatore del Vangelo si potrà cono/scere da quel poco, che quì soggiungo./ Primo ritornando ciascuno dall'esilio nelle sue Chiese il P. Francesco de/ Ferraris Operario di questi 30 anni era morto nella Provincia di Nankim, e per/cio la gran Christianità della Provincia Xensi dove egli andava era priva del suo/ Pastore. Piacque in tanto al P. Giovanni Domenico Gabiani di trasportare ivi per quasi/ 300 leghe la maggior parte per terra il di lui Corpo: ma esso doveva ritorna/re alla Città Yam-cheu della Provincia Namkim, dove era stato destinato con la/ patente dell'Imperatore. Fù dunque dato un memoriale dal P. Ferdinando, accio fosse/ lecito à detto Padre il trattenersi in quel luogo alla guardia del Sepolcro; l'Imperatore secon/do il costume ricercò il parere del supremo consiglio dei riti, questa fù tale: Poichè/ non v'era chi havesse cura della sepoltura potersi stendere la beneficenza della S./ Maestà si verso del vivo, come del morto. Acconsenti l'Imperatore e cosi fù provveduto à/ molte migliaia de Christiani, li quali per 23 Città di questa Provincia sono dispersi,/ mentre al Padre si promise per indulto dell' Imperatore il fermarsi appresso d' essi./ Secondo. Il reverendo Padre Francesco Varo Domenicano nel tempo della persecutione/ era stato nascosto nella Città Fonim della Provincia Fochien, scoperto fù man/dato nella Provincia di Canton, mà non essendo nel numero di quelli, che erano/ stati citati alla Corte, ne pure fù nominato frà quelli che dovevano ritornare/ alle Chiese. Il Padre de Gouvea Vice Provinciale diede un memoriale, acciò quello potesse/ ritornare nella Provincia di Fokien, il Supremo Consiglio dei Riti giudicò che dovesse rimandarsi à Macao; ma l'Imperatore disse desiderando il Gouvea, condurlo seco in Fokien permetto l'andarci, accio possa anche fermarvisi.// **(f. 18v)** Terzo. In Cina Metropoli Xantung la Chiesa, e casa del/ Reverendo Padre F. Antonio di S. Maria Francescano, il quale era morto nell'essilio/ di Canton, et ivi era stato sepolto, era venuta in mano de' Gentili, ma dop/po molta fatiga fù restituita a' suoi successori, della qual casa il Reverendo Padre F./ Bonaventura Ybanches scrive al Padre Ferdinando 27 di maggio 1678 con/ queste parole, che volto dallo spagnolo: Dobbiamo à V. R. la restitutione/ della nostra Chiesa nella Metropoli Xantung, altrimente era impossibile/ che noi potessimo cavarla di mano à quel che la possedeva./ Quarto. Era morto esul in Canton et ivi sepolto il P. Michele Trigaul/tio Fiamingo, il quale era stato ministro della fede Christiana per qua/si trenta anni nella Provincia Xansi al quale di poi s'era agiunto com/pagno il P. Christiano Herdtrich d'Austria. Mà questo per commun/ voto di tutti per la matematica che haveva studiato alquanto era stato/ destinato alla Corte con il P. Filippo Grimaldi, il quale da noi era stato/ chiamato da Macao, per succedere in luogo del Reverendo P. F. Domenico Na/varretes, il quale di nascosto era fuggito dall'esilio in Europa, con prender/ il di lui nome cinese, accio l'uno e l'altro aiutassero il Padre Ferdinando nella/ matematica. Mà fra' tanto la provincia Xansi era priva del suo Pastore,/ e della speranza di rihaverlo, ne in tanta scarsezza de Compagni v'era/ a chi potesse commettersi quella Chiesa. Si pregò pertanto l'Imperatore,/ che poiche gli altri della Compagnia per benefitio della sua Maestà havevano/ recuperate le loro Chiese, facesse la medesima gratia al Padre Christiano chiamato/ dianzi in Corte per l'Astronomia, e gli dasse licenza d' andare per alcuni mesi nella Provincia di Xansi, per ripetere dalle mani de Presidenti le/ Chiese e Case, che haveva amministrate anzi ancora i libri, et istrumenti/ di matematica. Acconsentì l'Imperatore, onde il Padre Christiano accompagna/to da patenti del supremo consiglio de riti e del Colleggio de' Matematici// **(f. 19r)** a' 24 di Settembre 1672 partito dalla corte felicemente ricuperò le sue case,/ e Chiese, e primieramente quella della metropoli, poi un'altra lontana 8/ giornate grandissima come quella ch'era stata palazzo del Regolo il quale/ per opra del Padre Adamo era stata data al Padre Trigaultio in luogo d'una/ Chiesa vecchia dirovinata dal Presidente della Città nemico de' christiani./ Rimise poi nel luogo, e splendore di prima gli altari, e l'imagini de Santi, e/ quello che è principale ricondusse al retto sentiero della fede i disviatine dal/la paura rinvigori con li sacramenti della Confessione e Communione li/ debboli, et accrebbe lo gregge di Christo con il numero di 300 novellamente bat/tezzati: dopo le quali cose essendo scorso il tempo concessogli dall'Imperatore/ ritornò nel mese di Giugno del 1673 nella Corte à ripigliare l'Astrono/mia Cinese. Con il di lui ritorno nella Corte fù quella Chiesa di nuovo pri/va del suo Pastore. Desideravano li Superiori, e particolarmente il P. Ferdinando di pigliar occasione appresso l'Imperatore per rimandarvelo, mà per/ due anni non si puotè. Accadde frà tanto (disponendolo la Divina Pro/videnza) che circa le calende del nuovo anno Cinese il P. Christiano s'/ ammalò talmente che dava poca speranza di vita, e molta paura di mor/te, e se ben per gratia di Dio guarì, la convalescenza nondimeno durò/ molto tempo; doppo questa malattia l'Imperatore chiamati à se in pa/lazzo li nostri Padri, gli diè à vedere la pelle d'un certo animale dona/togli da un certo Ambasciatore Moscovita, udí esser quella una/ pelle di Castore, e con tal' occasione richiedendo varie cognitioni d'Euro/pa, finalmente si rivoltò al Padre Christiano, ancor macilente, e pallido dicendogli come stesse. Allora il P. Ferdinando, sono, disse sei mesi, che questo/ nostro Compagno gravemente ammalato non hà potuto rihaversi, l'/ aria di Pechin gli è poco favorevole, onde egli supplica la Maestà sua/ che si degni concedergli di mutar aria, et andare per qualche tempo nella// **(f. 19v)** Provincia Xansi, à ricuperare l'antica sanità. Il Rè commise la cosa al/ concilio de Riti, il quale doppo haver deliberato supplicò l'Imperatore con un me/moriale accio si degnasse d'acconsentire alla domanda del Padre, come egli fece./ Per tanto sul finire dell'anno 1675, il P. Christiano tornato all'antica/ sua Provincia vi fatica anche adesso indefessamente, anzi stendendo il/ suo zelo nella nobilissima Provincia Honan, che dicesi il fiore della Cina/ hà eretta una nuova Chiesa nella metropoli con il favore de Presidenti/ appresso de quali vale molto con l'autorità e stima./ Un altro utile ancora si cava non piccolo favore dell'Imperatore verso la/ fede Christiana, impercioche tutto quello che in avantaggio d'essa s'opera/ da Presidenti, e Governatori de luoghi in qualsivoglia Provincia doppo di/ Dio, si deve a' Padri, che dimorano nella Corte. Quanti in quell'Imperio ò/ di novo, ò passati li tre anni aspirano à qualche magistrato, li nomi de' qua/li, patria, gradi stampati ne' quattro tempi dell' anno dalla Corte si divulga/no per tutta la Cina, devono andare alla Corte per ivi ottenere la podestà/ del suo officio, e dignità secondo la sorte, che gli toccarà, la quale ottenuta à/ spese del Rè vanno per terra, ò fiume in navi reali a' luoghi desti/natigli in governo. Se tal'uno và in Città, dove vi sia chiesa, ò alcuno/ Europeo della Compagnia il P. Ferdinando lo visita con qualche dono Europeo,/ ò mathematico, al quale sempre si aggiunge d'ordinario un libro della/ nostra fede et egli raccomanda il Padre e la Chiesa; d'onde ne viene non/ rare volte, che il nuovo Presidente avanti d'ogni altro visita nel luogo/ del suo Governo l'Europeo raccomandatogli, il quale con cio acquista/ un gran credito et autorità appresso della plebe e de' Letterati contro de' Bonzi nostri Emuli: cosi quei due gran ministri de' quali sempre/ s'è parlato, dopo haver ucciso il Regolo di Canton, e li suoi confede/rati, la medesima mattina vennero con tutta la pompa alla Chiesa,/ dove presiedeva il P. Filippucci, sospettando intorno la plebe, che qual//che **(f. 20r)** danno ci sovrastasse dalla Corte, essi doppo haver compite le Cerimo/nie solite fra' forastieri, dissero, che venivano à ricapitare una lettera del/ P. Ferdinando, come havevano promesso. Doppo alcuni giorni con lettere del/ medesimo al senato di Macao e col accompagnamento di 8000 huomini à cavallo/ vennero meco, e con il P. Alessandro Cicero à Macao, dove accolti con lo/ sbaro de' Canoni visitarono prima la Chiesa, e la nostra libraria, poi en/trati nel Senato esposero a' Portoghesi la volontà del suo Imperatore inclina/tissima verso d' essi. Chi de Portoghesi allora non conobbe che la conservatione/ della loro Città doppo tanti pericoli, come anche in bramato successo di due ambascerie antecendenti dovevasi doppo Dio alla sola Astronomia, et/ al favore dell'Imperatore partorito da essa! come l'istessa Città, et Ambascia/tori attestano nelle sue lettere scritte ai Padri di Pechin: che se una volta/ (il che Dio non voglia) accaderà esser sbandita dalla Cina l'Astronomia, e/ con essa la religione confessano essere disperato, e finito in quanto al/ suo Emporio, e Città, e famiglie fondatevi per 140 anni, le quali saran/no forzate à trasferirsi ò dentro, o fuori della Cina, come già sarà sta/bilito nel tempo del nostro esilio di Canton imperoche li Cinesi voranno,/ che in eterno sia chiusa quella Città, o porto unico per la quale può/ entrare in quell'Imperio l'Astronomia europea, e la fede Christiana./ Voglio chiudere questo paragrafo con un singolar fatto, con il quale/ l'Imperatore mostrò il suo favorevole affetto, e stima verso il P. Ferdinando./ È costume per l'ordinario ogni cinque Anni, ò quando piacce al Rè,/ che tutti quelli, i quali nella Corte sono in Prefetture, ò grado alcuno/ di dignità, offeriscano all'Imperatore un memoriale, in cui ciascuno con ogni/ schietezza, e sommissione in qualsivoglia tempo circa l'amministrazione del suo of//ficio **(f. 20v)**, e riconoscendo le sue colpe implori il perdono della Clemenza della Ma/està sua./ Ha il Governo de Tartari piu Concilij et à questi più collegij minori sub/ordinati, ogni un de quali hà due supremi Governatori, un Cinese et un Tartaro./ Al Collegio Matematico era stato assegnato un certo Tartaro per nome Itala/ poco esperto nelle scienze, che professava di matematica, e più tosto Professore/ d'Augurij e indovinelli, che astronomo./ Questo dunque con fasto et insolenza da Tartaro trattava non come conve/niva il P. Verbiest Prefetto del Sommo Calendario; dissimulava tutto il Padre Fer/dinando senza lamentarsi appresso d'alcuno, stimando meglio rimettere à Dio tutt' i travaglij, che gli conveniva sopportar ogni giorno. In tanto il Tar/taro secondo il consueto offerir con gli altri il suo memoriale con esporre le/ sue colpe, e dal Supremo Concilio[26] vien giudicato degno d'esser/ assoluto, e confermato nella

---

[26] Si tratta del consiglio che sovrintendeva ai Mandarini; cfr. sopra la nota 11.

dignità, aggiuntevi di piu alcune lodi, con le quali/ lo stimavano atto ad esser promosso à grado maggiore. Mà l'Imperatore il quale/ per longo tempo seco medemo revolgeva il tutto, intesa la risposta del Con/cilio pronuncia dover esser egli degradato dall' officio, e colocato fra' plebei/ per tutta la vita inabile ad ogni carica. Stupirono à questa inaspettata/ sentenza tutti quelli che stavano presenti, della quale come tocco da fulmi/ ne il Tartaro inorridì essendosi imaginata, che l'Imperatore per parte d'altri/ fosse stato fatto consapevole de poco boni portamenti usati al Padre, et avisò/ il suo Successore, che se voleva perseverare in quell'ufficio, procurarse/ di star d'accordo col Padre Verbiest, et obligarselo con ogni dimostratione/ d'ossequio e d'honore, come huomo molto favorito dal Rè, e benemerito./ Potrei qui riferire altri singolari favori mostrati dall'Imperatore all'istesso/ Padre, singolarmente quando l'anno 1682 selo condusse seco verso la Tar/taria Orientale, e l'anno seguente verso l'Occidentale, nel qual viaggio/ non permise mai l'Imperatore che gli partisse di fianco; ma si convien prove/dere alla brevità dell'opera.// **(f. 21r)**

§ 13.
Persecutioni accese e felicemente spente.

Non perciò in tanto favore dell'Imperatore e sicurezza della fede Christiana/ quanta sopra hò mostrata, mancarono le sue persecutioni, le quali apena in/ alcun tempo, ò luogo possono mancare nella Chiesa Cattolica. E queste certamente par/ve che fossero profetie da S. Francesco Saverio zelantissimo Amatore delle Indie,/ e particolarmente della Cina, il quale sopportò quella prima et acerbissima per/secutione fino alla morte, e nel desiderio e sospiri d' entrare nella Cina spirò così/ egli dal porto di Sancian alli 16 di Novembre, cioè quattordici giorni avanti/ alla morte Scrisse al Pereira et al Barzeo.[27] Unum nobis mihi plane certissimis/

[27] Il brano di lettera di S. Francesco Saverio qui riportato ci aveva, sulle prime, fatto pensare ad una nuova lettera, ancora sconosciuta. Innanzitutto per la data - 16 novembre - di tre giorni posteriore all'ultima conosciuta e poi per il contenuto: questo infatti non corrisponde, se non vagamente, a quello della lettera spedita da Sancian il 13 novembre 1552 (cfr. in proposito Schurhammer, Wicki, 1945, pp. 516-521, epistola 137); infine è diverso uno dei destinatari - il Couplet parla, oltre che del P. Barzaeo, di Diego Pereira, un mercante portoghese che tentava di aiutarlo ad entrare in Cina. Nella epistola 137 citata, non è quest' ultimo l'altro destinatario, ma bensì il P. Perez nella Malacca. Sapevamo, del resto, dell' esistenza di un certo numero di lettere spurie del Santo (cfr. Schurhammer, 1943), ma nemmeno con queste abbiamo rilevato una corrispondenza. Anche nelle edizioni di lettere più

compertum argumentis omni asseveratione confirmo, persuasissimunque no/lo esse, incredibiliter exhorrescere diabolum Societatis Jesu ingressum in sinarum Reg/num: apparet omni eius rei conatu tangi velut pupillam oculi eius: ita im/potenter efferatur, sic se in adversum arrigit, adeo vehementibus contra furijs/ erumpit. Accipite hunc à me indubitatissimum nuncium ex hoc portu Sanci/anensi, ubi cum in singula momenta admoliri eum nobis totalia supra alia/ velut semper prioribus diffisum, sinici traiectus obstacula sentiam quot e/numerare, aut fando exequi si coner, nullus finis sit, clare videlicet intelligo/ cani classicum in castris Tartari consternatosque malos Demones universos/ in armis pro suo quasi vallo contra nos stare. Certamente il Padre Alvaro/ Semedo asserisce, che in questo imperio dal principio della Missione fino all'/ anno 1640 sono nate piu di 50 persecutioni, e quelle in vero che nascono/ in luoghi, ò provincie lontane dalla Corte si sopiscono facilmente mà quando/ la cosa viene alla Corte, et al supremo Concilio de riti, poiche questo non am/mette secondo le leggi alcun Religione straniera, il pericolo, è più universale/ e maggiore, essendo che quello che si stabilisce con autorità regia nella Corte,/ suol osservarsi per tutto l'Imperio e doppo molti Anni secondo l'occasione,/ et il tempo di nuovo si caccia fuori in osservanza; Confesso nondimeno che/ la notitia di cio, che si fa in ciascuna Provincia, deve mandarsi per corrieri// **(f. 21v)** alla Corte. Eran solo otto persecutioni accese nello spatio di apena ott' anni,/ io qui racconterò con il felice esito di esse./ Alcuni Emuli di Corte havevano accusato appresso l'Imperatore un Eunucho[28]/ Christiano Chin Ignatio, perche non adorava gl'Idoli com'essi. L'Imperatore/ doppo molti quesiti circa la Religione Christiana che quello professava s'acqui/etò talmente alle sue raggioni, che di poi lo destinò à maggiori negocij di prima:/ anzi un giorno essendo andato alla Caccia delle Tigri,

recenti (Zubillaga, 1968; Didier, 1987; Recondo, 1988) era confermato quanto riportato dai PP. Schurhammer e Wicki. Ci siamo allora dedicati a verificare il testo nelle raccolte dell'epoca, quella di Tursellino, 1596, e quella di Possinus, 1667. Ed è proprio da quest'ultimo autore – che sappiamo non sempre fedelissimo al testo originale, pur di poeticizzarne la forma – che risulta essere tratto il brano del P. Couplet: è infatti praticamente identico alla lettera pubblicata a pag. 652 del libro settimo. Resta non spiegabile, comunque, se non con le ancora incerte notizie dell' epoca, l'errore nei destinatari e nella datazione della lettera. Specie questo ultimo coinvolge anche la data della morte di S. Francesco Saverio: essa, ci viene detto, è avvenuta 14 giorni più tardi (rispetto al 16 novembre) e quindi il 30 dello stesso mese, il che la pone 3 giorni prima del vero.

[28] La conversione di un eunuco è una eccezione poichè essi, in antagonismo con i letterati, erano soprattutto vicini ai buddisti e ai toisti. Sulla situazione di costoro a corte e sui non buoni rapporti con i missionari si veda Harris, 1966, p. 94.

domandò al medesimo,/ che cosa di sacro portasse seco, et intendendo che non portava la Croce, gli disse/ la Croce in primo luogo è bona./ Nel Territorio di Pekim era nata una gran tempestà contra de' Christi/ani mossa da un Prefetto nemico giurato della fede: altri furono posti in car/cere, altri anche battutti crudelmente mà con una sola lettera scritta da un/ Primario della Corte di Pekin ad instanza del P. Ferdinando nella qual Lettera si/ contenevan' grandi encomij della Religione Christiana, et il favore dell'Imperatore/ verso d'essa, fù raserenata la tempesta. In quell'anno però nel quale/ queste cose in un Villaggio accadero cio è l'anno 1677, nella Corte si battez/zarono due mila ducento trenta sei./ In un altra villa del medesimo Territorio un simile turbine sorto ar/rivò a tal segno, che il Padre Valat fù forzato ad accorrervi dalla Provincia/ confinante di Xantum per opporvisi con le lettere di raccomandatione/ ottenuta da quei della Corte, per opera del P. Ferdinando e de' Compagni,/ Li quali non potevano andarvi, essendo che non gli è lecito partirsi della/ Corte per esser spesse volte chiamati dall'Imperatore: mostrate le lettere svanì/ il turbine, e li Christiani, che erano ritenuti in prigione, furono liberati da ceppi./ Nella Provincia confinante alla Corte, come s'è detto, chiamata Xan/tum quattro tempestà in diversi luoghi e tempi furono suscitate parti/colarmente da Baccalaurei, et in simil modo sopite per mezzo delle lettere// **(f. 22r)** d'amici ottenute, ò da chi coltivava quella vigna o da Padri di Pekin, Li quali/ come sono potenti per il favore della Corte: cosi anche il più delle volte sono/ temuti per tutt' l'Imperio. Ne paia ad alcuno maraviglia che in tan/ta sicurezza (quanta di sopra hò detto) s'inalzino persecutioni, impercio/che durando anche ora l'ultimo editto dell'Imperatore, con il quale si vieta a' Gen/tili la religione Christiana, resta libero a' Prefetti conforme l'odio, e l'amore/ il travagliare la santa legge, e li stranieri, ò pure dissimulare./ Nella Provincia Nanchim dove quello che de' nostri risiedeva, era pure/ un poco amico del Pretore accadé che in una certa villa, cosi persuadendo i Bonzi/ fù affatto distrutta una chiesa poco avanti fabricata spingendovisi contro in/ una notte ottocento gentili: datone avviso al Prefetto furono presi li Capi,/ e condannati ad 80 battiture, le quali benche non siano mortali, con tutto ciò/ fanno stare in letto le persone per molti mesi, finche dopo non poca spesa ri/sanino. Per tanto quelli stessi per fuggire il Castigo mandarono li amici/ per intercedere appresso il Padre con promettergli che ritornarebbeno la Chiesa./ Il Padre, e perche conosceva d'essere forastiere, e perche temeva che li posteri/ Nepoti ne farebbero vendetta, e perche sperava con tale piacevolezza che/ s'amollirebbono gli animi di certi à prender La fede Christiana, volontieri/ fece il Loro avvocato appresso il Prefetto il quale condescese con patto che/ la Chiesa fosse ritornata come prima, il che fù fatto./ Nella Città Yamceu della medesima Provincia era stata appigionata/ ad un baccalaureo Christiano La parte della nostra Casa. Il padre pensava/ di fabbricare la Chiesa, e gia haveva apparecchiate le travi, colonne, et al/tre cose necessarie. Quello haveva promesso, che in un giorno stabilito sareb/be uscito di casa con la famiglia. Frà tanto il Padre ritornando doppo d'/ alcuni mesi dalla Corte, trovò che l'huomo non era anche uscito dalla Casa;/ anzi perche era stato in assenza del Padre maltrattato, e strascinato al Presi/dente de Letterati da' Christiani indiscreti, perche non era stato alli patti,// **(f. 22v)** talmente s'era infuriato che haveva dato un libello d'accuse contro di noi, nel/ quale riccordava L'editto dell'Imperatore che niuno abbracciasse la legge nostra,/ nè fabricasse Chiese, di più essere stato introdotto un' straniero; era questo/ il P. Francesco Hayosso[29] spagnuolo, il quale in quell'istesso anno andava/ nella Provincia Xensi, et altre simili cose, con le quali concitò anche contro/ di noi altri non pochi Baccalaurei: Il Padre se ne andò con un dono con/-veniente à trovare il Presidente de' Letterati, e diede anche altri doni mi/-nori alli Baccalaurei di maggior nome. Il Prefetto rese al Padre la visita,/ e se bene vedeva ch' egli haverebbe facilmente ottenuto appresso il Governatore di tutta la Provincia che quel Baccalaureo fosse privato del grado conforme/ meritava, con tutto cio intendendo che cio era troppo violento, e negotio di/ qualche longhezza, e che non poteva farsi senza sdegno de' molti Letterati,/ anzi che forsi gli sarebbe chiesto conto perche in simil cosa si fosse portato/ piu piacevole del conveniente, gli insinuò con queste parole il suo consiglio;/ Pensate disse, se qui trovaste tre casse de Defonti, e che qualcheduno non le potes/se mandar à sepellire per povertà, non voreste voi forse anche à vostre spese/ farle trasportare di casa? Questo Baccalaureo è povero, e si ritrova in angos/tie per la figlia gia nubile, sia soccorso di qualche poco, e concio cesserà tutta/ la tempestà. Il Padre accetto il consiglio, diede a quell' huomo in prestito dieci/ scudi d'oro, mà da non restituirsi mai, benche ne facesse una ampissima rice/vuta. Partitosi poscia il Baccalaureo con cio, e compunto e chiese al Padre/ che ricevesse confessione della moglie, e figliuole pentite del fatto, differendo/ egli il confessarsi per prima dar sadisfattione al publico, al quale haveva dato un si gran scandalo./ Nella Provincia Fochien venne dall'America il R. P. F. Pietro della/ Pinuella francescano, e non consapevole come tutti gli altri che v'entrano la pri/ma volta, di quanto la Cina sia differente dall'America, e dall'altre Indie, sì/ ne paesi, come ne' costumi, occupò la nostra Chiesa della Città Ciam Lo con//tro **(f. 23r)** l'ordine, che forsi non

---

[29] Il nome non è scritto correttamente: si tratta del P. Francisco Cardoso.

sapeva del Reverendissimo Generale[30] dell'ordine Serafico. Accadde/ che il Governatore del luogo condannò à 30 battute il venditore della nova/ Casa et à 20 quello che habitava vicino alla Casa comprata perche non l'haves/se avisato della venuta di quello Straniero, dovendo secondo le Leggi avvisarlo/ anche del arrivo di Ciascuno che viene da qualsivoglia altra Provincia della/ Cina l'accusa passò anche al supremo Pretore di tutta la Provincia. Ma il Padre/ Simone Rodriguez s'adoprò accio si sopisse la cosa. Era allora ivi un certo lieu/ Christiano, che era stato mandarino nel Collegio dè Matematici, con questo e con/ un'altro huomo autorevole e Christiano, e caro al Pretore lo mosse à far un/ editto, col quale si vietava, che si molestasse l'huomo Europeo, alche anche gio/varono assai li Caratteri Regij affissi alle nostre Case, delli quali sopra habbi/amo parlato./ Potrei qui riferire altre persecutioni, ò nel Canton sotto del P. Filippucci/ ò nel Xantum, le quali credo essere state sopite per gratia di Dio, mà per brevità/ le tralascio./ Della Tempestà di Fokien mi scrive il R. P. F. Gregorio Lopez Vescovo/ Basilitano à dieci di Novembre 1682 con queste parole, che traduco della/ lingua Spagnuola: quest'anno 82 s'è mossa la persecutione in Fongan mia/ Patria, e benche nel principio fosse piccola cosa, poteva col tempo ingrandirsi/ et abbracciare tutti li religiosi delle tre religioni; Mà finalmente è stata sopita/ con maggior' utile che danno, mediante il P. Domenico Gabiani, il quale all'/ ora si trovava in Fokien, et insieme le lettere del P. Ferdinando Verbiest scritte al nostro Vice Rè, le quali vennero opportunamente nel bisogno maggiore: onde/ in breve fù spento quel fuoco, che haverebbe potuto turbare tutta la mis/sione. Ne cio è detto senza fondamento impercioche come scrive il P. Grimaldi/ della Corte di Pekim a 26 di Settembre del medesimo Anno: il Vice Rè benche per altro/ il nostro amico haveva fatto attaccare nelle Chiese lo scritto dell' Imperatore, con/ il quale eravamo richiamati alle Chiese, mà insieme si vietava a' Cinesi il/ professare la nostra S. Legge, commandando severamente si esseguisse. Fè scuse però/ di poi il Vice Rè dicendo d' haver fatto cio per non inasprire troppo li nemici// **(f. 23v)** della nostra Religione dando qualche sfogo al loro sdegno et odio. A' nostri aver/sarij poi era stata Cagione di perseguitarci L'essersi eretta una nuova

---

[30] Il P. Couplet ci dice più sopra che elencherà solo otto persecuzioni – scatenatesi in 8 anni – di cui l'ultima è quella del 1682: il periodo trattato è dunque quello che parte dal 1675. Di questa della provincia di Fuchien non sappiamo la data, ma è una delle ultime, sicuramente avvenuta dopo il 1677 poichè di questo anno si parla in precedenza. E' possibile quindi individuare il Ministro generale dell'ordine francescano citato: si tratta di Giuseppe Ximenes Samaniego, che ricopre questo incarico negli anni 1676-1682. Cfr. Greco, 1937, pp. 124-125.

Chiesa/ per la radunanaza delle Donne, e l'essersi ritrovato un catalogo, nel quale/ si leggevano li nomi de battezzati e convertiti à Christo./

PARTE II.[a]
§ 1°.
Alcuni Documenti utilissimi a Missionarij Cinesi.

Deve supporsi la Natione Cinese essere men sagace, che sospettosa, e però/ deve esser trattata con molta diligenza e circospettione, accioche non si alieni/, e non s'inombri; conviene avvertirsi di più quanto difficile sia conver/tir questi Popoli, mentre con tutto il favore regio e L'Astronomia Europea sia/mo stati travagliati da tante, e tante persecutioni; or che farebbesi quando fos/sero atterrati questi due sostegni?/ Si ha da trattare con soli Cinesi, non amettendosi alla Cina forastiere di sor/ta alcuna, salvo che per portare ambasciate, e i Portoghesi co' quali traficano gli/ fanno trattener à Macao, ove trasmutano le loro merci; siche i Missionanti/ vestiti di habito Tartaro Cinese, non possono trattar con altri, che co' propij com/pagni Missionanti, ò con quelli dell'istessa Natione, e cio con molta Cautela/ e prudenza, il che non avviene negli altri Regni, ove non solo vi è forastiera/ Europea, mà vi sono ancora d'ogni Natione Indiana con libertà all'usanza e/ rito di loro proprio paese per ogni Natione. Mà se bene hanno questo di scom/modo i Missionanti che convertono, hanno questo d' utile i Convertiti, che/ lontani dalla vista degli Europei, e conseguentemente da loro scandali, fanno piu/ concetto della nostra Religione havendola abbracciata l'osservano con/ maggior esattezza./

In oltre molte persone idonee per altre Missioni alli barbari sono inabili/ per queste della Cina, le quali richieggono huomini di genio mite e trattabile, lontani/ da ogni fierezza, e bollore di natura, il che in molti Europei notarono i Cinesi chia/mandoli Sin chien cio è à dire persone di natura, e genio precipitoso. Di// **(f. 24r)** più questa Natione molto culta richiede persone assai civili, e molto es/ercitate in tutti gli Officij di cortesia, e di complimento, e che habbiano/ gusto di trattare ugualmente con gli infimi, e co' Supremi, e finalmente di tal/ natura, che se fossero restati nel secolo, sarebbero stati molto favoriti da/ Principi, lontani da ogni rusticità, pravità, et asprezza, quale suol usarsi/ con i schiavi, e con altri Americani, e Indiani di genio Servile. Il Cinese/ tutto che sia persona di poco cuore, e molto più s'è povero, mà letterato,/ accorgendosi esser poco stimato da un forastiere, concepisce subito spiriti/ di vendetta, quale suol dissimulare sin che ò la speranza di guadagno, ò al/tra occasione gliela fà metter fuora./ Di piu essendo di genio incostante, è facile ad abbandonare quella fede,/ che professò una volta, qualunque ella si sia, ogni qualvolta speri ricchez/ze ò guadagno. Assai piu di Cortesia e Sommissione deve usarsi co Nobili/ singolarmente se per qualche dignità, o Prefettura Illustri, i quali oltre il genio/ superbo, proprio de Cinesi tenacissimi del Proprio, e conferito honore non/ possono soffrire una, non dico reale, mà ne pure apparente ombra di dis/prezzo; Mà se si avvengono d'esser honorati, e trattati con cortesia rimet/tono della sua alterezza, e s' abassano sino in terra; parlando delle loro/ cose molto modestamente e ricevendo benignamente quanto concerne alla Dot/trina di Christo loro insinuata, ne di questo contenti diventono Pane/giristi de loro Lodatori, inalzando sino alle stelle con encomij appresso/ d'altri la dottrina appresa: Il che è cagione, che molti altri la lodino/ volentieri, e la seguitino./ Quando poi s'accorgono esser noi atti alle loro cerimonie, e prattici de loro/ libri, non è credibile quanto più ci amino e ci stimino, sino à darci in qua/lunque congresso il primo luogo, secondo le leggi delle Cerimonie Cinesi,/ le quali yuen che, cio è al Forastiero stabiliscono doversi il primo/ luogo, il che risulta e in ben de' Christiani, e in timore de Bonzi.// **(f. 24v)** Raccolga di più chiunque aspirando a' Giapponesi Martirij, dalla Euopa/ vuol passar nella Cina, che se vuol far frutto bisogna, che spogliatosi d' ogni/ austerità e rigidezza si vesti di mansuetudine, piaccevolezza, e cortesia, per/ esser grato a' Principali Cinesi, da quali dipende il tener à freno i Bonzi, che contro di noi non infurino, e permettere, che la fede Christiana per il regno si stenda./ Quanto al modo di trattare con le Persone dotte questo solo si deve avvertire,/ che professandosi essi, et essendo Politici, et astuti osservano, e criticano ogni nostra/ attione, e parole, e pero bisogna star molto attento à non ingerire discorsi delle/ grandiosità Europee, stimando essi, che coll'ingrandimento di queste vengano ad/ abbassarsi le loro; e però deve ogn' uno astenersi dal proporre simil cose, sal/vo che, quando ne viene interrogato; Molto meno deve farsi mentione di/ guerre, e gran Guerrieri, che havendo soggiogate Provincie anelino à nuove/ conquiste, perchè essendo sospettosi, e timidi si mettono in fuga, et han paura/ che le armi, tutto che lontane non venghino à soggiogarli. E questa è la ra/gione per la quale non han voluto, che ponessero piede e lunga statione ne' lo/ro porti i Vascelli Olandesi, havendo inteso quella natione esser molto bel/licosa e potente, quantumque gli Olandesi si sforzarono aprirsi l'adito à quel/ regno per mezzo della matematica, come noi havevamo fatto./ Di piu si scandalizzano che sia luogo à battaglie ove regna la fede, e che/ quelli tra loro s'uccidano, che hanno per precetto d'amarsi l'un l'altro./ Possono per certo lodarsi tutte quelle cose che appresso di loro non sono de/gne almeno di vituperio, benche per avventura non siano da paragonarsi/ con le nostre Europee./ Si averta di non mettere in discredito e confusione i loro filosofi, e i loro/ Rè antichi, che sono appresso tutta la posterità in grande stima di santi nella legge naturale: molto meno si/ dica essere opinione fra' Christiani penar loro nell'inferno. Molto/ meno ancora si deve condannare subito d'altri errori intorno alla loro legge una Na/tione si grande, e si antica; Impercioche rispondono à tutto cio voler eglino// **(f. 25r)** più tosto sentire, e credere co' suoi Popoli e Principi sì antichi, che ab/bracciare i pareri e legge di gente straniera. Contro i di loro vitij poi,/ non si gridi più severamente del giusto, mà si dissimulino piu tosto quel/li che non possono emendarsi particolarmente di quelli, che sopra in/tendono agli affari publici. In tutte finalmente le parole, et attioni è/ necessario che risplenda una certa affabilità, honestà e prudenza re/ligiosa, congiunta con una gravità non affettata, senza dar ne pure/ un minimo segno d'animo alterato, ò con i gesti scomposti, o con la/ voce sregolata, offendendosi di cio non rare volte i Cinesi, massime/ ne' Ministri dell' Evangelio, stimati da loro mandati dal cielo./ Finalmente chiunque da Dio chiamato applica l'animo alla Con/versione della Cina seriamente frà di se pensi, dover egli passare ad/ un altro mondo diversissimo ne' costumi, e usi dal nostro. Pensi dover trattare con gente molto piu antica della Romana, fioritissima/ per le leggi e Città, la quale per quattro mila anni fù governata/ da Principi Paesani con l'istesso habito e norma d'edificij e leggi,/ senza variare punto fino alla Dominazione Tartarica. Di piu/ con gente educata con termini d' ogni Civiltà, che non ha mai ha/vuto commercio con gente straniera, non essendo di quella bi/sognosa in cosa veruna./

§ 2°.
Aiuti per piu facilmente introdurre la Religione Christiana nella Cina.

Cio che piu deve conferire ad abbracciare la Religione Catto//lica **(f. 25v)** è la propria dispositione de Cinesi in ogni cosa confacevole/ alla retta ragione. E di quí e per avventura, che nella Cina non/ si legono fatti tanti illustri miracoli, quanti altrove, impercio/che ottimamente eglino connoscono la verità della nostra Re/ligione, la qual non seguendola spontaneamente ne pure sono per/ abbracciarla se i morti stessi per dir così gliela predicassero. E di/ qui ancora è che nella Cina piu tardi che altrove sia stata introdotta/ l'Idolatria, cio è à dire l'anno 65 doppo di Christo e questa per autorità Regia: E una tal'impietà d'imperadore per/ altro moderato è dagli Annali Loro molto detestata. Ho detto/ per autorità regia, imperoche è probabile che privatamente si/ riverissero Idoli, anche avanti di Christo benche alcuni loro scrit/tori Lo neghino./ Che se piu diligentemente si essaminino Le Loro memorie, si/ troverà che fin dal principio della propria Monarchia hanno i/ Cinesi adorato un solo Iddio, Spirito invisibile Creatore dell'Universo/ al quale solo l'Imperatore terrestre, come figlio adottivo e suo/ Vicario visibile offeriva solenni sacrificij, et anche holocausti come/ si spiega per la Lettera *Ciai*. Connobe, dico, esser un Dio, e/ questo rimuneratore e che non determina Le attioni libere degli/ huomini, mà prevedendo, che cosa essi siano per fare, stabilire/ loro il premio, e la pena conforme i meriti. Quindi la voce, e il/ voto di tutto il Popolo e tenuto appresso i Cinesi in conto di voce/ e voto di Dio. Credono in oltre che il medesimo Iddio (Il quale// **(f. 26r)** ha creato gli huomini e la lor natura bona divenuta poi per il vi/tio molto offuscata) sempre interamente stimoli alla virtù, alla di/ cui inspiratione non obedendo gli huomini, nascere tutte le calamità/ come riferiscono dell' empio Imperatore chie il quale mille 800 e piu an/ni regnò avanti Christo, il quale havendolo Iddio avisato prima per/ huomini savij (i quali credono esser destinati al Cielo) dopo/ per prodigij e calamità voluto ridurre alla penitenza; resistendo/ egli ostinatamente à tante ammonitioni finalmente sicome sforzato lo/ hà abandonato da se e spogliato del regno, trasferendolo in altra/ famiglia da se destinata. Le quali cose con istesse parole ne' libri/ di Persone state mille, e alcune centinaia d'anni prima di Christo/ si trovano scritte e dopo commentate da Gentili, i quali se mai/ l'Europa vedesse, ammirarebbe fin dove il natural lume de Cinesi/ sia arrivato. Connobero in oltre l'anime degli huomini essere/ immortali, e vivendo bene ritrovarsi dipoi alla presenza del Supremo/ Imperatore nell Cielo,[31] sicome chiaramente parlano i testi antichi/ benche i moderni Atheo politici interpretino tutto secondo il capriccio/ di machiavelli./

Connobero finalmente esservi spiriti tutelari à Provincie, Città,/ fiume etc. à quali pero niente attribuirono, che fosse contrario alla/ ragione, contro l'usato dai Greci, e Romani./ Abominano di piu le Imagini che hanno punto dell'inverecondo,/ et il presente Imperatore Tartaro-Sinico hà rinfacciato al P. Fer/dinando l'immodestia degli Europei d'escolpire nelle cornice d'un/ specchio veneziano (donatogli da un Ambasciatore Europeo) al//cune **(f. 26v)** sirene ignude, onde nè pure le Sacre Imagini debbono colà por/tarsi se non sono conformi ad ogni decenza. Anche il bambino

[31] Questa frase termina in questo punto nell'ultima redazione (ms. C), mentre negli altri due manoscritti prosegue come indicato.

Giesù/ ignudo nel grembo della Madonna pare à molti sia indecente, nè che/ possa provocare negli animi il dovuto rispetto e devotione./

§ 3°.
Virtù morali de Cinesi.

Il giudizio e la stima che hà sempre fatto delle virtù morali la Cina/ lo manifestaranno loro volumi che frà poco, come spero, si mande/ranno alla luce.[32] Nè solo da loro scritti, mà molto piu da quanto/ tutta ora risplende di virtuoso frà quei Popoli puol'arguirsi, quanto/ sia grande l'integrità de loro costumi, e la rettitudine de loro giudizi./ Ne Loro libri antichi si ritrovano spiegati i dieci Precetti del De/calogo, il celebre assioma, *quod tibi non vis fieri alteri ne feceris*; la/ pietà e misericordia verso tutti, e massime i poveri e vecchi, de i/ quali l'Imperatore un determinato numero ne sostenta à proprie spese/ in ogni Città. Vi si inculca la negatione de' proprij affetti, affinche/ i beni della natura corrotta si restituischino nella primiera loro/ e nativa conditione; L' humanità ancora dell'animo, e l'ubidienza/ a' propij Genitori, L'affabilità anche co' Plebei l'educatione retta/ de figliuoli in essi si prescrive; come ancora la sincerità e verità/ interiore del cuore senza fittione, là qual virtù se bene hoggidi/ non è pratticata, nondimeno nei Loro Libri è la piu pregiata/ di tutte la modestia e pudicitia delle Donne, talmente rac/colte in Casa che quasi à tutti si niega l'accesso ad esse; il che// **(f. 27r)** a' Predicatori del Vangelio hà causato assai difficoltà, onde un Vi/ce Rè à noi affezionato diceva esser spedita la nostra Legge, se/ trattiamo con le Donne./ Deve dunque notificarsi a' Missionanti Europei che qual'ora an/deranno vestiti con l'habito di Scientiati Cinesi sarà loro vietato secondo/ il costume trattar con Donne; mà se anderanno con la veste solita ad usar/si da Sacerdoti di quel Paese,[33] potranno all' hora discorrere con esse, alla/ presenza però de' loro Parenti e cio di rado. Mà perchè l'andar ve/stito coll' habito de Sacrificanti Cinesi ci partoriva disprezzo appresso/ le persone gravi, e grandi, onde eravamo esclusi da loro consessi, percio/ abbiamo scielto vestirci piu tosto nel modo che usano i Scientiati, che/ i Sacerdoti loro, e in cio contentarci d'essere esclusi dall'abboccarci con/ Donne, purchè potessimo trattare con gli huomini

[32] Molto probabilmente è questo un riferimento dell'autore alla sua edizione delle opere di Confucio (cfr. sopra il *Confucius Sinarum Philosophus* ...) nonchè, forse, al suo *Histoire d'une dame* ..., entrambi dati alle stampe a Parigi e contenenti un' ampia trattazione delle „Virtù morali dei Cinesi".

[33] Il P. Couplet si riferisce qui sia al clero taoista, che ai monaci buddisti; entrambi svolgevano mansioni di officiante nelle cerimonie sacrificali.

singolarmente stimati e/ grandi, ch' è la parte migliore, e piu utile a' progressi della fede, e cio durò/ sinche Iddio hà scoperto la strada et il modo di insinuare alle Donne li dogmi/ evangelici per mezzo de' loro mariti fatti Catechisti della loro famiglia, e dop/po con il favor divino tanto è cresciuta la stima dell'innocenza e purità/ della nostra Legge e de' i loro Predicatori che li mariti anche idolatri mandano/ le sue moglie alle chiese della Madonna per godere della Messa e delli Sac/ramenti di penitenza et Eucharistia./ Qui nella Cina niuna Donna passa al secondo marito, se non sforzata/ dalla povertà. Non v'e bisogno d'alcuna dispenza, a cagione di Parentela/ non essendo lecito ad alcuno, ancorche non parente se è dell'istesso casato/ contrar matrimonio. Lo stato vedovale è molto stimato et honorato/ da questa gente, e dall' istesso Imperatore con titoli honorifichi; Non è lecito/ alle Donne frequentar le chiese, quando in esse si trovano huomini e benche/ in alcuni luoghi si diceva a bon hora la messa per gli homini soli, e doppo// **(f. 27v)** altra messa verso il mezzo di per le donne, nulla dimeno li gentili ancora restava/no scandalizati, e questo è stato il motivo che crescendo il numero degli Huomi/ni e Donne convertite, ne meno contentandosi i Cinesi del separamento degli huo/mini dalle Donne, come costumasi in Europa, fabricarono i nostri due chiese, una per/ gli huomini e l'altra per le Donne, e con tutto cio fù un Governatore della Città Chiamceu nel/la Provincia de Xansi il quale parendogli anche con cio s'avesse pocho riguardo/ alla Modestia delle donne, fece bandire il Padre Michele Trigaultio, e demolire/ ambedue le Chiese le quali pero per mezzo del Padre Adamo furono piu ampiamente e splen/didamente cambiate in un palazzo di certo regolo della famiglia imperiale passata./ Nel principio ancora delle missioni, facendo in alcuni luoghi il Sacerdote un'es/sortazione alle Donne doppo la messa per fuggire ogni taccia predicava alle Donne vol/tate le spalle alle medesime et il volto all'altare, nè vi fù poca difficoltà nello stesso prin/cipio ricever la sacra eucharistia dalle mani del Sacerdote, la quale nella primitiva Chiesa/ Romana solevan le Donne ricever dentro un panno./

Per provedere parimente all' honestà et apparenza di modestia tanto stimata/ in quel regno, mai usarono i nostri toccare co' sacri crismi le Donne nubili, mà solo/ i fanciulli, molto meno usano (non spettando cio all'esenza del Sacramento) ungere i piedi di quelle con l'oglio Santo dell'estrema untione, il che da tempi antichi sin ad/ ora suol usarsi in tutto il distritto del Vescovato d'Anversa in fiandra; e l'istessa s./ Congregatione dell'Universale Inquisitione l'anno 1655 approvandolo il Santissimo Pontefice Alessandro 7°/[34] dichiarò potersi tralasciare per grave necessità pro-

[34] Cfr. *Responsa Sacrae Congregationis Universalis Inquisitionis ...*, 1669.

portionata alcune Sacramen/tali cerimonie nel Battesimo delle Donne, et ancor l'istesso Sacramento della/ Untione: Imperoche come potra mai indursi una Donna Cinese, avanti i suoi/ Parenti, et amici à farsi nudare i piedi, i quali mai ne pur dal proprio/ marito si vedono, accio uno sconosciuto Europeo con il suo dito l'unga/ e li netti./ Ho io conosciuto uno, il quale si confessò di grandissime ten/tationi nateli dall' haver veduta, e presa in mano una scarpa di Donna,/ dalche puol' argu//irsi **(f. 28r)** quanto poco vi voglia che persone si facili a' prender scandali, e sì ovvie/ a' tentationi, per cose sì piccole, e remote, qual è una semplice scarpa, se scopriran/no alcuni nostri riti, per altro Sacrosanti, bandischino e noi da tutt' il Regno,/ come impudichi, e la nostra Religione, come quella che prescrive cose apparen/temente indecenti, certamente non essendo in Europa un tal pericolo, nientedimeno/ il Rituale Romano prohibisce nelle femine l'untione dè lombi. Per la stes/sa verecondia, e rigorosa modestia, non s'è per anco potuto ottener da Nostri/ che i Cinesi contraggano il Matrimonio avanti il Parrochiano (il che stimi/amo esser indissolubile di sua natura, anche secondo l'Institutione Cinese)/ non dico nella Chiesa publica, mà ne pur nella casa privata: et in quelle poche/ persone di privata et ultima conditione, che l'ha ottenuto dai nostri s'è fat/to in questa maniera, che la sposa con la faccia velata secondo l'usanza per non esser vista/ da circostanti, stendeva la mano sopra un libro, sopra il quale poste le due/ parti della stuola metteva la sua lo Sposo; Questa renitenza e straordina/ria verecondia è piu rigida nelle parti australi; nelle Boreali però è alquanto più/ rimessa godendo alcune di quelle Provincie una libertà/ ò piu tosto una semplicità e sincerità piu franca e civile./

§ 4°.
Del modo di trattare co' Bonzi ed altri loro Sacerdoti.

Con tutto che una simil sorte di Gente soglia di ordinario esser bassa, e plebea, non deve però/ essere irritata da forastieri, o disprezzata, potendo essi molto nel Popolaccio,/ il quale di leggieri conciterebbono contra di noi, quando non fossero ritenuti/ dal timor de Magistrati, e dal vederci favoriti da' Nobili; ne solo la loro po/tenza si stende à Gente vile, mà anco appresso l'Imperatore il che facilmente si rac/coglie da questo fatto. questi anni trascorsi un certo Preside della Città Yam/ cheu cognominato li avendo fatto flagellare con 80 colpi un Superbissimo/ Bonzo, nel quale supplicio poi morì, fù dagli altri Bonzi accordati insi/eme, et essacerbati accusato nella Corte, e l'accusa passò con tanta efficacia// **(f. 28v)** e felicità, che per sentenza dell'Imperatore venne condannato alla testa il Preside,/ in questa sua miseria beato, che essendo prigioniero ricevette per mano del/ P. Gabiani il Battesimo nominato Pietro, e rivisse all'altra vita prima di morire al temporale/ nel giorno che fu la festa di S. Pietro ad vincula.[35] Devon dunque i Missionanti molto guardarsi dall'ingiuriare questi Sacerdoti/ Idolatri, e però devonsi impugnare, e riprendere i loro errori, e loro vitij, non/ già le loro persone./ Non devono essere insultati con abbrugiarli avanti gli occhi i loro Idoli, poten/dosi cio fare privatamente dal che ne nascerà che rimoveremo le persecutioni tenta/te da quelli animi inaspriti, e smorsaremo ogni bollor di vendetta da farsi da/ loro nell' abbrugiar le nostre Sante Imagini, il che tal'ora è stato pratticato,/ e da Bonzi infuriati, e dalla plebe subordinata./ Se veranno mai da noi, non devono rigettarsi, mà accogliersi con ogni cortesia/ non disperandosi della loro Salute, mentre alcuni di loro connosciuta la verità/ ne' libri e riuditala dalle nostre bocche, hanno mutate le chiese degli Idoli in Tempij del Salvatore, e di Ministri d' Idolatria son divenuti Apostoli di Christo./ Altri non havendo possibilità da cio fare si sono dichiarati, che volentieri have/-rebbero abbracciata la fede Christiana connosciuta per vera, se havessero tro/vato, chi l'havesse proveduti di vitto; mentre non havendo altro capitale, che/ quelche guadagnavano col porger Sacrifici gl' Idoli, se si fossero convertiti, ha/verebbero perduto e le loro chiese, et ogni lucro, ne essendo assuefatti ad arte/ alcuna, sarebbe loro convenuto morir di necessità, la qual cosa certamente (si/ami quì lecito slungarmi alquanto) doverebbe provocare le lagrime ad/ ogni cuor Christiano, e mover l'animo d'ogni fedele à porger' aiuto à quel/le povere anime, e per mezzo di quelle à una gran quantità d'altre, che à/ loro essempio si convertirebbero, e vedendo soggettati alla Croce quelli che era/no Ministri della impietà diventarebbero pij con accrescimento della Reli/gione nascente, e con esterminio della Gentilità abattuta. Dio volesse/ che venisse in mente à qualche personaggio grande nelle ricchezze, e mag/giore nel zelo, di fondare una elemosina simile à quella della redentione // **(f. 29r)** de schiavi venuti in mano de Barbari per liberare l'anime dalla Servitù di Sata/nasso! quanto spetiosa cosa a Dio grata, et à lui d'infinito merito farebbe? quanto gloriose inanzi gli Angioli riuscirebbero le/ fondationi di tanti tempij e santuarij vivi et immortali/ che sono le anime guadagnate à Dio per lodarlo eternamente./ Con quelle Limosine potrebbero alimentarsi molti, e molti Bonzi convertiti et/ ancor disponere al Sacerdotio i Letterati poveri attissimi à scoprire alla

---

[35] La parte di questa frase che riguarda il nome dato al morituro, e la sua relazione con la festa di S. Pietro in Vincoli, è aggiunta a margine nei mss. A e B, e regolarmente inserita nel testo nel ms. C.

cieca plebe tutti gli inganni de loro Idoli, e de loro Sacer/doti. Potrebbe certamente sperarsi con questo mezzo fruttuosissimo, dover quanto/ prima ridursi sogetto al Vaticano un Regno si vasto, e farsi veder in Roma/ sogetti ubedienti al Succesore di Pietro gli Ambasciatori Cinesi. E invero/ se si facesse concetto del vastissimo paese, che è la Cina, e di tanti milioni d'ani/me ch' l'habbitano dotato di tante virtù morali, e di bell'ingegno ornate, non/ credo, che vi sarebbe alcuno che stringesse avaramente le mani, e non le stendesse/ ad un'atto si misericordioso, e si grato al cielo, qual'è la Conversione d'un/ mezzo mondo, e la Salute di tante anime. Per le quali oltre l'esser scarsis/simo il numero degli Europei si aggiunge questo di difficoltà, che non si per/mette agli Europei entrare in numero considerabile in Pekin Regia della Cina, ò in altra Provincia secondo i rigorosi bandi promolgati. Quindi è che non/ dico per accrescere, mà per stabilire la fede trà quei Popoli, habbiamo necessi/tà, di Sacerdoti Cinesi, i quali possono correre, e scorrere per ogni parte, senza os/tacolo alcuno in quel numero, che vogliono, senza contravenire agli editti, ò/ ingelosire i Tribunali./

§ 5
Quanto riguardo si richiede nella entrata de Vescovi Europei[36]

Il far venire i Sacerdoti Europei occultamente nella Cina, e cosa talmente perico/losa, che se si scoprisse potrebbe da cio nascere l'esterminio della Religione/ con esserne essiliati da quel Regno tutti gli Europei che sarebbe l'entrata/ dè Vescovi Europei nella quale grande cautela si deve osservare in quel/ Paese,[37] posso chiaramente dimostrarlo da questo caso nel mio tempo avvenuto./ Imperoche nell'anno 1676 essendosi nella Cina sparsa fama venir mandato da/ Roma in Oriente l'Illustrissimo vescovo Lamberto Beritense, fummo subito per tutte/ le Provincie e Residenze con lettere circolari avvisati dal Provinciale, che per dovunque/ detto Vescovo fosse passato con ogni dimostratione d'ossequio, e cortesia fosse ri/cevuto; il tutto però si facesse con gran Circospettione e prudenza: Di più// **(f. 29v)** fossero avvisati i Christiani che non propalassero una tal novella con gran/

[36] Vedi la nota 37.

[37] L'autore, durante la stesura del ms. A, sembra non aver ritenuto prudente fare un paragrafo specifico sull'invio dei vescovi in Cina; poi, durante la stesura successiva, pare aver cambiato idea: egli ha infatti aggiunto, nello spazio tra le righe, il numero ed il titolo del paragrafo (nota 36), nonchè l'ultima parte di questa frase che ai Vescovi si riferisce. Nei mss. B e C tutto è inserito regolarmente nel testo.

strepito, et apparechi, per non insospettire i Presidi Cinesi, anzi per commun consenso di tutti era stato assegnata per habitazione al Vescovo la nostra Ca/sa Principale in tutta la Città chiamata Kam hac nella quale all' ora Io di/morava, stimando bene non riceverlo nella provincia Nam chim,/ come quella che stava nel mezzo dell'Im/pero, et era piena di gran numero di Christiani, trà quali era facile trovarsi qual/chuno nel parlare poco prudente, et alla Religione Christiana innocentemente/ dannoso; Tutto che fosse oprato con gran regola di prudenza e senno, hebbe dolorosamente à risentirsene l'anno seguente la religione Christiana poscia/ che destata contro di noi una violenta universale persecutione, frà le altre cose, che in/ essa avvennero fù, che chiamati alcuni de nostri dal Supremo Consiglio ven/nero interrogati se vi fosse trà loro alcuno in grado di Vescovo, che chiamano/ Pi Supo, il qual titolo, havevan letto nelli nostri libri e haveva/ insospettito quel Supremo Magistrato. Dalche deve farsi sapere à chiun/que entrerà con tal Dignità alla Cina, che se non vuole affatto spiantare/ da quel terreno la religione, che nasce, non deve ostentare in modo alcuno la/ dignità, che hà Superiore all'altri Christiani, e per quanto puole (se bene cio è molto difficile) deve procurare, che i Christiani non la vadino inconsideratamente spargendo, e/ questa è stata la ragion per cui ne' nostri ultimi libri stampati habbiamo e/letto servirci d'altro nome et in vece di quello di vescovo habbiamo posto questo/ adoprato nella Cina Ciu' chiao cio è à dire Governatore della S. Legge; co/me ne meno ci serviamo del nome Papa havenga che con simil voce si ap/pella il capo de maomettani, mà di chiao Hoam, cio è Imperatore della S. Legge ò vero taxim fù che vuol dire: gran Santo Padre: benche li Scientiati/ piu agradano Chiao zum cio è il Fondatore e Capo principale della S. Legge/ nel che piu che manifesto apparisce quanto gentilmente devono essere toccati/ quelli animi à cio non s'inasprischino, e con quanta cautela, non meno nelle/ cose, che ne vocaboli dobbiamo portarci in questa Chiesa anche fanciulla,/ frà tanti d'Idolatri, sospettosi, tenaci delle loro dignità, e delle loro Leggi// **(f. 30r)** e contrarissimi ad ogni forastiero, molto più se pretenda esser trattato/ da grande et honorato da Superiore./ La raggione per che deve usarsi una tal cautela nella venuta di Vescovo/ Europeo, è perche a pena potra farsi, che presto ò tardi non venga in co/gnitione à Governatori delle Città, e che sarebbe, se dovesse presentarsi a/vanti di essi? che se la fama di Lui arrivasse anche alla Corte? che se il Ves/covo sarà del Paese senza la qualità de Scientiati Cinese certamente vi è me/no da pensare e temere, impercioche benche non potesse visitare il Prefetto,/ ne fosse ammesso da Lui (non essendo Christiano) con quell' honore, con/ il quale suoglino esser ammessi gli altri Europei, o Letterati graduati, non dovrebbe temerne, ne guardarsene se pure con la debita cautela, e mode/ratione sapesse indirizzare Li negotij della Christianità dentro i Limiti/ della conditione Cinese. Che se sarà Europeo niente può dirsi di certo,/ impercioche tutta la cosa dipenderebbe dall'informatione, et altre cir/costanze dal genio, propensione e cortesia del Prefetto, da quelli che/ gli apriranno L'adito ad abbocarsi con li Commandanti, de quali non/ pochi particolarmente dopo l'ultima persecutione fuggono, e doni/ et ogni conversatione de Stranieri./ Che se tanta cautela deve usarsi nell'entrare d' un suol Vescovo,/ quanta ne bisognerebbe se molti s'ingerissero per varie Provincie con quel/la suprema Potestà? Mi perdonino L'Eminenze de' Signori Cardinali,/ se io qui parlando non per la conservatione della Compagnia, mà dell' auto/rità della Romana Chiesa in tanto Imperio, dico sinceramente il mio/ sentimento. La Cina (se può credersi) non è anche in tale stato che su questi principij habbia bisogno di molti Vescovi, ancora quella Christianità/ è novella, e benche habbia piu di cento anni è ancora bambina:// **(f. 30v)** ducento, e piu mila anime de' Christiani, che cosa sono à ducento, e piu milioni/ che la Cina conta senza contraversia? Se nel tempo del nostro essilio di Can/ton bastava il solo R. P. Lopez, accio per lo spatio di due anni scorresse tutte/ le Provincie, visitasse le Chiese, et amministrasse i Sacramenti in ogni luogo, perche/ non bastarebbe per dar la Cresima, e fare l'altre funtioni da Vescovo, et or/dinare Sacerdoti, quelli che trovasse disposti à tale dignità per età, virtù,/ et altre conditioni. Nelche certamente frà questi principij s' ha d' havere una/ grande circonspettione; ne devono ammettersi tutti quelli che s'incontrano con/ qualche tintura di Lettere (come sono anche quelli di villa) poiche quanti ò/ all'odore de' denari, o di pensioni volentieri s'ingerirebbero al Sacerdotio,/ e molto maggiore circonspettione è necessaria nell' ordinare Vescovi Cine/si e Sacerdoti; altrimenti qual conietto formaranno da Principi, e Capi della/ nostra Chiesa Li Dotti, e nobili della Cina? Chi di conditione illustre vorrà/ aspirare à quel grado, al quale vedrà inalzati gia gl'ovvij della plebe, e/ concio à qual bassezza cadrà in un Imperio tanto politico quello stato si/ sublime di Sacerdotio esposto al disprezzo di tutta la Nobiltà Cinese, cio è alla/ setta de Letterati tenacissimi dell' honore, e riputatione, appresso de quali/ stà L'amministratione dell'Imperio, fra' quali benche vi siano/ non pochi vilmente nati, con tutto cio quando hanno acquistato/ col suo bell'ingegno quel Grado Letterario, sono stimati per/ Nobili, nè possono mercantare, e sono tenuti in grand'autorità/ appresso La plebe, et in gran veneratione appresso de Prefetti.// **(f. 31r)**

§ 6.
Quanto importi l'Uniformità de pareri fra' Missionanti.[38]

La concordia de costumi, e dottrine stata sempre necessaria per dilattare la fede/ in altri Paesi, è necessarijssima nel Regno della Cina: imperoche havendo/ i Cinesi per la gran notitia della Astronomia osservato una ordinatissima/ vicissitudine ne' movimenti del Cielo, e havendo indi stabilita una somigli/ante armonia nelle loro leggi, e costumi, affinche piu si rassomigliasse il/ loro stato al tenore uniforme de' globi celesti, conviene ancora, che chiun/que vuole obbligarli ad accettar nuovi instituti manifesti una medesima/ concordia, e Uniformità per mantenere la quale è necessario, che niuno de' Missi/onanti habbia la mira à introdurre nella Cina i privati riti de proprij pa/esi, mà si contenti di ubedire alle Institutioni della Sacra Congregatione de Propaganda/ la quale ai Vicarij Apostolici, che vanno nelle Indie dà questo ricordo: *Nul/lum studium ponite, nullaque ratione suadete illis Populis, ut ritus suos,/ consuetudines, et mores mutent, modo ne sint apertissime Religioni et bonis/ moribus contraria quid enim absurdius, quam Galliam, Hispaniam, aut/ Italiam, vel aliam Europa partem in Sinas invehere? non haec, sed fidem/ importate, quae nullius gentis ritus, aut consuetudines, que modo prava/ non sunt aut respuit, aut laedit, imo vero sarta tecta esse vult./*[39]

Ho udito dal R. P. F. Domenico Navarrettes disaprovarsi che nella Cina i proprij/ religiosi non seguitassero in tutto la prattica della Chiesa Romana nel Sacri/ficio della messa stimando da quella poca, e non sostantiale diversità pregiu/dicasse al facilmente introdurre nell'animi delicatissimi de Cinesi la riverenza/ à tal Sacrificio. E tale concordia apunto pratticano al presente et hanno/ pratticato gli antichi Missionarij della Cina, tolerando con patienza cio,/ che vi si trova di privata costumanza, non contraria all'Evangelio, e des/tramente sradicando quello, che vi si incontra di prohibito da esso: il che molto// **(f. 31v)** più facilmente, e senza pericolo si osserva e ottiene ora, quando per la notitia del/la lingua, e studio de loro annali, e libri d'ogni sorte habbiamo potuto insi/nuarci negli animi loro, et acquistare con la benevolenza de medemi maggior/ cognitione de loro costumi; per tanto doppo li studij di 20 anni continui, e gli/ essami fatti in

---

[38] Anche il titolo e il numero di questo paragrafo sono stati aggiunti in un secondo momento nella prima redazione (ms. A).

[39] Si tratta della *Instructio Sacrae Congregationis de Propaganda Fide ad Vicarios Apostolicos Societatis Missionum ad Exteros* del 1659, in *Collectanea ...*, vol. I, 1907, pp. 42-43.

varie Provincie con ogni sorte d' huomini, e doppo varie con/ferenze tenute con molti theologi, e principalmente l'anno 1615 co'i Romani/ fra quali era il Padre Lorino, Lessio, Vasquez et caetera si sono distinte le supersti/tioni dagli usi puramente Civili, e politici, le prattiche lecite dalle illecite, af/finche l'Europa sappia, non essersi proceduto temerariamente in affare di tan/to momento. Si ritrovano ancora oggidì nell' Archivio d'una Provincia/ Cinese 57 varij trattati, e scritti autentici di cose della Cina controverse per/ 50 anni fra' i Missionarij della nostra Compagnia, i quali soli all'ora vi si tro/vavano, ne quali libri principalmente si tratta di conservare l'unità delle/ Sentenze, e attioni fra' nostri, e di sradicare le superstitioni, e di tolerare i/ riti politici, nominatamente delle essequie a' morti, e della grata veneratione/ al Maestro loro Confusio, contenuta dentro i termini Civili, del lecito uso/ dei Sacri Nomi Cinesi, et Europei, di coprire per riverenza fra i Cinesi il Capo/ nelle funtioni Sacre, fuorche quando si accostano alla Confessione, usando/ essi di andar scoperti, quando come rei si presentano a' Magistrati./ Potrei qui apportare il Cattalogo di tutti i libri, e degli Autori, dell' anno, e luo/go in cui sono stati scritti, cominciando dal fondatore della nostra Missione/ il P. Matteo Ricci; Non dico qui punto dell' historia delle Missioni da lui/ con particolar cura scritta, et dal P. Nicolao Trigaultio stampata e dedi/cata al Sommo Pontefice Paulo V ne della lettera del P. Didaco Pantoia, il qual fù compagno del P. Ricci, e celebratissimo per i libri Cinesi, la quale fù scritta/ l'anno 1602 et in Siviglia stampata nell' 1605 che parla delle predette Cerimonie./ Si ritrovano ancora adesso alcuni ordini del medesimo P. Ricci, dopo una commune/ discussione co' compagni, che servano per la direttione della nuova Chiesa eretta l'/ anno *1600.* Altre ancora del medesimo Padre dell' anno *1603* e dal P. Alessandro Vali/gnano mandato da Roma Visitatore di tutto l'Oriente riconnosciuti, e confer//mati **(f. 32r)** doppo una informazione legitima delle cose dal P. Emmanuele Diaz./

Vene sono altri del medesimo Padre Valignani fatti doppo nuova inquisitione, e segui/tati dal P. Francesco Pasio Visitatore del Giappone, e della Cina, come testificano/ le di lui ordinationi dell'anno *1611* ne si è mutata cosa veruna intorno ad essi./ Ma perche col progresso del tempo nuova materia di dubij si è cavata da libri cinesi,/ piacque di nuovo al P. Girolamo Rodriguez Visitatore del Giappone, e della Cina/ nella Provincia Chekiam fare una consulta con sette i piu antichi e leterati/ Missionarij, col parere de quali compose l'anno 21 di questo secolo un Somma/rio d' ordini, ne quali dichiarò, doversi permettere ai Neofiti le mere Civili/ Cerimonie circa Confucio, e i morti, toltene le superstitiose di li à 7 anni/ cioè il 1628 per togliere ogni ambiguità di nuovo si essaminarono le medesime/ controversie nella Città di Chia sin della Provincia Nankim da undeci Mis/sionarij là convenuti da varie Provincie, presenti ancora tre celebratissimi Dot/tori Paolo, Michele, Zeno, e il Licentiato Ignatio, il quale doppo fù Vice Rè, e/ doppo molto finalmente di nuovo fù approvata la prattica stabilita de pri/mi principij della Missione, e dal P. Ricci ordinata, e per tanti anni immobil/mente continuata./ Nel seguente anno 29 il P. Andrea Palmerio Visitatore, il quale era stato gia/ primario Dottore dell'Accademia di Coimbra, doppo visitate varie Provin/cie, e pratticata l'istessa corte, e uditi i Pareri de Compagni attentamente essa/minati i predetti ordini, li riconfermò à 15 d' Agosto del 1629 et un altra Con/sulta de Medesimi Compagni fù fatta nella Metropoli della Provincia Chi/amsi il 1633 alla quale intervenne il P. Alvaro Semedo Defensore dell'istesse opinioni con gli altri./ Alla conferma poi di tali prattiche, molto servirono le risposte date da Ro/mani Theologi sopra i quesiti giapponesi, cioè a dire quelle, che nell' 1602/ furono mandate da Roma, e di poi nell' istesso anno confermate nell'Uni/versale Inquisitione avanti il Sommo Pontefice Clemente VIII, e altre/ che il *1616* furono per mezzo del P. Nicolao Trigavultio date a' postulati del/ Vescovo del Giappone, e della Missione Cinese, come quelle ancora date circa// **(f. 32v)** l'istesso tempo, intorno al permettersi l'antiche insegne de Bracmanno a' Neo/fiti pronunziata doppo iterate consulte de' Romani Theologi, e dell' Eminentissimo/ Bellarmino,[40] il quale era stato di contrario parere./ Da queste e da altre cose che per brevità tralascio, si può raccogliere à quanto/ sode autorità siano appoggiate le prattiche dal principio di queste missioni/ elette, e continuate fin' ora./

Essercitandosi frà tanto di commune consenso, e approvatione tali Praxi, ecco/ l'anno *1631* entrano nella Cina per aiuto nell'annunziare l'Evangelio altri/ huomini Apostolici di due Sacri Ordini; e questi come noi sul principio della/ nostra Missione talmente si commossero d'animo, e accesero di zelo contro i riti,/ e costumanze Cinesi, che senza veruno essame, ne aspettati i pareri degli al/tri, il tutto che qui havevano veduto, e udito lo mandarono di Manilla con libri stampa/ti nell'America, et europa, e quanto prima ne rendono consapevole la/ Sede Romana./ Frà tanti trattati da una parte, e dall'altra usciti alla luce, che in nu/mero di 30 si conservano nell'Archivio della nostra Provincia, tra quali/ apparisce una lettera dell'Illustrissimo Arcivescovo di Manila ad Urbano VIII/ scritta l'anno 1631 contro il modo di governarsi della Compagnia, e di piu un'/

---

40 Sul segnalare il parere del Bellarmino il P. Couplet deve aver avuto qualche dubbio, poichè la conclusione della frase risulta cancellata nella stesura intermedia, ma poi reinserita nell' ultima (ms. C).

altra lettera dell'istesso Religiosissimo Prelato scritta nel medesimo anno, con la/ quale ritratta appresso il detto Pontefice tutto cio, che prima haveva rife/rito per sinistra informatione, e lode con formole molto espressive la/ praxi della Compagnia come ancora Illustrissimo Vescovo Zebusense nelle Filippine./ In questo mentre da Macao viene à Roma il R. P. F. Giovanni Battista de Morales, e nell'istesso tempo scrive da Manila il di 5 di Marzo 1630. Il/ Reverendo Padre F. Clemente dell'istesso Ordine de Predicatori Provinciale nelle/ Filippine al P. Emmanuel Diaz della Compagnia di Giesu Visitatore, che dimo/rava in Macao, il quale gli rispose à 26 di Giugno dell'istesso anno,/ dalle lettere de quali, ch' io ho appresso di me si vede abbastanza l'ardentissimo desiderio dell'uno, e dell'altro di stabilire una Unione e confor//mità **(f. 33r)** de pareri dell'una e dell'altra parte frà gli Operarij di questa vigna del/ Signore per promovere la fede di Christo. S'aggiunse à queste lettere un'altra/ del R. P. F. Pio Gorgia della Provincia di Fo chien al P. Giulio Aleni,/ che prima di tutti haveva condotta colà la fede l'anno *1627* e dimo/rava all' hora pacificamente nella Metropoli: la lettera era scritta a' 16/ di Novembre del *1629* da Fongan, dove stavano nascosti per occasione/ d'una Persecutione insorta due anni avanti, e per cagione di cui have/va havuto ordine di andar in essilio i Missionarij, dell'uno, e l'altro ordine: tra le altre cose che trasporto dallo Spagnolo, cosi dice: *Giudico/ che non sia di servitio di Dio predicare il Santo Evangelio à questo regno ne adesso, ne mai in altra maniera di quella, che usano, et hanno/ usato li Padri nostri, e cosi ordino a' miei, imperoche l'esperienza c' in/segna dal vedere che sia succeduto si male ai Padri, che stanno in essilio, ch' il Signore/ Iddio non vuole che adesso si adopri tale strada, se bene quelli hanno operato con/ bon zelo per provare, se i Cinesi si sarebbero convertiti per quella strada, e per cio/ sono degni di qualche scusa*: E piu abasso soggiunge: *considerando la debolezza/ di questa Gente mi recherei à gran scrupolo voler promovere la Conversione/ di essi per mezzo di martirio*. Fin qui il predetto Padre, il quale pare in verità/ che approvi la prattica osservata costantemente gia per 80 anni, e desidera che/ si osservi l'istessa uniformità nel predicar l'Evangelio. L'istesso concorda con il parer del Religiosissimo huomo il R. P. Frà/ Francesco d'Ascalona, che diceva al P. Julio Aleni: Se i Padri della Compagnia/ havessero tenuto altro modo da quel che havevan per tanti anni/ constantemente usato, hoggidi la Cina no' haverebbe nè padri ne/ Christianità. Doppo alcuni anni/ furono presentati in Roma alla Sacra Congregatione de Propaganda Fide 17 quesiti/ ai quali fu risposto l'anno 1645, come si poteva aspettare dalla prudenza, e/ Saviezza de Supremi Principi della Chiesa cio è à, dire col condennarsi cio che/ si proponeva come cosa superstitiosa, e che haveva ombra di Idolatria, e col permettersi tutte quelle cose, *quae cultum tantum civilem redolent,/* (il che è quanto permette la Compagnia) *aut reduci possunt ad cultum/ civilem*, come si puol dire vedere dal quesito 15 nel quale in verità è da/ notarsi la benignità della Sacra Congregatione, à cui piacque di delatare l'ampiezza/ della Carità negli Animi de Cinesi ristretti piu del dovere, mentre dice *re/dolent, aut reduci possunt ad cultum Civilem*. Frà tanto quasi che la Com/pagnia fosse rea d'una grandissima scelerataggine d'Idolatria dissimulata, e d' havere// **(f. 33v)** permesso tutte quelle cose nell'istessa maniera proposte, e condennate in quei/ quesiti, s'incominciò da per tutto ad esclamare contra la prattica della Compagnia/ d'onde i nostri emoli, presero et anche adesso prendono occasione di divolgare/ da per tutto con nuovi, e nuovi scritti le sopradette risposte della Sacra Congregatione/ quasi fossero altre tanti fulmini vibrati contro di noi./ Per la qual cosa à difesa giusta della sua causa fummo sforzati ad appel/lare al Tribunale della Santa Chiesa Apostolica, col mandare à Roma il P./ Martino Martini Procuratore della Missione, con le informationi havute dal P./ Francesco Furtado Visitatore, del P. Provinciale, ed altri Padri, le quali in/formazioni furono da lui presentate l'anno 1655 alla Sacra Congregatione de Propa/ganda fide con un memoriale a' molto Reverendi Padri Qualificatori del Santo Officio,/ e le risposte date l'anno 1656 dalla Sacra Congregatione dell'Universal' Inquisitione/ ai quesiti dei Missionarij della Compagnia di Giesù nella Cina, e approvate dal/ Santissimo Pontefice Alessandro VII./[41] Doppo che questo Decreto si seppe tanto nella Cina, quanto nelle Filippine/ il Reverendo Padre Frà Francesco di Palma Provinciale del santo Ordine de' Predicato/ri, et Inquisitore generale, che in Manila essortò circa l'anno 1661/ i suoi sudditi Operari nella Cina, che nelle cose gia un pezzo fà controver/se, e di fresco decise dalla Sacra Inquisitione Romana à proposta del P./ Martino Martini si accomodassero alla opinione, e prattica della Compagnia/ come probabile, e sicura per conservare l'uniformità, e concordia in coltivar/ questa vigna. Allo stesso modo ancora haveva scritto avanti l'anno 1660/ al P. Brancati, e P. de Govea il Reverendo Padre Frà Timoteo da S. Antonino Vicario/ Provinciale: e le sue parole sono queste: *tutt' i nostri veggono, che il modo/ e prattica di convertir la Cina è quella, che usa la Compagnia e, se bene da prin/cipio per sinistra informatione vi fù diversità d' opinioni: ora però ci accor/giamo con l'esperienza, e quasi tocchiamo con le mani, che cosi si deve fare*: an/zi che l'istessi Neofiti de Reverendi Padri Predicatori, tra' quali v'era un' huomo di/ grand' autorità detto Chò Linus, si

---

[41] Cfr. sopra la nota 34.

congratularono con noi in Kekiam Me/tropoli della Provincia Nam cheu alla presenza degli altri Christiani,// **(f. 34r)** della Concordia delle opinioni gia stabilite, dalla quale si sperava, che sarebbe per/ seguire una gran messe d'anime. Similmente il Reverendo Padre Fra Domenico Coronati/ Vicario Provinciale, il quale dipoi morì Santamente nella Corte al tempo della per/secutione scrisse l'anno 1661 dalla Città di Su cheu della Provincia di/ Nam Chim al P. Brancati: *haver egli finalmente determinato di seguire in tutto/ la prattica della Compagnia, e che l'istesso haverebbe ordinato ai suoi sudditi./* Finalmente non posso tralasciare la lettera scritta à me da Fon gan li 7 di Agosto 1663/ dal Reverendo Padre F. Garzia Vicario Provinciale, la qual lettera io conservo,/ e venero come pegno d'un huomo santo, e d'un vecchio Missionario: questi/ doppo haver esposto il desiderio suo, che tutti honoriamo Iddio con un sol cuo/re, e con una sola bocca, dice di sforzarsi, che tanto per se, quanto per i suoi sudditi/ si sfuggano gli scandali, causati dalle controversie con diffendere sempre l'auto/rità della Compagnia per quanto richiede la carità religiosa. Per ultimo mi pre/ga con premura che gli transmetta Privilegio (che per errore pensava esser/ stato concesso da Sua Santità circa il tralasciare nelle Donne Cinese l'unti/one de piedi) imperoche, come dice: *da che sono in questo Regno in verità/ sempre mi fò sforza, mentre ungo le Donne, e grandemente mi arrosisco, perche/ sò bene con quanta verecondia scoprono i piedi, e con maggior rossore gli or/dino che si scuoprano: e benche sia pochissimo cio, che scoprono, sentono nulla/ dimeno cio gravemente ma io più di esse Etc. Dio volesse ch' io potessi havere/ un tal privilegio per potermi liberare da questo tormento, e rossore, il quale/ sempre è stato in me, ed anco dura cosi egli./* Dal testimonio adunque di tanti Religiosi, e da tanti Superiori e Sudditi/ dell'ordine di S. Domenico, pare che possa à bastanza constare, quanto sia stata la propensione all'Uniformità e concordia co' nostri, la/ qual propensione crebbe molto più doppoche si portò l'ultimo decreto della/ Sede Apostolica: mà poiche gli animi d'alcuni non anco potevano acqui/etarsi del tutto nelle accennate decisioni, parve, che Iddio riservasse la pa/ce totale nel tempo d'una gravissima persecutione, quando i Religiosi di tre// **(f. 34v)** ordini della Corte, nella quale quattro de' nostri furono ritenuti, per commando/ regio, si rilegorono nell'essilio à Canton, dove per lo spatio di anni 6 ci fù dato/ tempo di conciliare frà di noi l'opinioni, e gli animi, e stabilire una per/petua Uniformità./[42]

In questo luogo dunque furono consultate da 23 Missionanti de tre Ordini le pra/xi conformi alle risposte della Sacra Congregatione e a'

---

[42] Cfr. *Acta Cantonensia Authentica*, 1700.

statuti de' nostri maggiori, e sta/bilito con la più parte de suffragij circa il fine dell' anno 1667 ed il prin/cipio del 1668 le quali praxi accio fossero osservate da tutti nell'avvenire,/ parve, che l'approvasse la sacra Congregatione de Propaganda, quando nel suo libro,/ il quale fù stampato in Parigi conforme l'originale di Roma l'anno 1666/ dove si riferiscono le constitutioni Apostoliche, Brevi, Decreti Etc. per le Missioni della Cina, Tonchino, gli piacque d'inserirle sotto questo titolo./ *Praxes quidem in Urbe Canton discussae in pleno coetu Missionariorum/ sive Ordinum S. Dominici S. Francisci et Soc. Jesu statutae, ac directae ad/ servandam inter eos uniformitatem primo a, et 4° numero sic habetur: circa/ ceremonias, quibus Sinae Magistrum Suum Confucium, et mortuos veneran/tur sequenda omnino sunt sanctae Congregationis Universalis Inquisitionis Prae/cepta à SS.mo Domino nostro Alexandro VII approbata anno Domini 1656/ quia fundantur in valde probabili opinione cui nulla contraria evidens/ opponi potest; qua posita probabilitate, non est occludenda ianua sa/lutis innumerabilibus Sinis, qui arcerentur à Religione Christiana, si pro/hibentur facere, quae licite, et bona fide, facere possunt, et non sine gra/vissimis incommodis praetermittere cogerentur Etc./*[43] Mancava al suffragio commune particolarmente l'approvatione di quello, il/ quale presedeva à due Religiosi del suo ordine, con potesta delegatagli dal suo/ Provinciale, che cio che egli approvasse nella radunanza di Canton, fosse approvato/ anche da tutti i Missionarij del suo ordine nella Cina, questi per tanto doppo/ molti dibattimenti nell'una, e nell'altra parte, e in publico, e in privato, e in// **(f. 35r)** voce, et in scritto finalmente espresse à 29 di Settembre 1669 il suo parere in una/ lettera al Padre nostro Vice Provinciale Antonio de Govea, che stava con esso nell'Albergo Commune: la copia di questa lettera tradotta dallo Spagnuolo ad verbum/ sottoscritta dal Reverendo Padre Frà Domenico Sarpetro, io quí soggiungo./ Molto Reverendo Padre/ Pax Christi. *Se così piace à V. R. goderò di communicare la cosa al molto/ Reverendo P. Visitatore: in questa io scrivo, che circa la praxi in ordine a' Defonti,/ e cerimonie de funerali seguitaremo ciò, che hà disposto, et ordinato la rad/unanza delle R.R. V.V. tenuta in Nan ghen metropoli della Provincia di/ Chekiam nel mese d' Aprile l'anno 1642 senza disordine ne pure in un sol/ punto. Quanto poi spetta al Confusio permetteremo ciò che pratticano le/ V.V. R.R. cio è à dire togliendo i due riti Solenni, che ne pur permette la Com/pagnia, quanto ai vocabuli Cinesi Xam ti, espiriti, sapendo che la cosa è/ stata proposta al Generale della Compagnia e come stimo anche alla Sacra Con/gregatione*

---

[43] Cfr. *Collectanea* ..., I, 1907, p. 53.

di Propaganda Fide, aspettaremo indi la risolutione, fra' tan/to ci accomodaremo all'ordinazioni delle R.R. V.V.: che se in progresso/ di tempo occorreranno nuove difficoltà, niente si determinerà senza/ prima consultarne il Reverendo Padre Vice Provinciale che allora sarà, e cosi tutte le/ cose anderanno pacificamente Etc. Servo indegno di V.R. N.N./ A questa lettera rispose il Padre nostro Provinciale alli 8 d'Ottobre del me/desimo anno, rallegrandosi con lui, e con tutti e amettendo con somma sua/ allegrezza e commun plauso, cio è che in quella radunanza (della quale pe/rò nel nostro Archivio non si trova memoria alcuna) haveva scritto esser/ stato stabilito, il che certamente è la medesima praxi che la Compagnia da primi/ tempi hà osservato fin' adesso; e che s' accorda in tutto con il decreto ultimo/ d' Alessandro 7° come si raccoglie manifestamente dalle risolutioni stesse tradotte da// **(f. 35v)** essi dalla lingua Portoghese nella spagnola le quali io qui non apporto per brevità./ Chi potra spiegare quanta qui fosse la consolatione di tutti nell'essilio, vedendo gia/ terminati tanti dubij e controversie, e stabilita la pace, e conformità di voleri,/ e giudicij tant'anni sospirata, si che unite l'armi, e le forze con la grazia/ divina potessero i zelatori della fede impugnare l'idolatria, e consacrare a Christo/ tante migliaia d'anime tolte all'Inferno./ Pocco doppo il medesimo dal essilio di Canton improvisamente n'andò verso l'Eu/ropa, per essere ivi annunziatore come credevamo della pace seguita, mentre della medesima nell'esilio n'era stato arbitro, e principal Promotore: Mà nel/ trasferirmi dalla Cina nell'Europa trovai le cose del tutto diverse, e le nostre/ speranze, e desiderij messi al niente, parve che tornassero à risuscitare le con/traversie altre volte agitate nella commune radunanza, anzi che i libri del Padre/ Nicolò Longobardo, quali per commandamento del Visitatore erano stati condan/nati al fuoco, vengono di nuovo à luce, e cio per persuader agli Europei, che la/ Cina non haveva per l'adietro mai connosciuto Iddio, ne immortalità dell' ani/me, onde haver errato il Padre Matteo Ricci, egl' altri della nostra Compagnia che confor/me all'Apostolo delle Genti Paolo, e degli altri Padri havevano a' Gentili di/mostrata la Divinità per mezzo de loro stessi scritti, e libri: Se cio (come egli/ si sforza provare) e vero, che bisogno hà dunque egli d'impugnare si lunga/mente, come fà le cerimonie, che fanno i Cinesi à Confusio, et all'anime de de/fonti? mentre non credendo (come egli dice) i Cinesi esser l'anime immortali,/ non hanno che temere, ne chè sperare da quelle, e però in una tal credenza/ quella cerimonia si ridurrebbe à pura attione, e dimostratione Civile./ Mà che diremo dell' esporsi à Roma et al Mondo tutto cio che per 8 anni in circa,/ ò nella Corte, o ne viaggi ò nell'essilio di Canton fù detto da ciascheduno di/ noi nella domestica conversatione, con alterarsi, ò con esporsi in altri ter/mini le cose, che furono dette, o per inavertenza, o per imprudenza d'alcuno, accio/ sopra di esse essamini, e decida la Santa Congregatione.// **(f. 36r)** Dunque di nuovo furono ripigliate à dietro le nostre Apologie, e fattene dell'altre per chiaramente ribattere le obietioni fatte al modo di procedere della Compagnia/ e per dimostrare, che il P. Martino con ogni fedeltà e sincerità haveva pro/posto à Roma tutto cio, che haveva proposto; e per difendere ancora con tut/to lo sforzo l'autorità della S. Universal' Inquisitione, e l'In/tegrità d'Alessandro VII, nel approvar quell'istesse cose, doppo udita/ l'una, e l'altra parte, rimangono dunque oltre 57 trattati dati alle stampe/ prima che altri sacri ordini entrassero nella Cina, altri venti dati in luce do/po il luoro ingresso, e questi che sono quí posti per ordine.

1°. Tractatus R. P. Fr. Dominici Maria Sarpetri vel à S. Pietro Or/dinis Praedicatorum ad lectionem S. Theologiae Panormi approbati, quo/ refutat tractatum P. Longobardi è cineribus redivivum, et defendit praxim/ Societatis in usu nominum, quibus Deus, Angeli, anima Etc. compellanda/ sunt in Sina, scriptus est anno 1668 in Cantonensi exilio. Non ad/do hic testimonium eius authenticum datum ad S. Congregationem/ die 4 Augusti eiusdem anni, quo confirmat praxim Societatis Iesu/ in Sinensi Missione./

2. Disputatio Apologetica de Officijs, et ritibus Civilibus quibus/ Sinae memoriam recolunt Confucij, et Progenitorum suorum vita/ functorum, auctore P. Prospero Intorcetta Societatis Iesu anno 1668./[44]

3. Patris Francisci Brancati 35 annorum Missionarij respon/sio ad dubia proposita contra ritus Sinicos fusissima additis tex/tibus Sinicis 4 Septembris 1669./

4. Dissertatio Theologico-historica de avita Sinarum pietate erga/ defunctos, et eximia erga Confucium Magistrum suum observantia à/ P. Jacobo de Foure olim Professore Theologiae Scholasticae Pictavij/ facta anno 1669 item eiusdem appendix cum Epilogo.// **(f. 36v)**

5. Tractatus R. P. F. Dominici Maria Sarpetri anno 1670 scriptus/ cui titulus, Breve notitia de unos de los fundamientos, que hay pera/ permitio a los Christianos Chinos et Culto del Confucio, y de los de/functos que los permitio la Sagrada Congregation de la Universal' Inquisition/ en tiempo del Papa Alexandro Septimo./

---

[44] Questo trattatello del P. Prospero Intorcetta, illustrato da molti caratteri cinesi, abbiamo potuto individuarlo fra quelli della raccolta inedita *Lettres et mémoires* ... (cfr. sopra le note bibliografiche sul P. Couplet) conservata a Parigi, nella sezione manoscritti della Bibliothèque Nationale, Esp. 409, ff. 193-242r.

6. De Ritibus Ecclesiae Sinicae permissis Apologetica dissertatio pro/ S. Universalis Inquisitionis responsis, ad quaesita Missionariorum/ Societatis Iesu Romae datis, et authoritate Pontificia confirmatis anno Domini/ 1656 à P. Joanne Dominico Gabiani V. Provinciale Sinensis Missionis/ facta anno 1680./[45]

7°. Eiusdem appendix Apologetica dissertationis de Cognitione veri Numi/nis et Spiritualis substantia apud Sinas, legitimoque Sinensium Vocabulorum/ usu, quibus Deus, et Spiritus exprimuntur./

8°. Eiusdem item Synopsis Apologetica criminationum in Sinenses Societatis/ Iesu Missionarios./

9. Brevis respontio P. Ludovici Buglij 45 annorum Missionarij ad lib/rum improbantem praxim Missionariorum Societatis Iesu in praedicando Sinis/ Evangelium confecta anno 1680./

10. Responsum Apologeticum P. Ferdinandi Verbiest Societatis Iesu ad aliquot/ dubia S. Congregationi proposita, in quibus Patres Societatis Iesu Pekinenses su/gillari videntur./

11. Notae P. Francisci Xaverij Philippuccij Provincialis Japoniae anno 1680,/ quibus ostendit interpretationes textuum plane erroneas fuisse ex impe/ritia Litteratorum Sinensium./

12. Eiusdem tractatus, quo respondet calumniae nobis impositae, quasi in/ praxibus Sinicis mala fide operaretur Societas, et quasi P. Martinus di/-minutas et parum fideles informationes dederit S. Congregationi./

13. Eiusdem de Ritibus Sinicis ad repraesentandam Defunctorum memo/riam institutis.// **(f. 37r)**

14. Eiusdem explanatio genuina 37 textuum Sinicorum circa ritus Civiles/ cum suis responsis ad proposita dubia./

15. Eiusdem notae et censurae in quosdam libros Classicos./ Eiusdem tractatus anno 1682 quo probat 1° quod 17 quesita Romae/ sub Innocentio X proposita contineant 42 falsas supositiones. 2° quod/ responsa S. Congregationis diminute et non fideliter, et cum magna imperitia lin/guae Sinicae versa sunt. 3° quod in dicta versione facta in Sina omissa/ sint puncta essentialia, et ea quae, et Nobis et Sinensibus favebant. 4° evi/

---

[45] Anche questo manoscritto, di cui si è parlato alla nota 13 del capitolo di introduzione, è fra quelli conservati nella suddetta raccolta della Bibliothèque Nationale di Parigi, *Esp. 409*, ai ff. 159-188.

denter ostendit quam non sincera fide Impugnatores nostri in re tanti mo/ menti processerint./

16. Eiusdem tractatus circa easdem controversias dictus Sagitta retorta.

/ Non ramento qui Libri stampati in Cinese [dal] R. P. Fr. Gregorio Lopez Vescovo/ Basilitano in favore delle nostre Sentenze. Nè ancora un'altro libro piu antico/ sotto il nome del R. P. F. Antonio di S. Maria Francescano nel quale si confermano/ li misterij della nostra Religione con li testi del Filosofo Cinese Confucio, oltre molti libri delli/ scienziati Christiani et anche le larghe Prefationi de Dottori Gentili alli nostri Libri/ nelle quali dimostrano il Dio che predicamo, esser l'istesso che loro libri e Rè antichi pro/fessarono per tanti secoli, la qual cosa con tutto cio hà cagionata tante dispute frà/ li Missionanti della Cina./ Ma che giova finalmente il trattar di nuovo di queste cose? se dopo/ le Dispute agitate per 80 anni, se dopo l'ultima decisione d' Alessandro/ 7° udite prima l'una e l'altra parte; se dopo il congresso di Cantone, dove/ venti tre Missionarij di tre diversi Ordini Religiosi per tanto tempo, e sì/ maturamente consultarono, e risolverono in queste materie, di modo che pa/reva gia del tutto stabilita la pace con i voti communi, e nondimeno/ ancor dopo si è turbata, e rotta questa pace: come potrà sperarsi, che sia/ per stabilirsi ne tempi avvenire? E non dovrà di nuovo tornarsi à Con/trasti, e dispute inutili con la venuta de' nuovi Missionarij, che impati/enti di dimora (la quale per ogni modo richiede la matura notitia, e/ lunga ponderatione della lingua Sinica, e de' Letterati, e de' libri, e Costumi,/ e usanze di quella gente) in un subito quasi con un colpo taglieranno// **(f. 37v)** quanto per cento anni costantemente erasi stabilito? Sin quanto dunque dovrà/ tirarsi in longo l'atra fune di tante contese, per non dire inettie, con scan/dalo de' Neofiti, e dispendio di tante animе, che per 50 anni potevano ac/quistarsi à Christo, et al Cielo, e che acquistar si potrebbero negli anni/ avvenire?/ Che se almeno quei che qui discordano dalle nostre opinioni e non ar/discono d' acquietarsi al Decreto d' Alessandro 7° se, dico, questi si con/tentassero per predicare la Santa fede entrare in altri campi diversi dai/ nostri, de' quali ne sono moltissimi e fioritissimi in si vasto Imperio; e se si os/servasse cio che si prattica nella missione delle Filippine, e di tutta l'Ame/rica, dove à ciascun' ordine è assegnato Distritto proprio sotto la giurisdizione/ de' suoi Vescovi, allora si trovarebbe forsi modo da consigliare le sentenze/ delle parti secondo le varie presenti circostanze. Mà al contrario entrar/ nella messe della nostra Compagnia spargendosi per quelle poche Città e Missioni/ nostre, dove habbiamo gia le Chiese, e gli Oratorij stabiliti con i Neofiti ivi/ da noi istrutti, e voler quivi sparger' altre opinioni, allegando ogni poco in/ voce e in iscritto le decisioni e decreti d' Innocenzo X ai diecisette quesiti/ (senza essersi udita la Compagnia) non facendo in tanto mentione alcuna/ della decisione ultima della S. Universale Inquisitione; ne del Decreto/ d'Alessandro 7° mentre pure hanno avanti gli occhi due mila e piu/ Città con tante terre, e villaggi, et Habitatori innumerabili privi del/ lume della S. Fede, à quali potrebbero stendere l'ardentissimo lor zelo:/ come di gratia mai potrà sperarsi l'unione degli animi tanto necessaria per predicare, et ampliare quivi largamente la Religione/ Christiana?//

Capitolo IV

LA PRIMA PARTE: I METODI DI INTERVENTO PASTORALE ADOTTATI

Nella *Breve relatione* le strategie di inculturazione evangelica elaborate dal Valignano e dal Ricci – e poste in essere da quest'ultimo e dai suoi successori – sono ampiamente condivise e ormai date per scontate; della maggior parte di esse si parla per sottolinearne, ad un secolo di distanza, la attualità, la efficacia e la opportunità.

Queste linee di intervento sono state ampiamente fatte oggetto di studio da parte di numerosi e qualificati studiosi;[1] noi ci limiteremo quindi qui a rintracciarle all'interno del testo – soprattutto nella prima parte, dove si trova la quasi assoluta totalità dei dati in proposito – e a segnalarle in base a categorie omogenee:

- evangelizzazione a partire dall' alto;
- assimilazione quanto più possibile completa della cultura cinese di matrice confuciana, identificazione con la élite dei letterati e adattamento esteriore al loro modo di vita;
- interpretazione dei testi classici del Confucianesimo a sostegno e conferma degli insegnamenti evangelici;
- lealtà nei confronti dello Stato e conseguente tolleranza delle cerimonie confuciane non apertamente in contrasto con la religione cattolica;
- atteggiamento di chiusura e di aperta condanna nei confronti del Buddismo e del Taoismo;
- utilizzazione delle conoscenze scientifiche, filosofiche, artistiche e tecnologiche europee per assicurarsi prestigio, credito e protezione;
- utilizzo dei più prestigiosi ed efficienti canali di comunicazione culturale per diffondere il Cristianesimo;
- formazione e impiego di „personale missionario" indigeno a vari livelli.

---

[1] Ci riferiamo soprattutto qui, e ad essi rimandiamo, ai chiari ed esaurienti contributi di: D'Elia, 1942; Harris, 1966; Cummins, 1978; Sebes, 1985; Standaert, 1985.

L'EVANGELIZZAZIONE A PARTIRE DALL' ALTO

L'evangelizzazione „verticale“,[2] nata dall' esigenza di stringere legami di fiducia con l'élite dominante – dalla cui discrezionalità, ricordiamolo, dipendeva la permanenza in Cina –, punta anche e soprattutto alla conversione di grandi masse attraverso l'esempio delle „persone gravi e grandi“:

> (...) molti , e primi Dottori del Regno (...) di Maestri divennero scolari nella Scola di Christo, e con la stima, e veneratione che havevano d'ingegno, resero stimabile, e venerata la nostra Religione.[3]

Massima aspirazione in questo ambito, anche se non espressa chiaramente nel testo dal P. Couplet, è evidentemente quella di riuscire a convertire l'imperatore stesso e con esso tutto l'Impero; speranza a nostro avviso non del tutto infondata, data la grande benevolenza più volte dimostrata da K'ang-hsi, che arriverà fino alla promulgazione di un „editto di tolleranza“ della religione Cristiana (1692) e che forse sarebbe andato oltre se non si fosse irritato per gli esiti della disgraziata „querelle“ dei riti.[4]

Della benevolenza imperiale parleremo ancora a proposito delle scienze europee. Ma torniamo al lavoro con i letterati: troviamo notizia della conversione di varie grandi famiglie per merito di un solo primo convertito, come nei casi della famiglia di Paolo Sui, supremo cancelliere dell' Impero, di quella di sua nipote Candida Hiu e di altri ancora.[5]

Pur essendo una strategia che ha dato, e continua a dare buoni frutti, il P. Couplet ci segnala, negli ultimi tempi, un certo riflusso nelle conversioni dei „nobili“, soprattutto fra i letterati di livello più basso, quelli che egli – nella linea del Ricci – chiama „baccalaurei“. Costoro in effetti erano i detentori del grado letterario minimo, che doveva essere verificato e confermato periodicamente; per questo si attenevano spesso alla più rigida ortodossia confuciana, pretendendo l'applicazione di tutte le norme vigenti, comprese quelle xenofobe, pur di mettersi in luce e guadagnare incarichi pubblici e il titolo permanente. Sono questi frequentemente i più volubili

---

[2] Cfr. Standaert, 1985, pp. 4-5; Sebes, 1985, pp. 90-91.

[3] Cfr. la nostra trascrizione del ms.A, f. 9r.

[4] Il decreto *Ex illa die* del 19 marzo 1715 arriva in Cina nell' agosto 1716; alcuni mesi dopo – il 16 aprile 1717 – il Supremo Consiglio dei Riti emana una sentenza di proibizione della fede cristiana e impone – con piena approvazione imperiale – l'espulsione di tutti i missionari, la distruzione delle chiese, e l'abiura a tutti i conversi.

[5] Cfr. la nostra trascrizione ai ff. 4v-5r.

fra i convertiti, disposti a rinnegare tutto, o a scatenare una persecuzione, in cambio di vantaggi materiali, ma per lo stesso motivo anche più influenzabili dalle pressioni politiche superiori e dal prestigio dei Padri risiedenti a corte:

> (...) quattro tempestà in diversi luoghi e tempi furono suscitate particolarmente da Baccalaurei, et in simil modo sopite per mezzo delle lettere (...) ottenute da Padri di Pekin.[6]

Proprio per questi motivi, come ci informa l'autore, costoro sono ammessi al battesimo con molte cautele e solo dopo lunghi periodi di catecumenato.[7]

La priorità data al lavoro con i notabili non esclude affatto un lavoro diretto con la gente comune, che difatti rappresenta la maggioranza dei convertiti. Basta prendere in esame i dati numerici per rendersene conto: i circa 200.000 Cristiani che l'autore ci segnala nel 1671 non possono evidentemente essere che in minima parte dell' ambito dei „nobili". Purtuttavia a loro si dedicano solo brevi accenni con il nominare i „Popoli" ammaestrati nella dottrina Cristiana, oppure col dire che furono convertite „migliaia di Persone d' ogni conditione" o, ancora, col citare matrimoni celebrati fra persone „di privata et ultima conditione".

L' ASSIMILAZIONE DELLA CULTURA CONFUCIANA

Presupposto inevitabile, per l'accettazione dei Padri nella cerchia dei notabili cinesi, è l'adozione dei simboli del loro *status*:

> (...) Ma' perche l'andar vestito coll'habito de Sacrificanti Cinesi ci partoriva disprezzo appresso le persone gravi, e grandi, onde eravamo esclusi da loro consessi, percio abbiamo scielto di vestirci piu tosto nel modo che usano i Scientiati, che i Sacerdoti loro, (...) purche potessimo trattare con gli huomini singolarmente stimati e grandi, ch' è la parte migliore, e piu utile a' progressi della fede.[8]

Il P. Couplet fa qui chiaro riferimento al primo periodo di ingresso in Cina della Compagnia quando, per analogia con quanto avvenuto in Giappone, fu adottato l'abito buddista, successivamente abbandonato perchè contro-

---

[6] I tre livelli degli esami per i letterati, ed i rispettivi gradi accademici conseguibili, erano stati assimilati dal P. Ricci a quelli del Baccalaureato, Licenza e Dottorato; nello stesso modo sono chiamati anche dal P. Couplet. Cfr. Bartoli, 1975, pp. 161-170.

[7] Cfr. la nostra trascrizione ai ff. 21v-22r.

[8] *Ibid.*, f. 9v.

producente nella situazione cinese.[9] Della cattiva disposizione dei letterati di questo periodo storico nei confronti del Buddismo, e dell'influenza di questa sull' atteggiamento dei missionari, si dirà poi. L'utilizzazione dell'abito europeo è poi del tutto da sconsigliare, data la cattiva attitudine nei confronti di qualsiasi straniero:

> (...) i Missionanti vestiti di habito Tartaro Cinese, non possono trattare con altri, che co' propij compagni Missionanti, o' con quelli dell'istessa Natione.[10]

L'autore sorvola sugli altri elementi formali adottati dai missionari, quali la foggia dei capelli e della barba, l'uso di particolari mezzi di trasporto, il personale di servizio prescritto: di tutto ciò però ci informano sufficientemente altre fonti.[11]

Naturalmente la sola esteriorità non sarebbe sufficente ai dotti cinesi se non fosse accompagnata da – o meglio poggiata su – una reale conoscenza delle „cose della Cina“:

> (...) Quando poi s'accorgono esser noi atti alle loro cerimonie, e prattici de loro libri, non è credibile quanto più ci amino e ci stimino, sino a darci in qualunque congresso il primo luogo.[12]

I TESTI CLASSICI E IL CRISTIANESIMO

La tradizione confuciana classica è realmente vista con simpatia, e non semplicemente per utilitarismo. Essa è sinceramente ritenuta propedeutica all'innesto dei dogmi evangelici; in certa misura la sua morale è vista come coincidente con quella cristiana. Il P. Couplet, che abbiamo visto essere uno dei maggiori esperti europei dei testi confuciani,[13] è sinceramente ammirato dalla „disposizione de Cinesi in ogni cosa confacevole alla retta ragione“, da ciò che egli chiama il „natural lume de Cinesi“ e, rimanendo nella linea tracciata dal P. Ricci, esprime chiaramente le sue convinzioni.[14] Nelle antiche „memorie“, se esaminate „diligentemente“, si trova indicato

---

[9] *Ibid.*, f. 27r.

[10] Per la disposizione della classe dei letterati nei confronti del clero buddista si veda oltre il paragrafo dedicato al Buddismo e al Taoismo.

[11] Cfr. la nostra trascrizione al f. 23v.

[12] Cfr. Harris, 1966, p. 158.

[13] Cfr. il ms. A al f. 24r.

[14] Cfr. sopra il capitolo bio-bibliografico introduttivo.

che, fin dal principio dell'epoca dinastica,[15] vi è in Cina la credenza in un unico Dio, Essere spirituale Creatore dell'universo, in grado di prevedere le libere azioni degli uomini, e dispensare per queste punizioni e premi. Egli ha creato la natura degli uomini buona; questi però l'hanno corrotta con i vizi, non avendo obbedito ai suoi precetti, e da ciò sono nate tutte le calamità del mondo. Gli „antichi testi" parlano pure dell' immortalità dell' anima, e della ascesa alla presenza del „Supremo Imperatore nell Cielo" come ricompensa ad una vita virtuosa.

L'apprezzamento per il confucianesimo classico si contrappone alla condanna dei filosofi contemporanei neo-confuciani, ed alla loro scuola esegetica:[16] essi sono in più occasioni definiti „Atheo politici", per le loro interpretazioni „secondo il capriccio di Machiavelli".[17] Viene loro rimproverato così soprattutto di aver subito le influenze atee del Buddismo e quindi di aver elaborato una dottrina agnostica e materialistica.

I RITI DEL CONFUCIANESIMO

Per ciò che concerne le cerimonie confuciane, causa di tante discussioni, all'epoca e successivamente, il P. Couplet non vuole evidentemente entrare nel merito specifico dei singoli rituali - li riferisce semplicemente come riti „delle essequie a'morti, e della grata veneratione al Maestro loro Confusio" - e si limita perciò, nel paragrafo 6 della II parte, a citare la metodologia adottata dalla Compagnia, e i molti pareri ad essa favorevoli. Il lungo e attento studio dei costumi cinesi ha permesso, egli sostiene, di individuare nei loro riti „ciò che vi si trova di privata costumanza, non contraria all'Evangelio" e ciò che, invece, vi è di contrario e che va sradicato. Gli usi „puramente Civili e politici" sono stati tollerati, anche, si intuisce, per una forma di lealtà e gratitudine nei confronti del governo centrale dell'Impero, mentre le „superstitioni" sono state combattute.

Di una particolare utilità pratica, secondo il nostro autore è l'adattamento ai riti in onore dei defunti, i quali costituiscono, a suo dire, la „Cirimonia principale e maggiore che sia nella Cina".[18] Mostrando di onorare allo stesso modo i confratelli defunti, i missionari potranno, eventualmente fossero cacciati, chiedere di essere riammessi, non foss' altro che

---

15 Cfr. f. 26v.

16 Cfr. i ff. 25v e segg.

17 Per le teorie dei filosofi neo-confuciani della scuola Sung si veda: Sebes, 1985, p. 92.

18 Cfr. il f. 26r.

per riverirne la memoria e aver cura delle loro sepolture, il „quale Officio di pietà tanto li Tartari, quanto li Cinesi stimano una gran sceleratezza il resistere, e contradire“.[19]

Solo un brevissimo accenno, infine, alla terminologia usata per designare Dio: quando si parla del dono fatto, nel giugno 1615, dall' Imperatore ai padri di Pechino, consistente in un cartiglio con la scritta *Kiem Tien*, „venerare il cielo“, il Padre Couplet chiarisce che con il termine *T'ien* deve essere inteso, secondo le regole della lingua cinese, non il cielo materiale ma *il Signore del Cielo*.[20]

Ciò a cui viene dedicato un ampio spazio, invece, è una lunga elencazione di opinioni favorevoli ai riti, di missionari della Cina di vari ordini, e di vari teologi europei. A sostegno di questi sono citati i pareri del Santo Uffizio del 1656 e il brano chiave della istruzione ai Vicari Apostolici della Sacra Congregazione di Propaganda Fide del 1659.[21] Soprattutto si tende qui a colpire il lettore col mostrare una grande „uniformità de pareri fra' Missionanti“ espressa attraverso lettere e scritti, ampiamente citati. Non manca un accenno ai pareri contrari del P. Longobardi e del P. Navarrete. Interessante è anche il riferimento alla opinione, inizialmente contraria, di S. Roberto Bellarmino sulla analoga, ma antecedente, questione dei riti malabarici.

Non molto ci viene detto del concilio di Canton (1667–1668),[22] salvo dell'esito positivo e delle difficoltà incontrate nel convincere il P. Navarrete. Questi risulta essersi convinto „(...) doppo molti dibattimenti nell'una, e nell'altra parte, e in publico, e in privato, e in voce, et in scritto (...)“; e in base a questa sua intransigenza viene segnalato come unico „arbitro“ della decisione unanime finale. Della sua inaspettata fuga successiva, il P. Couplet dice di non aver interpretato, al momento, il chiaro significato di ripensamento.[23]

I RAPPORTI CON BUDDISMO E TAOISMO

Si è parlato più sopra di assimilazione della cultura cinese di matrice confuciana, intendendo così puntualizzare ed evidenziare che non la totalità

---

[19] *Ibid.*, f. 10r.

[20] *Ibid.*, f. 3r.

[21] *Ibid.*, f. 16r. Per una chiara schematizzazione dei problemi connessi con il nome di Dio in Cinese cfr. Dehergne, 1983, pp. 13-44.

[22] Sul concilio di Canton si veda la nota 11 del capitolo introduttivo.

[23] Cfr. f. 31r.

della cultura cinese era stata fatta oggetto di interesse e studio, ma solo la parte necessaria a rapportarsi con i letterati. Questo elemento non pare esser stato colto dalla maggior parte degli studiosi che, specialmente in rapporto al P. Ricci, inneggiano al raggiungimento di una completa sinizzazione. La esistenza in Cina di altre due grandi correnti filosofico-religiose, cioè il Taoismo e il Buddismo, per non parlare della diffusione a livello popolare di una religiosità di tipo sincretistico e sciamanico, e il modo in cui esse sono trattate, mostrano come una cospicua parte della realtà cinese fosse ritenuta non importante o quantomeno da liquidare senza eccessivi approfondimenti.

Tutto questo per introdurre le informazioni sul Buddismo e sul Taoismo, o meglio sui monaci buddisti e taoisti, perchè è solo di loro che ci parla il nostro autore, e non delle dottrine relative. Su di esse si può trovare più ampia documentazione nella *Proemialis declaratio* che lo stesso redige per il *Confucius Sinarum Philosophus* ...: ce ne serviremo in parte per interpretare i dati del manoscritto. Si capisce chiaramente che il Buddismo è visto, anche dal P. Couplet, come una aberrazione di alcuni elementi cristiani innestati su un fondo idolatrico. Si parla infatti dell' arrivo del Buddismo in Cina - e di questo ci viene fornito anche l'anno esatto, il 65 d.C., che coincide perfettamente con quanto affermano gli studi odierni[24] - nei termini di introduzione della Idolatria e, in genere, i monaci buddisti vengono chiamati „gli emoli del vangelo". La loro „setta" si sarebbe infatti, secondo la comune opinione di ambito cristiano dell' epoca, sviluppata in India anche a seguito di influssi cristiani. Può essere interessante richiamare qui quello che ne dice Daniello Bartoli:

> (...) Questa malvagia setta de gli Osciani (che tal è il lor nome: ed io li chiamerò col più usato di Bonzi) a' Cinesi è d'origine forestiera (...) e mi basta sol dirne che fu spedita una solenne ambasceria a quelle terre, che s'inchiudono tra mezzo all' Indo e 'l Gange, e chiamasi l'Indostan; dove morti già Amida e Sciaca, la malvagia Setta, ivi di lor propria mano piantata, fioriva. Portaronla i lor discepoli alla Cina, chi scrive ducento anni avanti,e chi sessantacinque dopo l'avvenimento di Cristo, e questo a me par che assai fortemente il pruovino i misteri, gl' insegnamenti, i riti propri di questa legge, tolti dalla religione Cristiana, fondata in què medesimi tempi da gli Apostoli S. Bartolomeo, e S. Tomaso, vivuti colà dov'ella si originò. Ciò sono, esservi, non san dir come, un Dio in tre persone, perciò da essi effigiato in un idolo di tre capi: e una donzella madre d'un Dio, solita rappresentarsi in istatua avente in seno un amoroso bambino. Esservi Paradiso, e Inferno, e godimenti, e pene a

[24] Sullo sciamanesimo in Cina cfr. Gatta, 1990.

> misura del merito. Esaltare la Verginità, e professarla: il Digiuno, le Penitenze, la volontaria Povertà, l'abbandonare il mondo, e fuggirsene a contemplar ne' diserti: o vivere ne' monisteri in communità; salmeggiare a vicenda, o solo recitare un non so che simile alle nostre Corone: pararsi in abito sacerdotale; dispensare Indulgenze, possenti a prosciogliere da ogni pene le anime de' trapassati: e cotali altre, a noi verità, e santi riti antichi quanto la Chiesa, ad essi mostruosità non che solamente menzogne: sì enormi sono le favole, e l'empietà di che le hanno avviluppate, e guaste, che appena serbano dell' originale tanto, che si ravvisino esser copie ricavate dalla legge Cristiana. Perciò non v'è colà Setta alla fede nostra più lontana e contraria di questa, che le sembra esser più intima, e simigliante.[25]

Molto traspare nel manoscritto del disprezzo dei letterati al riguardo dei Bonzi, che pure continuavano ad essere utilizzati, specie nelle cerimonie funebri, anche a corte. L' opposizione dei Confuciani era giustificata in parte dallo stadio di declino in cui si trovava il Buddismo all'epoca, con conseguente degrado dei costumi del suo clero, ma anche da forti differenze ideologiche nei confronti di una religione che „(...) urtava il modo di sentire cinese tradizionale, dato che sembrava indifferente alla perpetuazione della famiglia, attribuiva scarso valore al patriottismo e pareva incoraggiare vuote superstizioni."[26]

La benevolenza invece nei confronti dei missionari non poteva che ingenerare odio da parte dei buddisti che spesso, ci viene riferito, incitavano il popolo a distruggere le chiese, o tentavano di scatenare persecuzioni mediante pressioni a corte. Dal canto loro, come abbiamo anche visto sopra, i missionari non risultano aperti alla comprensione ed al dialogo: innanzitutto per la adesione alla cultura confuciana, e poi perché, senza una contrapposizione netta, e proprio per le rilevate somiglianze formali, la identificazione con una delle tante sette buddiste era fortemente probabile da parte di osservatori profani.

Dei sacerdoti Taoisti non si trova menzione chiara, se non nel vago titolo di paragrafo, dove si citano gli „altri loro Sacerdoti". In generale essi sono compresi, insieme ai bonzi buddisti, nella generica categoria di coloro che officiano i riti sacrificali.[27] Nell'altra sua opera comunque egli non si avvicina nemmeno alla filosofia Taoista, fermandosi solo alle pratiche popolari e ad una generica etichettatura di maghi, alchimisti e maestri delle

---

[25] Cfr. nella trascrizione il f. 25v. e Conze, 1985, p. 107.

[26] Cfr. Bartoli, 1975, pp. 245-246.

[27] Cfr. Conze, 1985, p. 111.

arti diaboliche.[28] Anche il Bartoli ne dà – del resto – una definizione assolutamente omologa: „(...) sono gran maestri d'incantesimi, e di professione stregoni" e più sotto rincara ancora la dose: „(...) Tal è la vita, e la professione di questa mal nata razza di ciurmadori, e stregoni, che è la Setta de' Taosi, detta Taochiao."[29]

Può essere curioso notare che anche fra seguaci del Taoismo e il Buddismo appena affermato c'erano state chiusure e interpretazioni etnocentriche: a parte le persecuzioni scatenate in quanto religione straniera, il Conze ci riferisce che

> (...) Nel III secolo Wang Fo [un famoso maestro Taoista] aveva scritto un famoso libello, in cui presentava il Buddhismo come il risultato della „conversione dei barbari per opera di Lao-tzu".[30]

Tuttavia le tendenze sincretistiche e simbiotiche di entrambe ne avevano poi facilitato la convivenza.

L' ASTRONOMIA E LE CONOSCENZE SCIENTIFICHE

Una ampia trattazione – ben tre paragrafi – è dedicata dal P. Couplet nel nostro manoscritto alla „incomparabile" importanza dell' opera dei Padri astronomi e matematici di Corte. Egli, non facendo parte di costoro, è libero di esaltarne senza false modestie tutti i meriti, riconoscendo loro il primo posto fra le cause dei successi ottenuti. Di questo mezzo egli, all'inizio di uno specifico paragrafo (il numero 11), attribuisce la paternità intellettuale a S. Francesco Saverio e i meriti della prima e fortunata sperimentazione al P. Matteo Ricci. Su questa strada si sarebbero poi mossi agevolmente tutti gli altri fino al P. Adam Schall e al suo contemporaneo P. Verbiest. Grazie al lavoro di osservazione e previsione dei fenomeni astronomici, e soprattutto alla precisione dimostrata nel riformare il calendario, i Padri dimoranti presso la corte imperiale erano stati in grado di guadagnare la benevolenza e la protezione degli imperatori, soprattutto del mancese K'ang-hsi, alla cui buona disposizione è da attribuire, tra l'altro, la fine della persecuzione da cui prende avvio la *Breve relatione*. Per avvalorare le sue affermazioni, l'autore riporta con larghezza fatti e testimonianze: questi riguardano la soluzione di situazioni difficili, se non addirittura di persecuzioni, grazie allo intervento dei „matematici di corte", badando a far notare il soccorso sovente prestato ai missionari degli altri

---

[28] Cfr. f. 27r e nota 33.

[29] Cfr. Couplet, 1686-1687, p. XXV.

[30] Cfr. Bartoli, 1975, pp. 255-257.

ordini, e il consenso e la gratitudine da questi palesato. Non solo l'azione a corte è diretta a „tamponare falle", ma soprattutto a ben disporre i funzionari e magistrati delle più lontane provincie nei confronti degli „Operarij dell' evangelio". Tutti i letterati ai quali veniva affidata una pubblica mansione dovevano, secondo le rigide norme vigenti, recarsi a Pechino per ottenere la necessaria e solenne investitura; durante questa temporanea permanenza ricevevano la visita e gli omaggi dei Padri della Corte, che recavano doni – oggetti artistici, strumenti musicali, attrezzature scientifiche, ogni sorta di curiosità europea[31] – e libri sulla morale e sulla dottrina cristiana. Essi raccomandavano quindi alla loro protezione i missionari delle loro province. Se si aggiunge a ciò l'impressione suscitata dalla considerazione dimostrata dall'Imperatore nei confronti dei Padri, si può ben comprendere come fosse spesso facilmente ottenuto il favore dei magistrati.

Ancora per merito della benevolenza goduta dai Padri della corte, e quindi grazie alla „Astronomia", insiste il nostro autore, è possibile che la città di Macao continui a godere del suo *status* e i Portoghesi continuino la loro attività commerciale con l'Impero cinese.[32] Si incontrano inoltre nella relazione riferimenti a conversioni avvenute a corte, anche nella ristretta cerchia dell'Imperatore – si veda il dato quantitativo di 2.236 battezzati nel 1677,[33] e il caso dell'eunuco Ignazio Chin[34] – che ci ricordano come non fosse affatto dimenticata l'opera di apostolato diretto. Anche queste conversioni sono spesso dovute all'ammirazione per la sapienza scientifica e filosofica dei missionari, da essi sfruttata con il proporre agli interlocutori un assioma: „(...) non poter essere che soda, e vera quella Religione, la quale abbracciano huomini di sì grand'ingegno, e in tante scienze periti."[35]

I LIBRI

La grandissima importanza tributata in Cina alle opere letterarie, e la loro ampia diffusione, fornisce ai missionari un efficacissimo mezzo di propagazione della fede: i libri.

> (...) nell'armeria de Cattolici, non v'è arme più possente per espugnare gli animi alieni della vera Religione de libri, i quali oltre essersi stesi

---

31 Cfr. Conze, 1985, p. 111.

32 Cfr. la nostra trascrizione del ms. A, f. 13v.

33 *Ibid.*, f. 20r.

34 *Ibid.*, f. 21v.

35 *Ibid.*, ff. 21r-21v.

> nella Cina si sono penetrati ne' Regni del Giappone, Corea, Tumkin, Filippine, Camboia, Siam, e due provincie e altri luoghi della stessa Cina, dove per anco non hanno potuto penetrare i Missionanti Europei.[36]

La loro efficacia risulta essere tanto più elevata in quanto essi non solo fanno acquisire prestigio ai loro autori ed alla loro predicazione, ma addirittura funzionano come mezzo autonomo di evangelizzazione, preparando e spianando la strada al lavoro pastorale diretto. Come al solito, abbiamo nel testo vari esempi di conversioni avvenute a mezzo dei libri, senza un preventivo intervento di catechizzazione. Non bisogna meravigliarsi di questa importanza attribuita ai testi scritti, essendo questo il modo classico col quale in Cina le dottrine religiose si erano propagate tra le classi colte. Soprattutto il Buddismo aveva confermato questa tendenza.

Gli innumerevoli libri, scritti e dati alle stampe dai Padri Gesuiti in Cina, e dedicati altresì alle scienze morali, filosofiche ed astronomiche europee, sono a più riprese segnalati dal P. Couplet come facenti parte del catalogo da lui pubblicato,[37] ed in buon numero dallo stesso donati alla Biblioteca Vaticana.[38] Di tutti questi testi egli intende servirsi anche in Europa, come „arme possente" per combattere le calunnie ivi pubblicate.

Oltre ai libri, l'autore cita la diffusione ampia di altri efficaci mezzi di ausilio pastorale – a nostro avviso con lo scopo prioritario di sostenere e rinvigorire la devozione dei già Cristiani: i brevetti, le crocette, gli *Agnus-dei*, le stampe a soggetto sacro. Delle stampe, di cui si conosce la grande fortuna e diffusione in Cina – tanto da essere diventate in Europa, proprio dal XVII secolo, oggetto da collezione – i missionari fanno ovviamente largo uso (si parla qui di varie migliaia) per propagare le principali iconografie cristiane. Ci viene riferita come particolarmente gradita e adatta al gusto cinese la riproduzione della icona della *Vergine di S. Luca*: pare sfuggire completamente al P. Couplet che proprio tale raffigurazione di maternità è fortemente esposta ai rischi di aberrazioni (di sincretismi, diremmo oggi con terminologia storico-religiosa), per la sua stretta somiglianza tipologica con la rappresentazione buddista di Kuan-yin.

---

[36] *Ibid.*, f. 2v.

[37] *Ibid.*, f. 4v.

[38] Si veda sopra la bibliografia del P. Couplet.

IL PERSONALE MISSIONARIO INDIGENO

Insita in tutta la *Breve relatione* è la urgente necessità di continuare il lavoro missionario in Cina tramite un clero indigeno: ricordiamo infatti che la finalità principale della presenza a Roma del P. Couplet è proprio quella di facilitare la formazione di sacerdoti cinesi, mediante la concessione della liturgia in lingua „mandarina".[39] Abbiamo anche visto che questo problema è trattato autonomamente e specificamente altrove,[40] per cui c'è da aspettarsi nel nostro manoscritto solo qualche breve accenno. Infatti alla fine del paragrafo sui Bonzi,[41] egli aggiunge che se si avessero i fondi necessari, sarebbe molto opportuno avviare al sacerdozio i letterati poveri, i quali, grazie alla vasta preparazione, sarebbero i più idonei a mostrare al popolo gli errori commessi nel seguire i bonzi e i loro idoli. Di più, essendo essi cinesi, godrebbero di quella libertà di movimento per tutto l'Impero così necessaria per mantenere e dilatare la cristianità. Più avanti esprime ancora la opinione che debbano essere ammessi al sacerdozio solo persone di particolare prestigio dello ambiente dei letterati. Questo perchè la scelta di uomini della „plebe", esporrebbe al disprezzo della „Nobiltà Cinese" quello *status* „si sublime di Sacerdotio".[42]

Ma la mancanza di sacerdoti cinesi, e la carenza di quelli europei, è in parte supplita dal lavoro di apostolato dei laici. Sappiamo già che, sfruttando anche la tendenza dei cinesi a formare associazioni e sodalizi (segreti o meno), erano nate in Cina un certo numero di congregazioni religiose.[43] Esse si occupavano di opere di misericordia, di vegliare la condotta dei Cristiani, di battezzare i bambini e le persone in pericolo di morte ecc., insomma avevano tutte quelle funzioni – più qualcuna peculiare delle zone di missione, come l'apostolato fra i non cristiani – assolte in Europa da simili confraternite. Di una di esse troviamo un accenno nel manoscritto:[44] si parla di „congregati" che, di venerdì, si flagellano davanti ad una immagine del Crocifisso. Anche se non viene qui riferito altro, si tratta certamente della Congregazione della Passione di Nostro Signore Gesù

---

[39] Cfr. sopra la nota 23 del capitolo introduttivo.

[40] Per le questioni connesse con la liturgia in lingua cinese si vedano ancora: Jennes, 1946; Chen, 1951; D'Elia, 1953; Bontinck, 1962; Wei, 1965.

[41] Cfr. sopra il I capitolo.

[42] Cfr. la trascrizione del ms. A ai ff. 28v - 29r.

[43] *Ibid.*, f. 30v.

[44] Si vedano al riguardo: Bornet, 1948; Dehergne, 1956; Margiotti, 1961 e 1962.

Cristo, di cui ci parla il P. Margiotti,[45] e che aveva il compito di guidare e organizzare le meditazioni e gli esercizi sulla Passione, di assistere i moribondi e accompagnare i defunti al sepolcro. Fra le pie pratiche è anche segnalata la disciplina del Venerdì.

Da queste congregazioni, ci dice ancora il P. F. Margiotti, venivano scelti i migliori elementi da utilizzare come catechisti, dopo un esame consistente in un discorso pubblico; tutto ciò troviamo confermato nel manoscritto, insieme alle altre funzioni principali:

> (...) facevasi nel primo giorno di ciaschedun mese da un giovane provetto nelle lettere un sacro discorso doppo quello del Pastore (...) I Cathechisti poi, i quali erano sotto il titolo e protettione dè Santo Saverio, a' quali si apparteneva distribuire i libri sacri, quattro volte l'anno visitare le case di ciaschedun Christiano, essaminare se fosse collocata in luogo decenti l'Imagine di Christo Salvatore, se si trovasse cosa alcuna che havesse specie di superstitione; se vi fossero fanciulli non battezzati, e finalmente se vi fosse alcuno che non havesse sadisfatto all' annual confessione etc.[46]

Dell'andamento di tutto questo avevano istruzione di riferire per iscritto quattro volte all'anno. Importante risulta il loro contributo durante il periodo dell'esilio di Canton, nel quale altrimenti tutto il lavoro pastorale sarebbe ricaduto sulle spalle di Gregorio López, unico sacerdote cinese.[47]

Più rare, a causa delle regole sociali di „modestia“, le congregazioni femminili, e le catechiste, del cui lavoro troviamo comunque notizia nella relazione:[48] vi si parla di alcune donne che, dotate di eloquenza e sapere dottrinale, erano coordinate da Candida Hiu per convertire e battezzare le „matrone“ cinesi, spronare verso i sacramenti le già cristiane, assistere gli infermi e i moribondi, raccogliere e battezzare i bambini abbandonati. Attività questa molto importante tra quelle affidate a personale laico e che, unendo anche scopi educativi a quelli caritatevoli, riceveva pure finanziamenti da pubblici ufficiali.

Il P. Couplet ritiene inoltre di dover allargare il concetto di „catechista“ anche a quegli uomini che si adoprano per convertire le proprie mogli e

---

[45] Cfr. il ms. A al f. 2v.

[46] Margiotti, 1961, pp. 144 e segg.

[47] Cfr. il f. 8v.

[48] Sul P. Gregorio López vedi sopra la nota 9 del capitolo precedente. Sull' importanza del lavoro dei catechisti durante l'esilio di Canton vedi il citato studio del P. Paul Bornet.

parenti, che altrimenti, per le rigide regole di separazione fra i sessi, non potrebbero incontrare i missionari.[49]

[49] Cfr. il ms. al f. 13r. *Ibid.*, f. 27r.

Capitolo V

LA SECONDA PARTE: UN PICCOLO MANUALE DI INTERVENTO MISSIONARIO

E'questa forse per noi la parte più interessante del manoscritto, poiché viene fornita in essa tutta una serie di indicazioni metodologiche che, in molti passi, possono addirittura essere comparate a quelle di un testo fondamentale, il *Cerimoniale per i Missionari del Giappone.*[1] Per poter razionalizzare i migliori comportamenti da adottare con i cinesi, il P. Couplet si costruisce mentalmente dei modelli astratti di riferimento, che sono identificabili nel testo, seppur non completamente e unitariamente formulati. Grazie al lungo ed approfondito studio dei testi confuciani, nonchè alla pluridecennale consuetudine con i concreti modi di vita della Cina, egli è in grado di individuare e delineare due modelli teorici: il primo, formalizzato internamente alla società cinese, assomma e pone in rilievo in una sfera ideale le caratteristiche positive che ogni buon cittadino dovrebbe possedere, la condotta e i valori a cui dovrebbe tendere; l'altro, più pratico, costruito individuando costanti nel comportamento concreto dei singoli individui cinesi, è esterno alla loro cultura, ed è concettualizzabile solo da un osservatore estraneo. In entrambi i casi ciò che si ottiene è un'astrazione, una figura di uomo fittizia, che è portatrice di tutti gli elementi contemporaneamente, ma che ben funge da interlocutore immaginario per delineare le qualità che il missionario deve possedere, e i comportamenti che deve adottare. In termini antropologici si potrebbe dire che le metodologie dell'intervento acculturativo sono qui elaborate in base al prodotto della interferenza tra l'immagine della società cinese percepibile ed investigabile dall' esterno, e la sua propria autorappresentazione.

Vediamo ora, nel dettaglio, gli elementi che contribuiscono a strutturare il primo modello, ovvero il „cinese ideale": bontà d' animo; sincerità di cuore; civiltà e cortesia; contegno e autocontrollo; umiltà e modestia; verecondia; integrità dei costumi; costanza; ingegnosità e sapienza; rettitudine nei giudizi; costante devozione alla „retta ragione"; affabilità e benevolenza (specie con gli umili); pietà e misericordia (verso il prossimo

[1] In questo capitolo faremo riferimento all' edizione di Schütte, 1946.

e soprattutto con i poveri ed i vecchi); stima, rispetto e devozione nei confronti degli anziani, dei defunti, dei grandi uomini del passato; ubbidienza ai genitori e alle autorità civili; retta educazione dei figli.

Per le donne si debbono aggiungere una particolare attenzione per la onestà, modestia e pudicizia, unite ad un'alta considerazione per lo stato vedovile. A questo chiaro modello di virtù i missionari debbono avvicinarsi il più possibile o, comunque, debbono tenerlo presente per guidare i propri comportamenti. Seguiamo i consigli del P. Couplet: queste missioni, egli dice, richiedono uomini di indole mite e trattabile, di carattere poco incline alla rigidezza, all'ardore, alla alterigia e alla animosità, che non giudichi ed agisca di primo impulso. Che sia lontano da „ogni rusticità, pravità ed asprezza".[2] Inoltre è necessario che siano persone di buona educazione, molto pratiche di tutte le cerimonie di rispetto, ossequio e garbata deferenza, e che abbiano disposizione a trattare nella stessa maniera gli umili come i nobili. E conclude: "(...) In tutte finalmente le parole, et attioni è necessario che risplenda una certa affabilità, honestà e prudenza religiosa, congiunta con una gravità non affettata, senza dar ne pure un minimo segno d'animo alterato, o' con i gesti scomposti, o con la voce sregolata."[3] Sono evidentissime le somiglianze con quanto prescritto dal P. Valignano ai missionari del Giappone; crediamo che valga la pena di riportarne qui qualche passo molto significativo:

> (...) Tanto i Padri che i Fratelli devono in gran modo far attenzione di tener molto conto della modestia e gravità religiosa, devono perciò guardarsi di fare atti o movimenti leggeri che mostrino poca prudenza e poca gravità. E così devono essere moderati nell' andare (...) ne ridendo a voce alta e troppo.[4]

e ancora più sotto:

> (...) Così anche hanno grandemente da badare a non mostrarsi impazienti, collerici e adirati, o mostrare altra passione incomposta, ovvero perturbazione nelle parole o nel movimento della faccia.[5]

Le quasi perfette coincidenze non sono certamente dovute ad una acritica citazione del *Cerimoniale* ..., ma piuttosto ad analoghe necessità di accomodamento a due culture che, come è noto, hanno – specie nell'epoca considerata – moltissimi elementi comuni.

---

[2] Cfr. la trascrizione al f. 24r.

[3] *Ibid.*, f. 25r.

[4] Schütte, 1946, p. 131.

[5] *Ibid.*, p. 291.

Si è già accennato alla esistenza di severe regole di comportamento imposte alle donne per ottemperare alla "modestia e alla pudicitia" confuciane, e quindi alle difficoltà incontrate nell' avvicinarle: essendo „talmente raccolte in Casa che quasi à tutti si niega l'accesso ad esse".[6] Particolare attenzione è prestata perciò dal Padre Couplet alle indicazioni sul modo di trattare con questa parte non trascurabile della società cinese. Avendo rinunciato, per i motivi già visti, ad assimilarsi ai bonzi, era caduta dall'inizio la possibilità – a questi concessa – di essere ammessi a „discorrere" con le donne, seppur sempre alla presenza di familiari: a tale impedimento abbiamo già visto ovviarsi mediante donne catechiste o per opera dei parenti stretti. Ma altre accortezze sono da mettere in atto per la partecipazione alle funzioni religiose e per la somministrazione dei sacramenti: innanzitutto non è possibile celebrare un' unica messa per uomini e donne, e addirittura in taluni casi è necessaria una chiesa esclusiva per le donne; il sacerdote non deve rivolgersi ad esse guardandole direttamente: ancora meglio sarà se farà la sua predica voltato con il viso all'altare; onde evitare qualsiasi contatto – specie con le nubili – particolari attenzioni sono da usarsi per la distribuzione dell' Eucarestia. Opportuna potrebbe essere l'adozione di sistemi in uso nella "primitiva Chiesa Romana", quale il porgere l'Ostia in un panno; analogamente è necessario amministrare alcuni sacramenti senza procedere alle unzioni che, ovviamente, richiedono il contatto e la denudazione di alcune parti del corpo; è soprattutto nei confronti dei piedi che le donne cinesi risultano particolarmente pudiche :

> (...) da che sono in questo Regno in verità sempre mi fò sforza, mentre ungo le Donne, e grandemente mi arrossisco, perche sò bene con quanta verecondia scoprono i piedi, e con maggior rossore gli ordino che si scuoprano; e benche sia pochissimo cio, che scoprono, sentono nulla dimeno cio gravemente ma io più di esse.[7]

Anche per il matrimonio, in cui la donna nubile deve presentarsi davanti ad un uomo estraneo (il sacerdote), le difficoltà sono notevoli, e solo in taluni casi è possibile officiarlo, consiglia il P. Couplet, lasciando che la donna si presenti velata. Altre indicazioni metodologiche ci verranno fornite in relazione all'altra faccia dell'uomo cinese, quella ricavata non dalle tendenze teoriche, ma dalla fenomenologia del suo comportamento ordinario. Abbiamo così una descrizione tutt'altro che idilliaca: il cinese è infatti descritto come superbo ed arrogante; astuto e sospettoso; suscettibile e vendicativo; opportunista; incostante per natura; maldicente, mormoratore,

---

6 Cfr. la nostra trascrizione al f. 26v.

7 Cfr. la lettera del P. Garzia riportata al f. 34r. del ms. A.

falso e calunniatore; sempre avido di ricchezze e di alte cariche; attaccato acriticamente a tutte le regole; rispettoso delle leggi solo per timore; portato a perseguire il proprio vantaggio in ogni rapporto umano; geloso ed invidioso delle fortune e grandezza altrui; poco disposto a sopportare critiche; intollerante e xenofobo; naturalmente disposto ad osservare e criticare il comportamento altrui (specie dei forestieri); facile alla indignazione, alla disapprovazione ed al disprezzo dei costumi stranieri; poco disposto a sopportare paragoni paritetici con altre civiltà; pavido, timoroso e sempre diffidente delle possibili intenzioni belliche forestiere. Le ultime cinque affermazioni rientrano nel ben noto etnocentrismo del *Regno di Mezzo*, e siamo ben disposti a concederle, dato che anche la cultura occidentale non ne è mai stata esente. Il resto, che sembra veramente una elencazione di quasi tutti i peggiori difetti umani, non può non sembrare un poco esagerato. Va però inteso nel suo vero senso, quello cioè di guida alla conoscenza di persone diverse e perciò variamente soggette alle miserie umane, un campionario quindi di difetti con cui il missionario deve essere pronto a misurarsi. Affiora chiaramente in questo schema la sua stretta dipendenza dal precedente, tanto qui vi è di esecrabile, quanto nell'altro vi era di ammirabile. Infatti la crudezza dei giudizi non può non essere in parte dettata dalla delusione di vedere cotanta teoria, così vicina alla morale cristiana, tanto disattesa nei comportamenti ordinari. La nostra schematizzazione non deve inoltre far pensare ad una società divisa col coltello in buoni e cattivi, o in una insanabile cesura tra l'ideale filosofico e la realtà mondana; si rilevano infatti nel testo vari esempi concreti in cui elementi di entrambe coesistono in singoli individui. Ciononostante, ai fini della illustrazione dei metodi di intervento concreto, a questo paradigma faremo ancora riferimento.

Dati i presupposti la prima e più generale indicazione è quella di usare in ogni circostanza grande prudenza, diligenza e circospezione; ciò è valido, inoltre,"non meno nelle cose, che nei vocaboli". Nel concreto il primo suggerimento è di non contravvenire alle rigide norme che regolano l'ammissione e la permanenza degli stranieri. Nel rapportarsi poi con i singoli non bisogna mai dar l'impressione di poca stima o considerazione, specie nel trattare con chi ricopre cariche pubbliche. Questi, infatti, si comportano in modo cortesissimo e benevolo solo quando si vedono trattati con sottomissione e correttamente onorati. Nei discorsi con essi è bene evitare di parlare della grandezza e civiltà della Europa, poichè ciò suonerebbe ai loro orecchi come una voluta svalutazione della civiltà cinese; tantomeno bisogna menzionare grandi eserciti, valorosi condottieri e vaste conquiste, perchè tutto ciò potrebbe facilmente indurre il timore di una conquista militare della Cina. Inoltre la presenza di guerre intestine in Europa sarebbe immediatamente percepita come una enorme incoerenza rispetto ai precetti evangelici. Le lodi delle cose buone, ivi riscontrabili, devono essere fatte senza paragoni e analogie con quelle europee, sempre per non ferire il forte sentimento nazionale. Allo stesso scopo è necessario evitare giudizi negativi sugli insegnamenti dei loro antichi governanti, filosofi e maestri, dato che sono da tutti ancora stimati e rispettati; tanto meno bisogna dire che, per i cristiani, essi sono sicuramente finiti all' inferno. Quanto ai loro cattivi costumi questi vanno additati chiaramente, ma senza „gridare" più severamente di quanto sia giusto; ciò che poi non si riesce ad emendare è meglio sia dissimulato, soprattutto se si tratta di cose rigurdanti gli alti funzionari pubblici; a causa della facilità ad indignarsi per i costumi europei „barbari", è necessario evitare di mostrare immagini e raffigurazioni che possano essere tacciate di impudicizia: è consigliabile perciò fare attenzione sia ad elementi iconografici profani, ad esempio di ambito mitologico, sia sacri, come talune rappresentazioni del bambino Gesù che, alla maniera dei neonati, risulta seminudo. Circa le analoghe cautele da usarsi nelle cerimonie che implichino contatti con le donne si è già detto sopra.

Nonostante gli sfavorevoli giudizi espressi, il P. Couplet non nega completamente la possibilità di un rapporto, almeno al livello dell'incontro personale - vista la non disponibilità a livello di discussione dottrinale -, ai singoli individui del clero buddista. Dedica, infatti, un paragrafo intero della II parte della relazione a tutta una serie di indicazioni e suggerimenti pratici sul „modo di trattare co' Bonzi". Innanzitutto rileva la forte presa che i buddisti ancora hanno sul popolo e sull' *entourage* dell'Imperatore; per questo non vanno irritati e offesi, e soprattutto non si devono attaccare le loro persone, ma solo le loro dottrine. Vanno evitate provocazioni eclatanti, come bruciare pubblicamente i loro idoli, „potendosi ciò fare privatamente". Questo eviterà rischi di ritorsioni.

Infine, ed è qui il dato più nuovo ed interessante, alcuni consigli sono indirizzati alla accoglienza di quelli che intendono abbandonare il Buddismo per farsi Cristiani. Qualora si avvicinino ai missionari devono essere trattati con ogni cortesia, soprattutto non vanno respinti aprioristicamente, e si devono mostrare loro i Libri e spiegare la dottrina cristiana. La possibilità poi di una conversione sembra non essere solo un pio desiderio, poichè - in modo molto vago -, ci viene detto che, grazie soprattutto alla lettura dei libri stampati dai missionari, alcuni bonzi si sarebbero convertiti, trasformando addirittura - ma questa potrebbe essere una iperbole retorica - i loro templi in chiese. Altri ancora, seppur convinti, sarebbero restii ad abbandonare il loro *status*, in quanto unico mezzo per guadagnarsi da vivere (grazie alle prebende regie e al lavoro di sacrificante). Da ciò la necessità di reperire in Europa aiuti economici (e su questo il P. Couplet si dilunga e ritorna spesso, adempiendo - ricordiamolo - ad un compito assegnatogli dal suo provinciale) tali da garantire il sostentamento degli ex bonzi, che sarebbero oltre tutto degli efficacissimi esempi da seguire, per tutti i loro antichi seguaci.

Le ultime indicazioni metodologiche che il P. Couplet ci dà nei due paragrafi conclusivi sono più strettamente connesse con la situazione europea di quanto non lo siano con quella cinese. Vale a dire che i pareri ivi espressi sono influenzati dalla controversia dei riti e dalla contemporanea, e in gran parte difficilmente separabile, questione del giuspatronato iberico sulle missioni delle indie orientali. In entrambe le questioni abbiamo visto essere il P. Couplet coinvolto; tuttavia egli non vuole fare della sua relazione un ulteriore quanto inutile contributo alle polemiche. Della posizione dell'autore nella questione dei riti si è già parlato; ciò che ci preme sottolineare ora è lo spunto che da questa viene preso per individuare un ulteriore elemento di teorizzazione missiologica: la assoluta necessità di un accordo tra gli Ordini nelle metodologie adottate. Tanto più questo è importante in Cina, dove i comportamenti degli stranieri sono costantemente osservati e giudicati, e qualsiasi incoerenza o contraddizione può dar luogo a disprezzo e rifiuto. Dei problemi connessi con la politica della Sacra Congregazione di Propaganda Fide tendente a liberarsi dei vincoli del patronato portoghese in Cina, e delle posizioni di lealtà di molti missionari nei confronti di questo, il P. Couplet non fa menzione chiara. Tuttavia nella sua opposizione all'ingresso di Vescovi europei in Cina si legge chiaramente la resistenza all'invio di Vicari Apostolici. Molto diplomaticamente - ricordiamo che la *Breve relatione* è indirizzata proprio ai Cardinali di Propaganda Fide - il P. Couplet non nomina mai direttamente i Vicari e adduce motivi riguardanti la cattiva disposizione del governo cinese verso qualsiasi straniero, soprattutto se dotato di una qualche autorità. Motivo questo non del tutto trascurabile, ma non tale da essere uno scoglio maggiore di quello frapposto dai nazionalismi e dai particolarismi degli stessi europei. Che lo stesso nostro autore non lo ritenga poi sufficientemente valido è evidenziato dal fatto che stima di dover addurre un'altra giustificazione alla sua opposizione: quella della esiguità dei cristiani rispetto alla popolazione totale, nonchè dello stato ancora „infantile" della Chiesa cinese. Per questi motivi la cristianità cinese può essere sufficientemente seguita da quei missionari che a Roma fossero ritenuti idonei per assolvere alle funzioni vescovili. Non possiamo non notare che queste affermazioni contraddicono quanto più volte asserito nel manoscritto, ovvero la già lamentata esiguità e inadeguatezza del personale missionario in Cina.

Conclusioni

La Cina - ci dice il P. Couplet in un piccolo riepilogo alla fine degli ammaestramenti che dedica ai missionari - è un „mondo" diversissimo dal nostro, abitato da gente civilissima, che vanta una storia antichissima, e che da quattromila anni possiede leggi giuste ed è governato saggiamente. Da allora è stata seguita sempre la stessa tradizione culturale, che non tiene in alcun conto le altre civiltà, e che è stata in grado di sottomettere alle sue norme i suoi stessi conquistatori. La Cina, ci aveva già detto poco più sopra, è molto differente dall' America: per un paese speciale ci vuole dunque una metodologia pastorale speciale, completamente diversa da quella che si suole usare „con i schiavi, e con altri Americani, e Indiani di genio servile".[1] Con gli africani [„i schiavi"!], gli indigeni americani e gli indiani di bassa casta, si possono, e forse si *devono*, usare mezzi aspri e rozzi, ciò è a dire il metodo del far terra bruciata o *tabula rasa* di tutti gli aspetti della cultura indigena. Il nostro autore sembra adottare qui acriticamente lo stereotipo del „selvaggio bestiale" forse per enfatizzare, in antitetesi, quello del „saggio cinese",[2] che lui stesso, mediante le sue pubblicazioni, aveva contribuito a creare in Europa.

Dal suo punto di vista è quindi chiaro che, „nella vigna cinese", solo la politica dell' adattamento alla cultura indigena può essere utilizzata. Le ragioni di tale scelta sono, a nostro avviso, duplici: se una è di tipo pragmatico, per l'altra - la più importante - si può arrischiare la definizione di „ideologico-sentimentale". Dall'approccio pragmatico risulta evidente la forte coscienza etnocentrica cinese, la quale, in uno con la salda ed efficiente struttura statale, non permette metodi da *conquistadores*; dall'approfondimento culturale deriva al Couplet, come già a molti altri missionari strategicamente avveduti, la consapevolezza di poter operare in base ad una particolare affinità e simpatia per quella civiltà, specie nei suoi elementi confuciani.

Poichè essa sembra avere il *non plus ultra* della considerazione per valori come la saggezza e l'amore per il sapere, e per le abilità scientifiche,

---

[1] Cfr. il manoscritto A al f. 24r.

[2] Sulla concettualizzazione occidentale del selvaggio si veda Gliozzi, 1971; sulla contrapposizione fra americani e cinesi si confronti l'acuta riflessione di E. Garin, 1975.

nulla vi è di strano nel fatto che il missionario - e soprattutto l'erudito secentesco che vive in lui - ne sia attratto. Egli è portato a proiettare i propri sogni - e a focalizzare i propri modelli di comportamento - sull'Utopia di una Cina futura che, resa perfetta dall'innesto della vera fede, realizzerà l'ideale di società civile e cristiana.

APPENDICE

Presso la Biblioteca Apostolica Vaticana sono tuttora conservati i volumi in lingua cinese donati dal P. Couplet nel 1685, regnante Innocenzo XI. Di essi si trova menzione nel libro di G. Levi Della Vida (*Ricerche*, 1939), che attribuisce la redazione dell'inventario - comprendente le altre serie di manoscritti orientali - a Giovanni Matteo Naironi, che lo avrebbe realizzato nel 1686. Tale catalogo manoscritto porta la segnatura Vat. Lat. 13201. Ai fogli 281r-293v si trova l'elencazione dei volumi in oggetto, corredata da annotazioni ignorate dall'attuale inventario sommario dattiloscritto, stilato da P. Pelliot nel 1922, che ci è stato utile per l'identificazione dei volumi stessi nella loro attuale collocazione. Abbiamo perciò ritenuto interessante riportare in appendice a questo lavoro sul P. Couplet una trascrizione integrale dell'inventario originale, corredandola in fondo con una tavola di raffronto con le segnature attuali.

CATALOGUS LIBRORUM SINICO/RUM/
Quos annuente SS.mo D.N. INNOCENTIO XI Philippus Couplet Soc. Iesu Pro/curator Missionis Sinicae/
BIBLIOTHECAE VATICANAE/
dono dedit Anno Dom. MDCLXXXV./

LIBRI DE RELI/GIONE CHRISTIANA/

Volumen I./

1 Copia impressa Monumento Lapi/deo eruto in Provincia Xensi Metropo/li Anno 1625. Ubi Lex Christiana de/scribitur, et nomina Septuaginta/ Evangelij Praeconum Religiosorum/ ex Palestina exprimuntur./

Volumen 2.m/

2 In Volumine 2 continetur Rituale Ro/manum, seu Manuale ad Sacramenta// ministranda iuxta ritum S. Rom. Eccle/siae, Sinice redditum a P. Ludovico Bu/glio Soc. Iesu, editum in Pechin Civitate/ Regia Chinensi in Collegio eiusdem Soc. 1675./

CATALOGVS
LIBRORVM ASTRONOMICOR. et PHI-
LOSOPHICOR. SINICORVM.
Volumen A.

In Volum. A. continentur Infrascripta.

169 De [illegible] Dialogus
p. P. Julium Alenium. tom: 1

170 De Pictura p. P. Franciscum
Sambiaci. tom: 2

171 In De Philosophia p. P. Alphon:
sum Vagnonum. tom: 3

172 In De Sphaera p. P. Emanuel:
Diaz. tom: 4

173 In De Hydraulica p. P. Sabba:
tinum de Vrsis. tom: 5

174 In Documenta moralia Pris
Alphonsi Vagnoni. tom: 6

175 In Ars Memoriae p. P. Matthae:
um Riccium. tom: 7

176 In Apologia contra calumnias
in Astronomiam Europaeam p. P. Ferd:
Verbiest. tom: 8

177 In Cosmographica descriptio
Regnorum

Catalogus Librorum Sinicorum
Frontespizio. Biblioteca Apostolica Vaticana, Vat. Lat. 13201, f. 281.

Volumen 3.m/

3 In Volumine 3° continetur Sacerdotum/ instructio, seu Casus conscientiae ex To/leto, et alijs, per P. Ludovicum Buglium S.J. tom. 1/
4 It[em] E[iusdem] Instructionis Sacer/dotum &. tom. 2/

Volumen 4.m/

5 In Volumine 4° continetur Index D. Tho/mae Aquinatis in totam Theologiam, per P. Lud. Buglium S.J. tom. 1/
6 It. E. D. Tho. Index & tom. 2/
7 It. E. D. Tho. Index & tom. 3/
8 It. E. D. Tho. Index & tom. 4/

Volumen 5.m/

9 In Volumine 5° continetur D. Tho. de Deo,/ et Attributis Divinis per P. Lud. Buglium/ Soc. Jesu. tom. 1/
10 It. E. D. Tho. de Deo, et & tom. 2/
11 It. E. D. Tho. de Deo, et & tom. 3/
12 It. E. D. Tho. de Deo, et & tom. 4//
13 It. E. D. Tho. de Deo, et & tom. 5/
14 It. E. D. Tho. de Deo, et & tom. 6/

Volumen 6.m/

15 In Volumine 6° continetur D. Tho. de SS.ma/ Trinitate per P. Lud. Buglium S.J. tom. 1/
16 It. E. D. Tho. de SS. Trinit. & tom. 2/
17 It. E. D. Tho. de SS. Trinit. & tom. 3/

Volumen 7.m

18 In Volum.e 7° continetur d. Tho. de Crea/tione rerum, per P. Ludov. Buglium S.J. tom. 1/
19 It. E. D. Tho. de Creatione rerum tom. 2/

Volumen 8.m/

20 In Volum.e 8° continetur D. Tho. de/ Creatione, et statu primi hominis, et/ de Gubernatione Universi, per P. Ludov./ Buglium S.J. tom. 1/
21 It. E. D. Tho. de Gubern.e Univer. tom. 2/
22 It. E. D. Tho. de Gubern.e Univ. tom. 3/

Volumen 9.m/

23	In Volum.e 9° continetur D. Tho. de/ Anima per P. Lud. Buglium S.J.	tom. 1/
24	It. E. D. Tho. de Anima.	tom. 2/
25	It. E. D. Tho. de Anima.	tom. 3/
26	It. E. D. Tho. de Anima.	tom. 4//
27	It. E. D. Tho. de Anima.	tom. 5/
28	It. E. D. Tho. de Anima.	tom. 6/

Volumen 10.m/

29	In Volum.e 10°. continetur D. Tho. de In/carnatione per P. Lud. Buglium S.J.	tom. 1/
30	It. E. D. Tho. de Incarnat.e	tom. 2/
31	It. E. D. Tho. de Incarnat.e	tom. 3/
32	It. E. D. Tho. de Incarnat.e	tom. 4/

Volumen 11.m/

33	In Volum.e 11° continetur D. Tho. de/ Angelis, per P. Lud. Buglium S.J.	tom. 1/
34	It. E. D. Tho. de Angelis	tom. 2/
35	It. E. D. Tho. de Angelis	tom. 3/
36	It. E. D. Tho. de Angelis	tom. 4/
37	It. E. D. Tho. de Angelis	tom. 5/

Volumen 12.m/

38	In Volum.e 12° continetur Tractatus/ de Resurrectione ex D. Thoma per P./ Gabrielem de Magalhanes	tom. 1/
39	It. E. Tract. de Resurrect.e	tom. 2/
40	It. Tractatus de Juventutis/ recta institutione per P. AlphonsumVa/gnonum.	tom. 3/
41	It. elogium S. Legis per Pro Re/gem Michaelem.	tom. 4/
42	It. Saeculi Reformatio per Licen/tiatum Matthaeum Chù	tom. 5/
43	It. Dialogus de Controversijs/ fidei, per P. Julium Alenum	tom. 6/
44	It. Tractatus de Septem ca/pitalibus vitijs et totidem contrarijs/ virtutibus per P. Didacum Pantoia.	tom. 7/
45	It. E. De septem capitalibus e.	tom. 8/
46	It. E. De septem capitalibus e.	tom. 9/
47	It. E. De septem capitalibus e.	tom. 10/

48 It. E. De septem capitalibus e. tom. 11/
49 It. E. De septem capitalibus e. tom. 12/
50 It. E. De septem capitalibus e. tom. 13/
51 It. Explicatio Brevis Monumenti/ Lapidei per Doctorem Christianum tom. 14/
52 It. de vera Lege, et Numine discur/sus P. Alphonsi Vagnoni. tom. 15/
53 It. Apologia pro Fide Christiana/ Colai Pauli tom. 16/
54 It. Recte orandi methodus per/ P. Jacobum Rho. tom. 17/
55 It. Sancta Legis propagatio/ sub nomine alterius tom. 18//
56 It. Cathecismus per 100 quaesita/ et responsa P. Philippi Couplet.tom. 19/
57 It. Vita S. Joseph Sponsi B. Vir/ginis, et Sinarum Patroni per P. Emanuelem/Diaz Soc. Jesu. tom. 20/
58 It. S.ta Legis compendiosa ratio per/ P. Joannem Monteiram. tom. 21/

Volumen 13.m/

59 In Volum.e 13° continetur Tractatus in quo/ sita sit vera beatitudo per P. Andream Lu/bellum. tom. 1/
60 It. E. Tractatus in quo sita sit & tom. 2/
61 It. Via ad recte vivendum, et fe/liciter morendum per P. Andream Lubellum. tom. 3/
62 It. Via ad recte vivendum & tom. 4/
63 It. Vetus manuale precum a va/rijs Patribus. tom. 5/
64 It. Vetus manuale & tom. 6/
65 It. Vetus manuale & tom. 7/
66 It. De Quatuor Novissimis per P./ Philippum Couplet. tom. 8/
67 It. Exercitium pietatis ad corda/ Fidelium inflammanda per P. Gaspar. Ferreiram. tom. 9//
68 It. Dialogus de Baptismo per/ P. Franciscum Rougemont. tom. 10/

Volumen 14.m/

69 In Volum.e 14° continetur Evangelia/ Dominicalia, et festiva cum Commentarijs/ P. Barradij per P. Eman. Diaz. tom. 1/
70 It. EE. Dominic. tom. 2/
71 It. EE. Dominic. tom. 3/
72 It. EE. Dominic. tom. 4/
73 It. EE. Dominic. tom. 5/
74 It. EE. Dominic. tom. 6/
75 It. EE. Dominic. tom. 7/
76 It. EE. Dominic. tom. 8/

Volumen 15.m/

77 In Volum.e 15° continetur Vitae Sanctorum/ selectae per P. Alphonsum Vagnonum. tom. 1/
78 It. Vitae Sanctor. tom. 2/
79 It. Vitae Sanctor. tom. 3/
80 It. Vitae Sanctor. tom. 4/
81 It. Vitae Sanctor. tom. 5/
82 It. Vitae Sanctor. tom. 6/
83 It. Vitae Sanctor. tom. 7/

Volumen 16.m/

84 In Volum.e 16° continetur Tractatus De// recta familiae institutione per P. Alphonsum/ Vagnonum. tom. 1/
85 It. E. Tract. De Recta familiae & tom. 2/
86 It. E. Tract. De Recta familiae & tom. 3/
87 It. E. De Recta familiae & tom. 4/
88 It. E. Tract. De Recta familiae & tom. 5/

Volumen 17.m/
In Volum.e 17° continetur Infrascripta/

89 50 Selectae Sententiae ex pijs/ Authoribus per P. Julium Alenum. tom. 1/
90 It. solutio dubiorum de Euchari/stia per P. Ferdinand Verbest. tom. 2/
91 It. De Confessione per P. Ferdinand/ Verbest. tom. 3/
92 It. Introductio ad Fidem per/ P. Ferd. Verbest. tom. 4/

Volumen 18.m/
In Volum.e 18° continetur infrascripta/

93 Symbolum Apostolorum per P. Dida/cum Pantoiam. tom. 1/
94 It. explanatio Orationis Domi/nicae per P. Jacobum Rho. tom. 2/
95 It. explanatio Salutationis An/gelicae per P. Jacobum Rho. tom. 3//
96 It. Vita et Miracula B. Virginis/ per P. Alphonsum Vagnonum. tom. 4/
97 It. Vita Christi ex quatuor Evan/gelistis per P. Julium Alenum tom. 5/
98 It. Vita Christi & tom. 6/
99 It. Introductio ad Domini Incar/nationem, sive de eadem Prophetiae per P. Ju/lium Alenum. tom. 7/
100 It. Confutatio Idolatricae Sectae/ sub nomine Colai Pauli. tom. 8/
101 It. Dubiorum ab Idolatris pro/positorum solutiones, sub nomine Doctoris Michaelis. tom. 9/

102	It. De recta sui ipsius institutione/ per P. Alphonsum Vagnonum.	tom. 10/
103	It. Catechismus Vulgaris per P. An/tonium de Gouvea.	tom. 11/
104	It. Confutatio Idolatria sub no/mine Doctoris Leonis.	tom. 12/
105	It. Innocentia victrix per P. Fran/ciscum Rougemont.	tom. 13/

Volumen 19.m/

106	In Volum.e 19° Continetur Officium par/vum B. Virginis per P. Ludovic. Bugly.	

Volumen 20.m/

In Volum.e 20° continetur Infrascripta./

107	Sanctae Legis compendium per P. Joan. Soerium.	tom. 1/
108	It. Divina Legis, et Idolatrica/ clara distinctio, sub nomine Doct. Michaelis.	tom. 2/
109	It. Sanctae Legis vera relatio, per P. Mi/chaelem Rogerium.	tom. 3/
110	It. Cathechismi explicatio per P./ Alphonsum Vagnonum.	tom. 4/
111	It. Cathechismi compendium per/ Primos Patres.	tom. 5/
112	It. S. Imaginis Salvatoris expli/catio, et S. Legis Antithesis cum Bonzaica/ sub nomine Doct. Pauli.	tom. 6/
113	It. Tractatus de Eucharistia/ per P. Julium Alenum.	tom. 7/
114	It. Christianae Legis Synopsis/ per P. Ludovic. Bugly.	tom. 8/
115	It. Decem Paradoxa sacra, et/ moralia per P. Matthaeum Riccium	tom. 9/
116	It. Vera criteria principij Rerum,/ per P. Lud. Bugly.	tom. 10/
117	It. Rerum omnium vera origo per// P. Julium Alenum.	tom. 11/
118	It. Methodus adiuvandi Moribun/dos, per P. Joan. Froes.	tom. 12/
119	It. Responsa per modum Dialogi ad/ obiectiones Sectariorum sub nomine Chu Ma/thaei.	tom. 13/
120	It. de operibus Misericordiae, per/ P. Jacobum Rho.	tom. 14/
121	It. De principio Coeli et Terrae, et opere sex dierum, per P. Alphon. Vagnonum	tom. 15/

Volumen 21.m/

In Volum.e 21° continetur Infrascripta./

122	Responsa ad quaesita Litteratorum tam in Sacra, quam in profana materia per P. Jul. Alenum.	tom. 1/
123	It. EE. Responsa ad quaesita &	tom. 2/

124 It. EE. Responsa ad quaesita & tom. 3/
125 It. EE. Responsa ad quaesita & tom. 4/
126 It. Ordo proponendi Mysteria fidei/ per P. Ferdinand Verbiest tom. 5/
127 It. Fusa explicatio Monumenti/ Lapidei detecti in Provincia Xensi anno/ 1625, per P. Emanuelem Diaz. tom. 6/
128 It. Centum Selecta Monita Sancta Matris Theresiae per P. Jacob.Rho. tom. 7/
129 It. Vita S. Josaphat, et Barlaam/ per P. Nicolaum Longobardum. tom. 8/
130 It. Commendatio Animae, et Officium Sepulturae, per P. Lud. Bugly. tom. 9/
131 It. Christianae Legis testimonia/ per P. Ferd. Verbiest. tom. 10/
132 In Selectae Sententiae pro decursu/ totius Anni per P. Jacob. Rho. tom. 11/
133 It. S. Legis Compendium Lingua Tartarica per P. Ferd. Verbiest tom. 12/
134 It. Catalogus Missionariorum/ Sinensium Soc. Iesu. tom. 13/

Volumen 22.m/
In Volum.e 22° continetur Infrascripta./

135 De Providentia Numinis, et Animae/ immortalitate, per P. Martinum Martinium. tom. 1/
136 It. Decem consolationes,per P. Al/phonsum Vagnonum. tom. 2/
137 It. De Anima, ejusque potentijs per/ P. Julium Alenum. tom. 3/
138 It. De Anima & tom. 4/
139 It. De Angelis bonis, et reprobis/ per P. Alphon. Vagnonum. tom. 5//
140 It. Excitamenta ad Studium vir/tutum collecta ex PP. Libris tom. 6/
141 It. Priscorum dicta ad virtutis stu/dium Stimulantia, per P. Alph. Vagnonum. tom. 7/
142 It. De Amicitia, per P. Martinum/ Martinium. tom. 8/
143 It. De Conversatione inter amicos/ per P. Matthaeum Riccium tom. 9/
144 It. De triplici Anima, Vegetativa,/ Sensitiva, rationali; et de Attributis Divinis, per P. Franciscum Sambiaci. tom. 10/
145 It. Caelestis Doctrinae vera ratio/ in compendium redactae per P. Matthaeum Riccium. tom. 11/
146 It. Caelestis doctrinae vera ratio,/ per P. Matthaeum Riccium. tom. 12/
147 It. Eiusdem Caelestis doctrinae & tom. 13/

148	It. De vero, et falso cultu, et ado/ratione, er P. Joan. Monteiram.	tom. 14/
149	It. Sanctae Legis compendium quatuor/ Litterarum metris expressum per P. Julium Alenum.	tom. 15/

Volumen 23.m/
In Volum.e 23°Continentur Infrascripti Tractatus.//

150	De Providentia Numinis, et Chri/sti adventu testimonia, er P. Joan. Adamum.	tom. 1/
151	It. Christianae Legis ortus, et progressus. per P. Joan. Adamum.	tom. 2/
152	It. E. Christianae Legis ortus &	tom. 3/
153	It. E. Christianae Legis ortus &	tom. 4/
154	It. E. Christianae Legis ortus &	tom. 5/
155	It. De Contritione. per P. Julium/ Alenum.	tom. 6/
156	It. De Missa Sacrificio, per P./ Julium Alenum.	tom. 7/
157	It. De Dei Attributis, et fidei/ Mysterijs Considerationes, et Exempla P. Hieron. De Gravina.	tom. 8/
158	It. De Dei Attributis &	tom. 9/
159	It. De Dei Attributis &	tom. 10/
160	It. Scalae ex Creaturis ad Deum/ per P. Franciscum Brancatum.	tom. 11/
161	It. Ecclesia praecepta, per P. Fran/ciscum Brancatum.	tom. 12/

Volumen 24.m/
In Volum.e 24° continentur Infrascripta/

162	Apologia contra Adversarios/ Sanctae Legis per P. Lud. Bugly.	tom. 1//
163	It. Sanctae Legis Compendium per P. Lud./ Bugly.	tom. 2/
164	It. Verae Religionis Criteria per/ P. Lud. Bugly.	tom. 3/
165	It. Sanctae Legis recompilatio, per P. Lud. Bugly.	tom. 4/

Volumen 25.m/
In Volum.e 25° continentur Infrascripta./

166	Decem praecepta Decalogi/ centum exemplis illustrata per P. Franciscum Brancatum.	tom. 1/
167	It. De Retributione post hanc/ vitam, per P. Ferd. Verbiest.	tom. 2/
168	It. Vita Christi iconibus ex/pressa. per P. Julium Alenum.	tom. 3//

CATALOGUS LIBRORUM ASTRONOMICORUM ET PHI/LOSOPHICORUM SINICORUM

Volumen A/

In Volum.e A continentur Infrascripta./

169	De Europaeis rebus Dialogus/ per P. Julium Alenum	tom. 1/
170	De Pictura per P. Franciscum/ Sambiaci.	tom. 2/
171	It. De Philosophia per P. Alphon/sum Vagnonum.	tom. 3/
172	It. De Sphaera, per P. Emanuel/ Diaz.	tom. 4/
173	It. De Hydraulica per P. Sabba/tinum de Ursis.	tom. 5/
174	It. Documenta moralia Padris/ Alphonsi Vagnoni.	tom. 6/
175	It. Ars Memoriae per P. Matthae/um Riccium.	tom. 7/
176	It. Apologia contra calumnias/ in Astronomiam Europaeam per P. Ferdinand Verbiest.	tom. 8/
177	It. Cosmographica descriptio// Regnorum totius Orbis per Padrem Julium Alenum. Pars prima	tomi 9/
178	It. E. Cosmographica desciptionis &/ Pars 2.a	tomi 9/
179	It. De Thermometrij, per P. Ferd./ Verbiest.	tom. 10/
180	It. De Leone, per P. Ludovicum/ Bugly.	tom. 11/
181	It. Notitia Cosmographica Re/gnorum, per P. Ferd. Verbiest.	tom. 12/
182	It. De Scientijs Europaeis, per/ P. Ludovicum Bugly.	tom. 13/

Volumen B/

In Volum.e B continentur Infrascripta./

183	De Meteoris, per P. Alphonsum/ Vagnonum.	tom. 1/
184	E. De Meteoris. to. 2	tom. 2/
185	It. De Sphaera Caelesti et Terrestri, per P. Ferdinand Verbiest.	tom. 3/
186	It. De sphaera &	tom. 4/

Volumen C/

187	In Volum.e C continetur Tractatus De The/oria, et Fabrica Instrumentorum Astro/nomicorum, et Mathematicorum per Padrem//Ferdinand Verbiest.	tom. 1/
188	E. De Theoria, et fabrica Instrumentorum &	tom. 2/
189	E. De Theoria &	tom. 3/
190	E. De Theoria &	tom. 4/
191	E. De Theoria &	tom. 5/

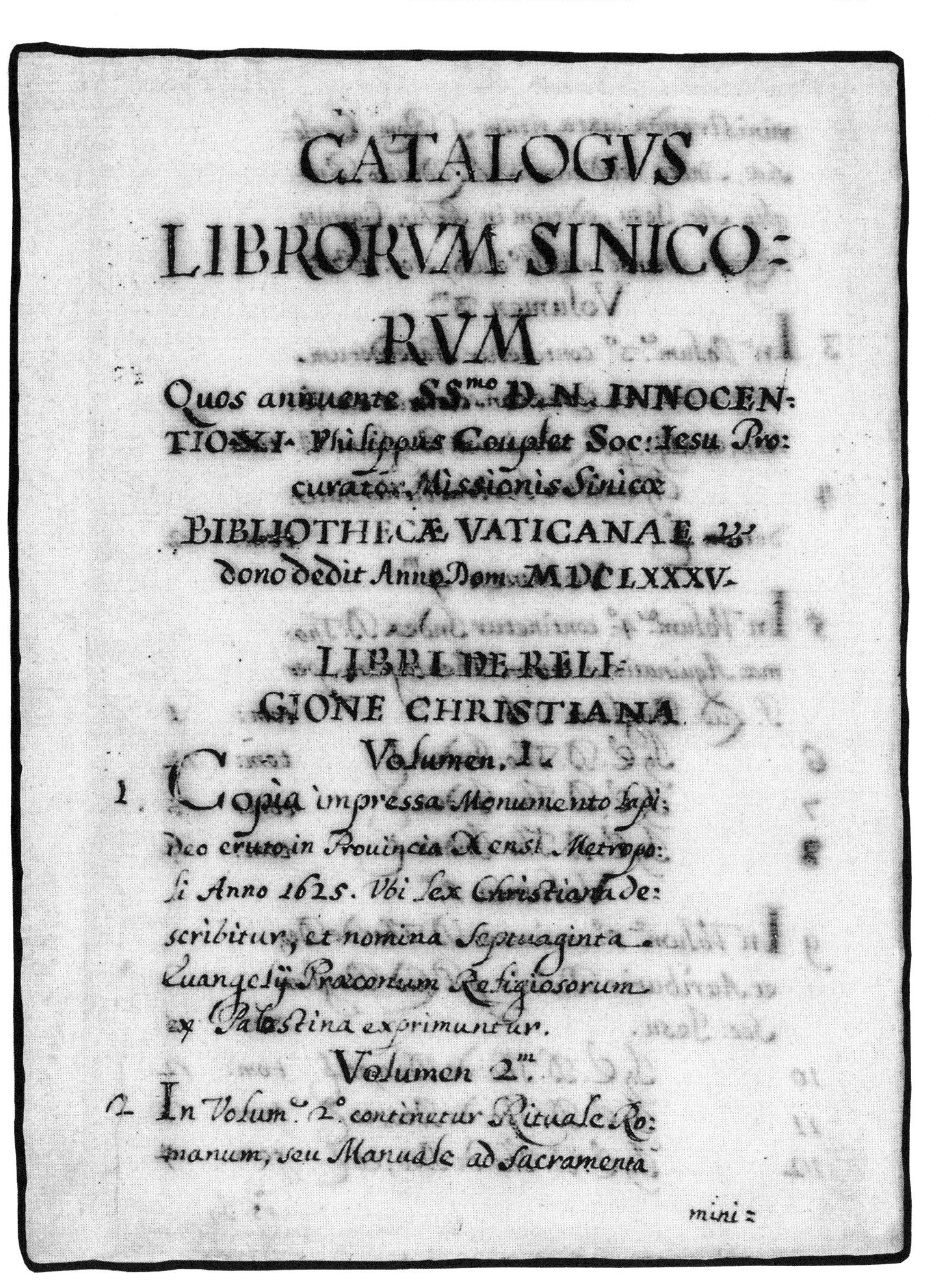

CATALOGVS
LIBRORVM SINICO:
RVM
Quos annuente SS.mo D. N. INNOCEN:
TIO XI. Philippus Couplet Soc: Iesu Pro:
curator Missionis Sinicæ
BIBLIOTHECÆ VATICANAE
dono dedit Anno Dom. MDCLXXXV.

LIBRI DE RELI:
GIONE CHRISTIANA
Volumen. 1.

1 Copia impressa Monumento lapi:
deo eruto in Provincia Xensi Metropo:
li Anno 1625. Ubi lex Christiana de:
scribitur, et nomina Septuaginta
Euangelii Præconum Religiosorum
ex Palæstina exprimuntur.

Volumen 2m.

2 In Volum.o 2o continetur Rituale Ro:
manum, seu Manuale ad Sacramenta

mini:

Catalogus Librorum Astronomicorum.
Frotespizio. Biblioteca Apostolica Vaticana, Vat. Lat. 13201, f. 281

192	E. De Theoria &	tom. 6/
193	E. De Theoria &	tom. 7/
194	E. De Theoria &	tom. 8/
195	E. De Theoria &	tom. 9/

Volume D/

196	In Volum.e D seguitur idem tractatus de/ Theoria, et fabrica Instrumentorum Astro/nomicorum&	tom. 10/
197	E. De Theoria &	tom. 11/
198	E. De Theoria &	tom. 12/
199	E. De Theoria &	tom. 13/
200	E. De Theoria &	tom. 14/

Volume E/

201	In Volum.e E continentur Infrascripta, et ini/tio per novem primos tomos habetur Logica/ Conimbricensis per P. Franciscum Furtado.	tom. 1/
202	E. Logica Conimbr. &	tom. 2/
203	E. Logica Conimbr. &	tom. 3/
204	E. Logica Conimbr. &	tom. 4//
205	E. Logica Conimbr. &	tom. 5/
206	E. Logica Conimbr. &	tom. 6/
207	E. Logica Conimbr. &	tom. 7/
208	E. Logica Conimbr. &	tom. 8/
209	E. Logica Conimbr. &	tom. 9/
210	It. Libelli supplices pro Astrono/ mia Europaea per P. Ferd. Verbiest.	tom. 10/
211	It. Libellus supplex pro reditu Pa/trum in ecclesias per P. Ludovic. Bugly.	tom. 11/
212	It. Litterarum Europaearum norma,/ per P. Matthaeum Riccium.	tom. 12/
213	It. Apologia contra Bonzios/ per P. Matthaeum Riccium.	tom. 13/

Volumen F/

214	In Volum.e F continentur quatuor pri/mis tomis Responsa ad dubia proposita cir/ca Ephemerides Europaeas, per P. Joannem/Adami.	tom. 1/
215	EE. Responsa ad dubia &	tom. 2/

216	EE. Responsa ad dubia &	tom. 3/
217	EE. Responsa ad dubia &	tom. 4/
218	It. Libelli supplices in favorem/ Astronomiae Europaea, per P. Joannem Adami.	tom. 5//

Volumen G/

219	In Volum.e G continetur Ephemeridum re/gendarum origo, et praxis, Colai Pauli.	tom. 1/
220	Ephemeridum regendar. &	tom. 2/
221	Ephemeridum regendar. &	tom. 3/
222	Ephemeridum regendar. &	tom. 4/
223	Ephemeridum regendar. &	tom. 5/
224	Ephemeridum regendar. &	tom. 6/
225	Ephemeridum regendar. &	tom. 7/
226	Ephemeridum regendar. &	tom. 8/

Volumen H/

In Volum.e H continentur Infrascripti Tractatus./

227	De Mensuris, per P. Joan. Terrentium.	tom. 1/
228	E. De Mensuris.	tom. 2/
229	It. Compendium de Coeli observa/tionibus, per P. Ferdinand Verbiest.	tom. 3/
230	E. De Coeli observationibus compendium &	tom. 4/
231	It. Theoria Eclypsium, per P. Joannem/ Adami.	tom. 5/
232	E. Theoria Eclypsium &	tom. 6/
233	It. Compendiosa introductio ad Astrono/miam Europaeam cum libellis suplicib. Colai Pauli.	tom. 7//

Volumen I/

In Volum.e I continentur Infrascipti Tractatus.//

234	De fabrica, et usu Sphaera Caele/stis, per P. Joan. Adamum.	tom. 1/
235	E. De fabrica, et usu &	tom. 2/
236	E. De fabrica, et usu &	tom. 3/
237	E. De fabrica, et usu &	tom. 4/
238	E. De fabrica, et usu &	tom. 5/
239	It. De Horologijs, per P. Jacob. Rho.	tom. 6/
240	It. Arithmetica Neperiana per P. Ja/cobum Rho.	tom. 7/
241	It. De Tubo optico, per P. Joannem/ Adamum.	tom. 8/

Volumen K/
In Volum.e K continentur Infrascripti tres Tractatus./

242	Theoria Solis, per P. Jacob. Rho.	tom. 1/
243	It. Tabulae ad Solis Calculum spec/tantes. per P. Jacob. Rho.	tom. 2/
244	EE. Tabulae ad Solis calculum &	tom. 3/
245	It. Norma Zodiaci, per Jacob. Rho.	tom. 4/
246	E. Norma Zodiaci &	tom. 5/

Volumen L/
In Volum.e L continentur tres sequentes/ Tractatus.

247	Theoria Fixarum, per P. Joan/nem Adamum.	tom. 1//
248	E. Theoria Fixarum.	tom. 2/
249	E. Theoria Fixarum.	tom. 3/
250	E. Theoria Fixarum.	tom. 4/
251	It. Tabulae ad Fixarum calculum/ spectantes, per P. Joan. Adamum.	tom. 5/
252	EE. Tabulae ad Fixarum &	tom. 6/
253	It. Stellarum fixarum ortus, et/ occasus, per P. Joan. Adamum.	tom. 7/
254	EE. Stellarum ortus &	tom. 8/

Volumen M/
In Volum.e M continentur duo Infrascripti/ Tractatus.

255	Theoria lunae, per P. Jacob. Rho.	tom. 1/
256	E. Theoria Lunae.	tom. 2/
257	E. Theoria Lunae.	tom. 3/
258	E. Theoria Lunae.	tom. 4/
259	Item Tabulae ad Lunae calculum/ spectantes, per P. Jacob. Rho	tom. 5/
260	EE. Tabulae ad Lunae &	tom. 6/
261	EE. Tabulae ad Lunae &	tom. 7/
262	EE. Tabulae ad Lunae &	tom. 8/

Volumen N/
In Volum.e N continentur Infrascripta./

263	Theoria Eclypsis Solis, et Lunae. per PP. Jacobum Rho, et Joan. Adamum.	tom. 1/

264	E. Theoria Eclypsis Solis &	tom. 2/
265	E. Theoria Eclypsis Solis &	tom. 3/
266	E. Theoria Eclypsis Solis &	tom. 4/
267	E. Theoria Eclypsis Solis &	tom. 5/
268	E. Theoria Eclypsis Solis &	tom. 6/
269	E. Theoria Eclypsis Solis &	tom. 7/
270	It. Examen Eclypsium Veterum,/ et Recentiorum per PP. Jacobum Rho, et Joannem Adamum.	tom. 8/

Volumen O/

271	In Volum.e O continentur Tabulae Eclyp/sium in novem tomis per PP. Jacobum Rho, et Joannem Adamum.	tom. 1/
272	EE. Tabulae Eclypsium &	tom. 2/
273	EE. Tabulae Eclipsium &	tom. 3/
274	EE. Tabulae Eclypsium &	tom. 4/
275	EE. Tabulae Eclypsium &	tom. 5/
276	EE. Tabulae Eclypsium &	tom. 6/
277	EE. Tabulae Eclypsium &	tom. 7/
278	EE. Tabulae Eclypsium &	tom. 8/
279	EE. Tabulae Eclypsium &	tom. 9/

Volumen P/

280	In Volum.e P continetur Theoria Quinque// Planetarum in novem tomis per PP. Jacobum Rho/ et Joannem Adamum.	tom. 1/
281	E. Theoria 5 Planetar. &	tom. 2/
282	E. Theoria 5 Planetar. &	tom. 3/
283	E. Theoria 5 Planetar. &	tom. 4/
284	E. Theoria 5 Planetar. &	tom. 5/
285	E. Theoria 5 Planetar. &	tom. 6/
286	E. Theoria 5 Planetar. &	tom. 7/
287	E. Theoria 5 Planetar. &	tom. 8/
288	E. Theoria 5 Planetar. &	tom. 9/

Volumen Q/

289	In Volum.e Q continentur Tabulae Quin/que Planetarum per P. Jacobum Rho.	tom. 1/
290	EE. Tabulae 5 Planet. &	tom. 2/
291	EE. Tabulae 5 Planet. &	tom. 3/

292	EE. Tabulae 5 Planet. &	tom. 4/
293	EE. Tabulae 5 Planet. &	tom. 5/
294	EE. Tabulae 5 Planet. &	tom. 6/
295	EE. Tabulae 5 Planet. &	tom. 7/
296	EE. Tabulae 5 Planet. &	tom. 8/
297	EE. Tabulae 5 Planet. &	tom. 9/
298	EE. Tabulae 5 Planet. &	tom. 10/

Volumen R/

299	In Volum.e R continetur Geometria// universa per PP. Jacob. Rho, et Joannem/Adamum.	tom. 1/
300	E. Geometria &	tom. 2/
301	E. Geometria &	tom. 3/
302	E. Geometria &	tom. 4/
303	E. Geometria &	tom. 5/
304	E. Geometria &	tom. 6/
305	E. Geometria &	tom. 7/
306	E. Geometria &	tom. 8/
307	E. Geometria &	tom. 9/
308	E. Geometria &	tom. 10/

Volumen S/

In Volum.e S continentur Infrascipti Tractatus./

309	Manuductio ad Astronomiam/ Europaeam, per P. Joan. Adamum.	tom. 1/
310	It. De Europaea Astronomia per PP. Jacob. Rho, et Joan. Adamum.	tom. 2/
311	It. Differentia Astronomiae Euro/paeae a Sinica per P. Joan. Adamum.	tom. 3/
312	E. Differentia Astronomiae &	tom. 4/
313	It. Euclidis Compendium per P. Ju/lium Alenum.	tom. 5/
314	It. Tabula Sinum per P. Joannem/ Adamum.	tom. 6//

Volumen T/

In Volumine T continetur Liber organicus Instru/mentorum Mecanicorum, et Mathematicorum cum figu/ris in duos tomos. Fortasse liber hic pertinet/ ad tractatus de Theoria, et fabrica eorundem/ Instrumentorum in Voluminibus signatis Litteris/ C et D in fol. magno impressum.

315 In Primo tomo continentur 58 figurae. to. 1/

316 In 2 tomo continentur 59 figurae, quarum/alique sunt duplicatae, et triplicatae in/ unico folio. to. 2/

TAVOLA DI RAFFRONTO

Diamo qui di seguito, a sinistra, la numerazione dei volumi e, a destra, la collocazione corrispondente della BAV, nella Raccolta Generale Oriente III.

CATALOGUS	**Racc. Gen. Or. III**
1	245
2	202
3-4	
5-8	204
9-14	205
15-17	206
18-19	201
20-22	208
23-28	209
29-32	210
33-37	211
38-43	212 (int. 1-6)
44-58	213 (int. 1-15)
59-68	214 (int. 1-10)
69-76	215
77-83	216
84-88	217
89-92	218 (int. 1-4)
93-105	219 (int. 1-13)
106	
107-121	221 (int. 1-15)
122-134	222 (int. 1-13)
135-149	223 (int. 1-15)
150-161	224 (int. 1-12)
162-165	225

166-168	226
169-176	227 (int. 1-8)
177-182	228 (int. 1-6)
183-186	229 (int. 1-4)
187-200	230 (int. 1-14)
201-213	231 (int. 1-13)
214-218	232 (int. 1-5)
219-226	233
227-232	234 (int. 1-6)
233	
234-241	235 (int. 1-8)
242-246	236 (int. 1-5)
247-254	237 (int. 1-8)
255-262	238 (int. 1-8)
263-279	240
280-288	241 (int. 1-9)
289-298	242 (int. 10-10)
299-308	243 (int. 1-10)
309-314	244 (int. 1-6)
315	
316	

FONTI MANOSCRITTE ED INEDITE

CITTÀ DEL VATICANO, BIBLIOTECA APOSTOLICA VATICANA:
Vat. Lat. 13201, ff. 281-302 (*Catalogus Librorum Sinicorum*); la minuta è in Vat. Lat. 7138, ff. 207-217.
Inventaire Sommaire des manuscripts et imprimés chinois de la Bibliotheque Vaticaine, cat. dattil., 1922 (inv. 512).

MADRID, ARCHIVO HISTORICO NACIONAL:
Jesuitas, Leg. 272, fasc. 43 (*Brevis relatio de statu et qualitate Missionis Sinicae. Authore P. Philippo Couplet ...*)

PARIGI, BIBLIOTHEQUE NATIONALE:
Nouv. Acq. Lat. 1076 (*Prolegomena ad sinopsim chronologicam monarchiae sinicae*).
Esp. 409 (*Lettres et memoires pour les jésuites dans les contestations relative au culte des Chinois. 1638-1683*)

ROMA

ARCHIVUM ROMANUM SOCIETATIS IESU:
Iap.Sin.: 124, cc. 180-182 (parere a mons. Cybo del P. Fabri S.I.); 199-222 (paragrafi non numerati pertinenti alla *Breve relatione* ...); 125, cc. 164-199 (*Breve relatione dello stato e qualità delle Missioni della Cina* ...); 131 (*Breve relatione dello stato e qualità delle Missioni della Cina, composti dal P. Filippo Couplet* ...); 134, cc. 362-363 (catalogo della viceprovincia cinese, del 1678); 163, cc. 308-310 (parere a mons. Cybo del P. Fabri S.I.); 165, cc. 211-228 (paragrafi non numerati pertinenti alla *Breve relatione* ...).

ARCHIVIO DELLA SACRA CONGREGAZIONE DI PROPAGANDA FIDE:

SOCP, 1679-1683, f. 446 (lettera del P. Couplet al P. Generale, 1683, dicembre 26);

SC, III (1681-1684), f. 396 (supplica presentata al Papa dal P. Couplet all' arrivo a Roma [1684]);

SOCP, Ind. Or., Div. Scritt. della Cina, 1686-1689, vol. 19: ff. 225-255 (*Breve relatione dello stato e qualità delle missioni della Cina* ...); ff. 68-78, 80-90, 92-102, 125-132; ff. 119-122 (*Relationis Missionis Sinicae*); ff.

219-224 (*Ristretto della relazione della Missione della China presentata dal P. Filippo Coplet* ...); ff. 123-124v (*Appendice al Messale cinese*);

SOCG, vol. 494 (1685): f. 287v. (Lettera di mons. Cybo alla Congregazione Generale, 1685, novembre 26); f. 284 (lettera della segreteria di Stato a mons. Cybo, 1685 novembre 19);

SOCG, vol. 501 (1685), f. 444 (notifica alla Congregazione del dono di volumi cinesi, 1685 agosto 13); ff. 434-435 (riepilogo delle richieste del P. Couplet alla Congregazione, 1685 luglio 16);

SC, IV (1685–1687), ff. 368-370 (parere a mons. Cybo del P. Fabri, S.I., 1685 novembre 11).

BIBLIOTECA NAZIONALE CENTRALE „V. EMANUELE II“:

Ms. Ges.: 1253 n. 50 (*Papiers du feu P. Couplet*, s.d.); 1314, ff. 1-68 (*Ex prolegomenis ad annales sinicos nec non synopsim chronologicam ..., anno 166* [*rectae* 1666]).

FONTI EDITE

ORATIO TURSELLINO, *De vita Francisci Xaverii*, Romae 1596.

———, *Francisci Xaverii Epistolarium*, Romae 1596.

JOÃO DE LUCENA, *Historia da vida do Padre Francisco Xavier*, Lisboa 1600.

DANIELLO BARTOLI, *La Cina*, Roma 1663 (ed. a cura di B. GARAVELLI MORTARA, Milano 1975).

ATHANASIUS KIRCHER, *China ... illustrata*, Amstelodami 1667.

PETRUS POSSINUS, *S. Francisci Xaverii epistolarium*, VII, Romae 1667.

Responsa Sacrae Congregationis Universalis Inquisitionis a SS.D.n. Alexandro VII approbata ad quaesita Missionarorum Soc. Iesu apud Sinas. Anno Domini 1656, Romae 1669.

PROSPERO INTORCETTA, *Compendiosa narratione dello stato della missione cinese, cominciando dall'anno 1581 fino al 1669 ...*, Roma 1672.

Elementa linguae tartaricae, a cura di M. THEVENOT, Parisiis 1682.

ESTEVAN AGUILAR Y ZUÑIGA, *Ultimi accidenti della China*, Padova 1685.

Acta Sanctorum. Propylaeum ad septem tomos Maii, Antverpiae 1742 (Parisiis-Romae 1868).

Confucius Sinarum philosophus, sive Scientia sinensis latine exposita, a cura di P. COUPLET, P. INTORCETTA, F. ROUGEMONT, C. HERDTRICH, Parisiis 1686–1687.

PHILIPPE COUPLET, *Catalogus Patrum Societatis Jesu qui, post obitum S. Francisci Xaverii, primo saeculo, sive ab anno 1581 ad annum 1681 in imperio sinarum Jesu Christi fidem propagarunt*, Parisiis 1686; Dillingen 1687; ed. a cura di H. IMODA, 1901 („The first century of the Society in China. A list of Jesuit in the Celestial Empire from 1581 to 1681, with some account of their lives and works", in *Woodstock Letters* 30 [1901], pp. I-XX).

———, *Tabula Chronologica Monarchiae Sinicae Juxta cyclos annorum LX, ab anno ante Christum 2952 ad annum post Christum 1683*, Parisiis 1686.

———, *Imperii Sinarum et rerum in eo notabilium Synopsim*, Parisiis 1687.

FERDINAND VERBIEST, *Astronomia Europea sub Imperatore Tartaro*, a cura di P. Couplet, Dillingen 1687. Cfr. NOEL GOLVERS, *The Astro-*

nomia Europaea of Ferdinand Verbiest S.J. (Dillingen, 1687). Text, Translation, Notes and Commentaries, Sankt Augustin - Nettetal 1993 (Monumenta Serica Monograph Series XXVIII).

Acta Eruditorum, Lipsiae 1688, pp. 254-265; 1713, pp. 46-48.

PHILIPPE COUPLET, *Breve ragguaglio delle cose piu' notabili spettanti al grande Imperio della Cina*, Roma 1694.

CHARLES LE GOBIEN, *Istoria dell'Editto dell'Imperatore della Cina in favore della Religione cristiana*, Torino 1699.

Acta Cantonensia Authentica: in quibus praxis Missionarorum sinensium Societatis Jesu circa ritus sinenses approbata est communi consensu Patrum Dominicanorum & Jesuitarum, s.l. 1700.

Monumenta Sinica cum disquisitionibus criticis pro vera apologia Jesuitarum contra falsam apologiam Dominicarum, s.l. 1700.

Lettera al Sommo Pontefice scritta dai PP. della Compagnia di Gesu' della Cina, con una risposta dell'Imperador della Cina data ad essi, sopra ai riti cinesi, s.l. 1701.

MATURINO VEYSSIÈRE LA CROZE, „Philippi Couplet, de Statu et qualitate missionis Sinicae. Epistola cum notis", in *Bibliotheca Historico-Philologico-Theologica*, V, 4, Bremae 1721, pp. 618-655.

JOANNES FRANCISCUS FOPPENS, *Bibliotheca Belgica*, Bruxelles 1739, pp. 1029-1030.

Collectanea Sacrae Congregationis de Propaganda Fide seu Decreta Instructiones Rescripta pro Apostolicis Missionibus. 1622–1866, I, Roma 1907.

LORENZO PÉREZ, „Relación de la persecución en China (1664–1666) por Fr. Antonio de Santa Maria", in *Archivo Ibero-Americano* VI/VIII/X (1915), pp. 1-80.

MATTEO RICCI, *Della entrata della Compagnia di Giesù e Christianità nella Cina*, ed. a cura di P.M. D'ELIA col titolo *Storia dell' introduzione del Cristianesimo in Cina*, 4 vol., 1942–1949.

ALESSANDRO VALIGNANO, *Il cerimoniale per i Missionari del Giappone*, a cura di J.F. SCHUTTE, Roma 1946.

BIBLIOGRAPHIA SELECTA

BARRY, P., „The Chinese Rites Controversy", in *Tripod* 12 (1982), 140-151.

BERNARD-MAITRE, H., s.v. „Chinois (Rites)", nel dizionario *Catholicisme*, II, 1949, 1060-1063.

———, „Rome et les 'Rites'", in *Rythmes du monde* 3 (1950), 13-20.

———, s.v. „Chine", in *Dictionnaire d'Histoire et de Géographie ecclésiastique*, II, 1953, 693-741.

BIOT, E., *Dictionnaire des Noms anciens et modernes des Villes et Arrondissements dans l'Empire chinois*, Paris 1842.

BLONDEAU, R. A., *Ferdinand Verbiest (1624–1688). Als Oost en West elkaar ontmoreten*, Tielt–Bussum 1983.

BONTINCK, F., *La lutte autour de la liturgie chinoise aux XVIIe et XVIIIe siècles*, Louvain 1962.

BORNET, P., „L'apostolat laique en Chine aux XVIIe et XVIIIe siècles", in *Le Bulletin Catholique de Pékin* 35 (1948), 1-27.

BOXER, C. R., „The Portuguese Padroado in East Asia and the Problem of the Chinese Rites, 1576–1773", in *Instituto Portugues de Hong Kong, Boletim* 1 (1948), 197-226.

———, „Portuguese and Spanish Rivalry in the Far East During the 17th Century", in *Journal of the Royal Asiatic Society* (1946–47), 150-164, 91-105.

BRAGA, J. M., „Jesuitas na Asia", in *Boletim Eclesiastico da Diocese de Macau*, marzo 1959, 199-219.

BROU, A., „Les jésuites sinologues de Pékin et leurs éditeurs de Paris", in *Revue d'Histoire Des Missions* 11 (1934), 551-566.

CHEN, S., *Historia Tentaminum* ..., Roma 1951.

CONZE, E., *Breve storia del Buddhismo*, Milano 1985.

CORDIER, H., *Bibliographie des ouvrages publiés en Chine par les europeens au XVIIe et au XVIIIe siècle*, Paris 1901.

———, *Histoire generale de la Chine et de ses relations avec les pays etrangeres* ..., Paris 1920.

———, *Bibliotheca Sinica, Dictionnaire bibliographique des ouvrages relatifs à l'empire chinois*, Paris 1904–1924.

CUMMINS, J. S., *Travels and Controversies of Friar Domingo Navarrete. 1618–1686*, Cambridge 1962.

——, „Two Missionary Methods in China: Mendicants and Jesuits", in *Archivo Ibero-Americano* 38 (1978), 33-108.

DEHERGNE, J., „Les congregations dans l'empire de Chine aux XVIIe et XVIIIe siècles", in *Maria. Etudes sur la Sainte Vierge* IV (1956), 965-980.

——, *Repertoire des Jésuites de Chine de 1552 a 1800*, Roma - Paris 1973.

——, *Inventaire de la Mission de Chine aux XVIe, XVII et XVIIIe siècles*, Paris 1974.

DEHERGNE, J., „La 'Correspondance Lettéraire des missionaires de Chine", in *Revue de Syntèse* 97 (1976), 111-114.

——, „Les historiens jésuites du Taoisme", in *Actes du Colloque International de Sinologie. Chantilly 1974*, Paris 1976, 59-67.

——, „Pour une édition critique des *Lettres Edifiantes*: les lettres concernant la Chine", in *Actes du XXIXe Congrès International des Orientalistes*, Paris 1977, 97-102.

——, „L'exposé des jésuites de Pékin sur le culte des ancêtres présenté à l' empereur K'ang-hi en novembre 1700", in *Actes du IIe Colloque Internationale de Sinologie. Chantilly 1977*, Paris 1980, 185-229.

——, „Lettres annuelles et sources complémentaires des missions jésuites de Chine", in *Archivum Historicum Societatis Iesu* 51 (1982), 247-284.

——, „Un problème ardu: Le nom de Dieu en chinois", in *Actes du IIIe Colloque International de Sinologie. Chantilly 1980*, Paris 1983, 13-44.

D' ELIA, P. M., *Catholic Native Episcopacy in China Being an Outline of the Formation and Growth of the Chinese Catholic Clergy, 1300–1926*, Shangai 1927.

——, „I metodi dei grandi missionari della Compagnia di Gesù alla luce dei recenti documenti pontifici", in *La Compagnia di Gesù e le scienze sacre ...*, Roma 1942.

——, *Storia dell' introduzione del Cristianesimo in Cina*, Roma 1942–1949.

——, „Echi delle scoperte galileiane in Cina vivente ancora Galileo (1612–1640)", in *Atti della Accademia Nazionale dei Lincei. Rendiconti della Classe di scienze morali, storiche e filologiche* 1 (1946), 125-193.

——, *Galileo in Cina. Relazioni attraverso il Collegio Romano e i gesuiti scienziati missionari in Cina (1610–1640)*, Roma 1947 (Analecta Gregoriana 37).

——, „Sunto storico dell' attività della Chiesa Cattolica in Cina dalle origini ai nostri giorni (635–1294–1948)", in *Studia Missionalia* 6 (1951), 3-68.

——, „La lingua cinese nella liturgia e i Gesuiti del sec. XVII“, in *Civiltà Cattolica* III (1953), 55-70.

DESGRAVES, L., „Notes de Montesquieu sur la Chine“, in *Revue Historique de Bordeaux* 7 (1958), 199-219.

DIDIER, H., *Saint Francois Xavier. Correspondance 1535–1552. Lettres et Documents*, Paris 1987.

DUNNE, G. H., *Generation of Giants*, Notre Dame 1962.

ETIEMBLE, R., *Les jésuites en Chine. La quérelle des rites (1552–1773)*, Paris 1964.

——, „Le Bouddhisme chinois vu par les jésuites confucéens“, in *Sviluppi scientifici, prospettive religiose, movimenti rivoluzionari in Cina*, Firenze 1975, 103-114.

GARIN, E., „Alla scoperta del ‘diverso’: i selvaggi americani e i saggi cinesi“, *in Rinascite e rivoluzioni. Movimenti culturali dal XIV al XVIII secolo*, Bari 1975, 327-363.

GATTA, S., „‘Stregoni’ e Mandarini. Lo sciamanesimo nella religione tradizionale cinese“, in *Abstracta* 49 (1990), 46-51.

GERNET, J., *Cina e Cristianesimo. Azione e Reazione*, Alessandria 1984.

GONZALEZ, J. M., *Historia de las Misiones Dominicanas de China. 1632–1700*, I, Madrid 1964.

——, *Biografia del Primer Obispo Chino, Excmo Sr. Gregorio Lo o López*, Manila 1946.

GRECO, E. M., *Cenni storici dell’ Ordine Francescano*, Lecce 1937.

GROSSUET, R., *Storia della Cina*, s.l., 1946.

Handbook of Oriental History, ed. by C. H. PHILIPS, London 1951.

HARRIS, G.L., „The Mission of Matteo Ricci, S.J.: A Case Study of an Effort to Guided Culture Change in China in the Sixteenth Century“, in *Monumenta Serica* 25 (1966), 1-68.

HERAS, H., „Two Missionary Methods in the Nations of Ancient Civilisation“, in *Studia Missionalia* 6 (1951), 179-198.

HEYNDRICKX, J. (ed.), *Philippe Couplet, S.J. (1623-1693). The Man Who Brought China to Europe*, St. Augustin - Nettetal 1990 (Monumenta Serica Monograph Series XXII).

HOANG, P., *Catalogue des tremblements de terre signalés en Chine d’ après les sources chinoises (1767 av. J.C. - 1895 après J.C.)*, Chang-hai 1909.

HO YEN-LONG, M., *Una figura misionera indigena (...) Gregorio Luo Ven-Tchao, Primer Vicario apostolico y Obispo Chino (1685-1691).* Tesi di dottorato alla Pontificia Università di Propaganda Fide, 1959.

JENNES, J., „A propos de la liturgie chinoise", in *Neue Zeitschrift für Missionswissenschaft* II (1946), 241-254.

JOSSON, H. - WILLAERT, L., *Correspondance de Ferdinand Verbiest de la Compagnie de Jésus (1623–1688) Directeur de l' observatoire de Pékin*, Bruxelles 1938.

LACH, D. F., „Propaganda Fide and the China Mission: Seventeenth century", in *International Symposium on Chinese-Western Cultural Interchange in Commemoration of the 400th Anniversary of the Arrival of Matteo Ricci, S.J. in China*, Taipei 1983, 298-310.

LAMALLE, E., s.v. „Couplet (Philippe)", in *Enciclopedia Cattolica* IV, 1950, 787.

LANCIOTTI, L., *Cina*, Novara 1980.

LATOURETTE, K. S., *A History of Christian Missions in China*, London 1929.

LAUNAY, A., *Histoire des missions de Chine. La mission du Se-Tch'oan*, II, Paris 1920.

LAURENTIN, R., *Cina e cristianesimo. Al di là delle occasioni mancate*, Roma 1981.

LECHMERE, J., „Jesuit and the Chinese Emperors", in *Ecclesiastical Review* 105 (1941), 397-405.

LEVI DELLA VIDA, G., *Ricerche sulla formazione del più antico fondo dei manoscritti orientali della Biblioteca Vaticana*, Città del Vaticano 1939 (Studi e Testi 92).

LUNDBAEK, K., „The Image of Neo-Confucianism in *Confucius Sinarum Philosophus*" in *Journal of the History of Ideas* 44 (1983), 19-30.

———, *The Traditional History of the Chinese Script From a Seventeenth Jesuit Manuscript*, Aarhus 1988.

LUST, J., *Index Sinicus. A Catalogue of Articles Relating to China in Periodical and Others Collective Publications. 1920–1955*, Cambridge 1964.

LUZBETAK, L. J., s.v. „Adaptation (Missionary)", in *New Catholic Encyclopedia* I, 1967, 120-122.

Manuscritos da Ajuda, a cura di A. DA SILVA REGO, Lisboa 1966.

MARGIOTTI, F., „Congregazioni Mariane della antica missione cinese", in *Das Laienapostolat in den Missionen* Schöneck-Beckenried 1961, 131-153.

———, „Congregazioni laiche gesuitiche della antica missione cinese", in *Neue Zeitschift für Missionswissenschaft* XVIII (1962), 255-274.

———, „La Cina, ginepraio di questioni secolari“, in *Sacrae Congregationis de Propaganda Fide Memoria Rerum*, I/2 [1622–1700], Roma 1972, 597-631.

MARTINELLI, F., *Storia della Cina*, Milano 1967.

METZELER, J., *Die Synoden in China, Japan und Korea: 1570–1931*, Paderborn 1980.

MINAMIKI, G., *The Chinese Rites Controversy From its Beginning to Modern Times*, Chicago 1985.

Monumenta Xaveriana, Madrid 1899–1912.

NEEDHAM, J., *Science and Civilisation in China*. 3: *Mathematics and the Sciences of the Heavens and the Heart*, Cambridge 1959.

NEYENS, M., „Twee Brieven van P. Philip Couplet, S.J., missionaris in Chinaen diens betrekkingen tot de Oost Indische Compagnie“, in *Studia Catholica* III (1926-27), 33-51, 119-135.

PELLIOT, P., *Le veritable auteur des „Elementa Linguae Tartaricae“*, Leiden 1922.

PFISTER, L., *Notices biographiques et bibliographiques sur les jésuites de l' ancienne mission de Chine, 1552–1773*, Chang-hai 1932.

PINOT, V., *Documents Inédits ...*, Paris 1932.

———, *La Chine et la formation de l'esprit philosophique en France (1640–1740)*, Paris 1932.

RABIKAUSKAS, P., *Diplomatica Generalis*, Roma 1989.

RECONDO, J. M., *San Francisco Javier, vida y obra*, Madrid 1988.

REISHAUER, E. O. - FAIRBANK, J. K., *Storia dell' Asia Orientale*, I, Torino 1974.

RETIF, A., „Missionary et Savants Dans le Domaine Linguistique“, in *Studia Missionalia* 7 (1952), 391-413.

REUSENS, J., s.v. „Couplet (Philippe)“, in *Biographie Nationale de Belgique* IV, Bruxelles 1872, coll. 419-421.

RONAN, C. E. - BONNIE, B. C. (eds.), *East Meets West: The Jesuits in China, 1582–1773*, Chicago 1988.

ROULEAU, F., s.v. „Chinese Rites Controversy“, in *New Catholic Encyclopedia* III, 1967, 611-617.

ROWBOTHAM, A.M., *Missionary and Mandarin. The Jesuit at the Court of China*, Berkeley 1942.

SAEKI, P., *The Nestorian Documents and Relics in China*, London 1928.

SAINSAULIEU, J., „Le confucianisme des jésuites“, in *Actes du Colloque International de Sinologie. Chantilly 1974*, Paris 1976, 41-57.

SCHURHAMMER, G., „De scriptis spuriis S. Francisci Xaverii", in *Studia Missionalia* 1 (1943), 1-50.

——— - WICKI, J., *Epistolae S. Francisci Xaverii*, Roma 1945.

———, *Francis Xavier, His Life, His Times*, IV, s.l., 1982.

SCHÜTTE, J. F., *Documentos del „Archivo del Japón" en el Archivo Histórico Nacional de Madrid*, Madrid 1978–79.

SEBES, J., „La strategia missionaria della Compagnia di Gesù in Estremo Oriente nel sec. XVII", in *Scienziati siciliani gesuiti in Cina nel secolo XVII*, Roma 1985, 83-102.

SHIH, J., *Le Père Ruggieri et le probleme de l'évangélisation en Chine*, Roma 1964.

Sinica Franciscana II, IV, VII, VIII, a cura di A. VAN DEN WINGAERT, G. MENSAERT, F. MARGIOTTI, A. SISTO ROSSO, 1929–1975.

SOMMERVOGEL, C., *Bibliothèque de la Compagnie de Jésus*, Paris 1890–1932.

STANDAERT, N., „L'inculturation et la mission en Chine au XVIIe siècle", in *Eglise et mission* 65 (1985), 2-24.

_____, „The Jesuit's Preaching of the Buddha in China", in *China Mission Studies (1550–1800) Bulletin* 9 (1987), 38-40.

STREIT, R., *Bibliotheca Missionum*, V, Aachen 1929.

TACCHI VENTURI, P., „L' eredità del P. Matteo Ricci in Cina", in *Onoranze nazionali al P. Matteo Ricci* ..., Roma 1911, 99-106.

TALCOTT HIBBERT, E., *Jesuit Adventure in China During the Reign of K'ang Hsi*, New York 1941.

TESTORE, C., „Una gara astronomica in Cina nella reggia imperiale di Pekino (1663–1669)", in *Missioni della Compagnia di Gesù* 8 (1922), 361-364, 376-378.

THOMAS, A. C. M., *Histoire de la mission de Pékin*, I, Paris 1923.

VANDER HEYDEN, W., *Het leven van Pater Petrus Van Hamme missionaris in Mexico en China (1651–1728)*, Gand 1871.

VAN HECKEN, J., s.v. „Couplet (Filip)", in *Nationaal Biografisch Woordenboek* II, Bruxelles 1966, 143-145.

VAN HEE, L., „Les Jésuites Mandarins", in *Revue d'Histoire des Missions* 8 (1931), 28-45.

_____, „Le Bouddha et le premiers missionaires en Chine", in *Asia Major* 10 (1935), 365-367.

VAN KLEY, E., „Buddhism in early Jesuit reports: The parallel case of China and Tibet", in *International Symposium on Chinese-Western Cultural*

Interchange in Commemoration of the 400th Anniversary of the Arrival of Matteo Ricci, S.J. in China, Taipei 1983, 803-818.

_____, „Chinese history in seventeenth-century European reports. A prospectus", in *Actes du IIIe Colloque international de sinologie. Chantilly 1980*, Paris 1983, 195-210.

WALDACK, C. F., „Le Père Philippe Couplet, malinois, S.J., missionaire en Chine (1623–1694)", in *Analectes pour servir à l'histoire ecclésiastique de la Belgique* IX (1872), 1-31.

WEBER, M., „The Chinese Literati", in *From Max Weber: Essays in Sociology*, ed. by H. H. GERTH and C. WRIGHT MILLS, New York 1953, 416-444.

WEI, L., „La lutte autour de la liturgie chinoise aux XVIIe et XVIIIe siècles", in *Revue Belge de Philologie et d'Histoire* 43(1965), 589-595.

WICKI, J., „Liste der Jesuiten-Indienfahrer, 1541–1758", in *Aufsätze zur Portugiesischen Kulturgeschichte* 7 (1967), 252-450.

YOUNG, J. D., *Confucianism and Christianity: The First Encounter*, Hong Kong 1983.

ZUBILLAGA, F., *Cartas y escritos de San Francisco Javier*, Madrid 1968.

INDICE GENERALE

Comp. ROMAN MALEK, S.V.D.

Facsimile

BREVE RELATIONE DELLO STATO E QUALITÀ DELLE MISSI/ONI DELLA CINA, COMPOSTI DAL P. FILIPPO COUPLET FIA/MINGO DELLA COMPAGNIA DI GIESÙ PROCURATORE A ROMA PER QUELLE/ MISSIONI, DEDICATA AGLI EMINENTISSIMI E REVERENDISSIMI SIGNORI CARDINALI/ DI PROPAGANDA

A.R.S.I., *Jap. Sin. 131*

Jap.[a] Sin. 131.

Historia Sinica a 1. annis
1658 scripsit
P. Philippus Couplet
et obtulit S. Congreg: d. p. f.

Anno 1688.

Breve Relatione dello stato e qualità delle Missioni della Cina composti dal P. Filippo Couplet Fiamingo della Comp.ia di Giesù Proc.re à Roma per quelle Missioni dedicata agli Em.mi e Rev.mi Sig.ri Cardinali di Propaganda.

Parte Prima

§. E.mo

Vengo mandato dall' ultime parti dell Oriente, e dalla gran Corte di Pekin Proc.re delle Missioni della Cina, acciò à nome del P. Ferdinando Verbiest Provinciale della stessa Prov.a e Superiore di tutti gli Operarij della n.ra minima Comp.ia à lui subordinati secondo il costume di quei Paesi con la riverenza e veneratione solita à patticarsi con quei Principi in ginocchij e con la testa nove volte prostrata à terra adori la Santità sua, e professandom.te m.e humiliss.o all' EE. VV. ciò è alla S. Cong.ne de Propaganda fide, e di più supplichevole ne riceva i commandamenti, e ne implori quel favore e beneficenza che suole dall' EE. VV. propagarsi, estendersi per tutt' il mondo, in accrescim.to della Religione Catt.ca et in estirpatione dell' Idolatria.

Giunsi nella Città di Macao l'anno 1680, donde l'anno 1681 ne partij à 5. di Decembre. Questo anno stesso fù il centesimo della Missione Cinese fondata da' P.P. della Comp.ia Italiani Michele Ruggerio Matteo Ricci, e Francesco Pasio.

Fù dalla Christianità di tutta la Cina nelle nostre Chiese celebrata la memoria di questo Giubileo agli 8. di Settembre giorno dedicato à natali della gran Madre di Dio, per il qual titolo ancora habbiamo ardire di sperare la benignità delle EE. VV. con la quale consolino chi con le fatighe, pericoli, e persecutioni d'un secolo, è stato sbattuto, e travagliato, ed aggiungano nuovi, e più forti stimoli all'animi d'ogni un di noi, e di coloro che aspirano à quelle Missioni, per poter sopportare à gloria di Dio,

ad accrescim.^te della Chiesa Romana, ed à salute dell'anime desiderata uni-
cam.^te dall' PP. VVe le fatighe e stati del secolo auuenire.

Haueua deliberato esporre minutam.^te quanto in questo secolo passato à pro della Relig.^ne catt.^ca erasi operato, commnciando il racconto sin da
primi trent' anni doppo la morte di S. Sauerio in cui la Fede Catt.^ca rotte qu
le porte di diamante, che gli hauea opposte la perfidia, comparue nella China bambina, indi crebbe nel mezzo di persecut.^ni, patim.^ti e fatighe sino alla
sua giouentù, in cui tutt'hora si troua robusta e de' suoi nemici trionfante. Ma sentendo le calunnie, e menzogne stampate in questo triennio del
mio viaggio contro i nostri Promulgatori del Vangelo, e sparse per la Spagna, francia, fiandra, et Italia, hò giudicato meglio soprasedere da una si
lunga e forse non grata narratione. In tanto confidato nella benignità
dell' PP. loro, che san gradir molto, anche il poco, ardisco offerire loro ques
semplice Catalogo de' Padri della nostra Comp.^a i quali per un'intiero secol
lauorarono nella vigna Cinese e sparsero la semenza di Christo per 12. vas-
tissime Prouincie, dal frutto delle quali sarà agevole à raccogliersi la qualità e bontà de' Coltiuatori.

Questo Catalogo fù la prima volta stampato in lingua Cinese l'anno 16..
con l'approuat.^ne ed autorità de primi Licentiati Han yu Cum et Cham en-
indi accresciuto di più e più libri e sogetti sopraueuuti, e finalm.^te in ques
ultimi anni è stato ristampato. egli in se contiene, i nomi, cognomi, e
di 106. nostri Sacerdoti, che nell'estension d'un secolo s'impiegarono in salute delle anime; assegna di più l'anno in cui la prima volta posero
piede nella China, le Prouincie doue si portarono à predicar la fede;
in qual parte della China, hebbero il
sepolcro; e finalm.^te dassi ragguaglio della qualità e quantità de libri dati
alle stampe Cinesi da' nostri Padri di materia sacre 126, di Scienze matematiche, filosofiche, e morali 89. et in ultimo 486. Volumini annu-
merati frà i nostri e mandati alla luce da Conuertiti Cinesi.

2 11

§. 2°.

Per qual fine fosse stampato nella China questo Catalogo.

Essendo la Natione Cinese non meno ricca d'ingegno, che auida di sapere; conuenne notificarsi à Studiosi, e curiosi Lettori il numero de libri e delle materie mandate in luce, acciò potessero ageuolm.te procacciarseli et apprendere da quelle morte carte con uiua fauella, i sodi fondam.ti della nostra Religione, e detestare le vane fintioni della loro falsa superstitione. di più acciò remanesse qui in Europa qualche pegno e memoria delle nostre fatiche, tutte indrizzate alla gloria Diuina, et alli accrescim.ti trionfali della Chiesa sua Sposa. Quindi è che tutti quei libri, che potti hauer nelle mani, inuolati alle fiamme della ultima persecut.ne, che ne consumò molti, hò meco portati, per tributarli come è di douere à Santissimi piedi del regnante Innocenzo: acciò finalm.te trouasse nella libraria Vaticana qualche angolo da riporsi questa operetta del primo secolo e piccola libreria Cinese: Dalche ne potrà nascere almeno questo di frutto, che se mai verranno (e verranno forse una volta Europei intendenti de caratteri Cinesi) potranno esaminare i nostri libri singolarm.te quelli spettanti à dogmi di Religione, e far palese al mondo che cosa habbiano in quelle parti predicato i nostri Padri, i quali non poterono promulgare altro che ciò che scrissero, nè contradirsi e sparger tenebre d'errori contra la luce de' proprij libri, che hauerebbero richiamato manifestam.te contro di loro, qual'ora hauessero insegnato l'opposto egli hauerebbono fatti rei di seuera riprensione appresso gli Europei iui dimoranti et esposti allo scherno di quella ingegnosa Natione. In questi libri dunque trouerà il perito Lettore esser stato predicato da primi nostri Padri della Missione Giesù Christo, e questo Crocifisso: Leggerà nel Simbolo stampato del P.re Rogerio l'anno 1584. stesam.te spiegata la passione di Christo, e la riuederà nel Gr.mo Catechismo chiamato Kiao yao. Trouerà nel libro del P. Ferreira et in quello del P. Froes le meditationi sopra le piaghe di Cto. per lasciare molti altri, i quali da studiosi Lettori possono

facilm.te vedersi. E pure siamo calunniati di non hauer predicato Christo
Crocifisso mentre oltra i libri che di Christo parlano e la sua Passione
spiegano: posso produrre più di 130 Chiese e d'altri tanti Oratorij, doue
ogni venerdì in memoria dalla Passione dauanti un'imagine del Crocifisso
finite le solite preghiere si flagelano i Congregati, oltre i libri instrutti
trouerà chi leggo altri tutti intesi à debelar Idolatria, quali potrebbono bas-
tare à rimouer da noi ogni menzogna fabricata dall'inuidia. Di più chi
mai di fermo e sano giuditio potrà persuadersi che persone religiose, p. altro
di patrie si diuersi, si constantem.te per quasi 100. anni siano conuenuti in
una stessa sentenza, la quale permettesse à suoi Neofiti ombra alcuna di
Superstitione, e volesse concio metter à pericolo d'eterna damnatione l'anime
loro, doppo hauer superati tanti pericoli in mare ed in terra, con somma penuria di tutte le cose, sapendo per altro non esser loro lecito com-
metter, ne pure un peccato veniale, quantunque da quello ne potesse pro-
venir la salute del mondo. Finalm.te trouerano altri libri spettanti, si à virtù morali, come anche alle scienze filosofiche, astronomiche
le quali sogliono cagionar in queste parti grand'ammiratione dell'ingegno
Europeo. Questo concetto del nostro sapere suol condurre di molti alla
fede catt.ca da insinuarsi loro, argumentando in tal guisa: non poter esser che soda e uera quella Religione, la quale abbracciano huomini di si
grand'ingegno, e in tante scienze periti. Di questo argomento si ser-
uì efficacem.te un principale Tartaro nel Consiglio Cinese, mentre trat-
tauasi del ritornar dall'esilio della Prouincia di Canton de nostri Padri,
dicendo, se l'astronomia del P. Ferdinando e si regolata, e conforme à
moti del Cielo come noi habbiamo osseruato, che non ne apparisce
ombra di fallo, come potremo temere d'inganni per quello che si spetta alla sua Religione?

Di più
~~[illegible]~~

Di più un'altra maggiore di non minor momento mi hà spinto à di-
vulgare questo catalogo in stampa Cinese, acciòche essendo per il genio della
tione politica e per l'innata aversione da forastieri poco sicure le cose Christiane
di questa missione, e potendo accadere per grandi vicende de' tempi per l'insta-
bilità de' Cinesi, e de' Tartari, e per l'incertezza de' favori Reali, e della continuatione
della nostra Astronomia, che li predicatori dell'Evangelio siano cacciati da
tutto l'imperio, acciòche dio possa prendersi una volta occasione d'implorare il ritorno con questo solo titolo, che ci sia lecito di far sacrificij à Xpo
Sig.re del Cielo per l'anime de' nostri maggiori Pri e fratelli di rinovare la loro
memoria e ristorare le sepulture già quasi distrutte al quale Offitio di pietà
tanto li Tartari quanto li Cinesi stimano una gran sceleratezza il resistere,
e contradire. Quindi à questo fine le sepolture di quelli della nra Comp.a
(che secondo il costume della Natione si fabricano fuori della Città) in questi
ultimi tempi sono state erette in luogo e forma più decente. in tal paese ancora, come fuori della metropoli della Provincia Nankim havendo à pena
lasciate vestigie di se per l'inondationi dell'acque sono state trasferite in
luogo più alto inalzatovi un gran sasso, nel quale si legge scolpito il nome
di Gesù con altri nomi de defonti e la predicatione e morte. Per la med.ma
cagione ancora altrove tre miglia Italiane lontano dalla metropoli della
Provincia Che Kiam in una cassa di Pietra furono più honorevolm.te collo-
cati li cadaveri di dieci della Comp.a trà quali il corpo del P. Martino Martini sepolto 18 anni prima, fù trovato intiero et incorrotto, senza puzza
alcuna con la barba, e legami intieri non senza gran meraviglia mia, e di
molti altri si Christiani come Gentili che si trovarono presenti à vederlo.
Quindi ancora acciò si stabilissero meglio alcune Chiese e case nostre che habbiamo fabricate nove sepolture comperatone prima il luogo. Così quando
doppo la persecutione ciascuno ritornò alle sue Chiese, il Cadavero del P.
Francesco Brancati, il quale in Canton nel med.mo anno poco avanti del nro
ritorno morì, per quasi 300 leghe fiaminghe fù trasportato à seconda del

fiume, accio sepelendosi nel nuovo sepolcro fabricato da Christiani con grandi
spese fossero la nostra casa, e tante illustri Chiese d'attorno maggiormente
concio stabilite. Cosi ancora il P. Giacomo Motel portò in una cassa il
Corpo di Claudio suo fratello, il quale era morto nel ritorno dell'esilio alla
nostra sepoltura posta fuori della metropoli della Provincia Kiamsi, della
quale di nuovo Canollo con il corpo di Nicolò pure suo fratello e seco tras-
portollo nella provincia ampissima Huquam, doue fuori della Metropoli in un campo da se comprato restitui ambe due alla terra preparando
insieme à se il luogo vicino à suoi fratelli si per prouedere in auuenire alla
Chiesa metropolitana di quella Prouincia, si accio un'istesso seno della terra
richiudesse quei tre fratelli da un istesso ventre di Madre in Francia donati
al mondo, alla Comp.ia et alla Missione della Cina, finalm.te à solliuo della Christiana pietà et à ribattere le Calunnie de' Gentili, che dicono non essere tra Christiani rispetto alcuno verso de' Defonti pare santam.te instituito che essendo noi
esclusi rimanghino anche doppo molti secoli questi monumenti e memorie
della nostra Religione predicata in questo Regno in quella maniera che nella
Prouincia Xensi anche oggi si vede una memoria di pietà scauata l'anno 162
dalla quale si conuince che sessanta Religiosi Sacerdoti e Vescovi (i nomi de quali
sono iui ~~[illegible]~~ scolpiti in lett.e Siriache) andati dalla Palestina annunciarono nella
Cina la Christiana Relig.ne l'anno incirca 600 doppo di Christo: della qual cosa
anche fà mentione un libro arabico, sicome io intesi già in Parigi: oltre à cio
nelle nostre sepolture ouero orti vicini alla Città stà affisso alle porte un titolo
con lett.re assai grandi il di cui senso è questo. Sepultura de Maestri Religiosi della Compagnia di Giesù dell'occidente remoto. Accanto poi in varij
luoghi sono edificate chiese, e Capelle per celebrarui in tempi stabiliti la messa
se se u'è Sacerdote, ò se non u'è per farui orationi per suffragio de Defonti con-
correndoui li Christiani, li quali da per tutto perciò cercano à gara di fare
le sue sepolture vicine alle nostre.

§. 3.

1

§. 3°.

Stato della missione ritornato all'essere di prima doppo il ritorno dall'esilio.

Riducendo ora lo stato delle cose ch'esponga in qual'essere si ritrovi lo stato della missione da che ritornammo dall'esilio di Pekin nell'anno 1671, e ripigliammo l'investitura delle Chiese, delle quali eravamo stati spogliati, come voi di loro Maestà, onorevolmente richiamati per commandamento dello stesso Imp.re dopò la relegatione di sei anni. Io qui non dico quanto glorioso fosse il nostro ritorno, che parve un grandissimo miracolo à quelli che erano prattici del genio di questa Natione tanto politica, e tenace delle sue leggi contro de' forastieri, e delle religioni pellegrine: Imperciochè cosa più facile si era che trovandosi venti tre huomini stranieri sula spiaggia del mare nella porta dell'Imperio rimandarli indietro anco senza taccia di cortesia, con qualche sussidio di viatico, dicendo che s'approvava la Religione nostra come quella, che nella publica radunanza di tutto l'Imperio doppo la deliberatione di sei giorni era stata dichiarata che non conteneva in se cosa alcuna di cattivo, ò che sapesse di ribellione, mà che non pareva giusta ne pia cosa lasciati i Parenti et amici divisi per un mondo doppo haver tolerato tante fatiche, e pericoli di mare, e di terra annuntiarla quivi. Al certo pare cosa incredibile et una frottola à questi Atheopolitici, quando noi ci protestiamo di patir volontieri tanti travagli per darglì la cognitione di Dio, e della Gloria Celeste (che non può commettersi dal senso) e pensano che sotto queste parole vi sia nascosto non sò che, il quale à suo tempo una volta uscirà fuori: mà à questi discorsi politici ostò la sola Astronomia Europea, anzi l'unico frà tutti che ardisse d'assumersi la cura di essa, il P. Ferdinando Verbiest Fiamingo della nostra Comp.ia il quale pare che sia stato riservato con particolar providenza da Dio à questo tempo, et à questa singolar impresa: Percio essendo stato due volte in Sevilla per passare nell'America, e nell'anno 1647. meco, e doppo nell'1655. fù respinto à dietro. Di poi ritornato à Roma s'accompagnò col P. Martino Martini con cui partì per la Cina.

Numerava all'hora la nrã Comp.a nella Cina 9. Collegij 41. Residenze, e per non parlare degli Oratorij 159 chiese. Il numero de' Christiani era sopra 200m. la prima sollecitudine de' nostri Padri, fu di rimettere in essere, e ripolire gli altari sporcati dalla superstitione gentilesca, e ridurli alla antica forma di Religiosa maestà, consolare i Christiani rimasti per tanto tempo orfani di Padri e Pastori, confortarli co' Sacramti. de quali erano stati gran tempo digiuni, salvo che una sol volta quando furono con pastoral cura e frutto visitati dal Revmo. P. Gregorio Lopez Cinese e vero figliuolo di S. Domenico, il di cui instituto haveva professato huomo ugualmte. nella prudenza, e nel zelo che in tutte l'altre virtù segnalato.

Non minor cura e fatiga posimo in ridurre alla fede coloro, che per timor di persecutione, e natural'inconstanza à Cinesi molto familiare, ò haveano abbandonato, ò dissimulato il culto della vera Religione, ne senza gran frutto mentre costoro pentiti del fallo commesso, diedero segno di molto pentimto. e sommo fervore.

Ciò eseguito si rivolse da' nostri ogni pensiero in ristorare i libri col nostro esilio consumati, e dispersi, sapendo benissmo. che nell' Armeria de Cattolici non v'era arme più possente per espugnare gli animi alieni della vera Religione de Libri, i quali oltre essersi stesi nella Cina si sono penetrati ne' Regni del Giappone, Corea, Tunkim, Filippine, Cambogia, Siam, e due Provie. e altri luoghi della stessa Cina, dove per anco non hanno potuto penetrare i Missionanti Europei. Longo sarebbe ridirne tutte le vittorie che della superstitione anche invecchiata riportate ne hanno. tre o quattro ne accenno brevemte. Un certo nominato Ceu nella Provcia. Huquam huomo inoltrato nell'età et in mezzo alle prefetture, stimato molto dotto, non havendo veduto mai huomo europeo si come giunto alla sola lettione d'un libro, si battezzò, ed il di lui esempio seguirono 40 della sua famiglia, et altri 50 conoscenti, talmte. che in quel luogo fu eretta una Chiesa, che ogni giorno più

nella pietà

5

nella pietà, e religione s'avvanza. Lo stesso puol dirsi di due altri Capitani
di gran nome, i quali letti i nostri S. precetti, e digiuni soliti à farsi, li osser-
varono molti anni, essendo ancòra Idolatri; finalmente spinti à professare quella fede, i di cui precetti haveuano in parte adempiti si resero Cattolici. Un di q.
p nome Ciao ritornando dalla vendetta del suo esercito quasi consapevole
della sua morte vicina, si fece battezzare, indi spirò. Un altro per nome Heu,
quasi ottogenario, morta già la sua Concubina si battezzò con 70. capi di Casa,
e morto di lì ad un anno, lasciò 700 scudi p fabricare la Chiesa, nella quale
già si numerano molti Christiani nel celebre Emporio Sun ceu della Provincia
di Nanchim.

Un vice Rè di quattro Provincie chiamato Su alla lettione di libri Cattolici si
diè vinto à Xpo, la di cui Imagine portò ad adorarsi nel Palazzo piegandosi ad
essa in oratione col capo prostrato in terra tutti li giorni. Lo stesso av-
venne ad un altro stato quattro volte V. Rè di più Provincie nominato Tum, il
quale letti i Dogmi Evangelici ancòr gentile hà fabricato chiese stampato ca-
thechismi, e doppo rinunciate le dignità offertegli, gli agi, e le lusinghe della
carne, contento di sua vera Moglie si ritirò à passare il resto della vita x
conducendo seco una gran turba di suoi servi, costanti in un'istesso proposito.
Dal che si vede, quanto di bene farebbesi, se in Europa si facesse una fondatione, di stampare ogn'anno e propagare libri in ossequio della fede,
e conversione de Popoli.

x al Palazzo di Nanchim p attendere à [illegible] solo et all'anima sua =

§ 4°

Nasce frà tanto una nuova guerra per tutto l'Imperio.

Mà per ritornare colà donde siamo partiti tre anni [illegible] il ritorno
alle Chiese, mentre attendiamo in riformare, e ristorare la Christianità, ecco
nascer un nuovo turbine della guerra, che scosse tutto l'Imperio, e talmente mise
in timore ogni cosa che nella corte stessa si trattava di ritirarsi nella Tar-

taria, e l'istesso nostro P. Ferdinando pensava di trasportare altrove i suoi libri, in-
stromenti, et ogni altra cosa di mattematica, non dubitando che l'Imper.re il vo-
rebbe condur seco rimanendo frà tanto tre altri della Comp.a in mano della Divina
Providenza nella Corte di Pekin; e però brevem.te la cosa conforme potrò ricordarmi
benche paia che non apparténga à noi, lasciando che altri siano più diffusi in q.ta
ampia materia d'una guerra che durò 8. anni.

Nell'anno 1673. Usangueyo benche già vecchio Rè potent.mo della Prov.cia Yunan
il quale non però avanti Zavona con poca prudenza intromessi nella Cina questi
Tartari Orientali, chiamato dall'Imper.re alla Corte per mutargli il Regno ricusava
di venire, anzi di più infastidito del giogo de Tartari, tentò con quest'occasione di
scuoterlo dal collo suo, e de' suoi: radunato un grand' essercito si fè Padrone non solo
della Prov.cia Yunnan, mà anche di due altre vicine Queycheu, e Suchuen: divulgò
anco un nuovo Calendario secondo l'antica norma de' Cinesi, quasi per contrasegno
dell'Imperio affettato, e il med.mo tramise con certi Ambasciatori al Rè del Tonchino
e della Cocincina, il quale però fù rigettato dal Rè Tonchinense, che con ambasciaria
à posta professò all'Imp.re obedienza; inoltre avelando la quarta Prov.cia Huquan una
delle maggiori se n' impossessò d'una metà; e p. l'altra combattè più volte si p. terra come
p. acqua in un lago vastiss.mo à guisa di mare, vincendo p. lo più e fugando i tartari.

Due anni doppo altri due Rè giovani tocchi dal contagio di questa ribellione
d'Usangueyo essendo anche essi stati chiamati alla Corte benche doppo si dasse loro licenza
di rimanere p. la morte del Padre dell'uno e l'altro ardirono il med.mo nella Provincia Quam-
tum Quansi, e Fokien. Radunato l'essercito ciascuno da se sottomisero la Città e Cas-
tello di quella introducendo da p. tutto l'antico vestire, costumi, e modo di portare li
capelli usati prima da' Cinesi. Si aggiunse à questi un Principe dell'Isola formosa
e d'altre non anco soggiogate da Tartari, e invitato dal Rè di Fokien ad unire l'armi;
questo havendo una potent.ma armata p. mare occupò le Città maritime di quella Provincia, ma poi essendo trattato dal Rè med.mo di Fokien con titoli, e doni mandatigli quasi
ad inferiorem, talm.te si sdegnò, che rotta la lega ambedue si rivolterono contro l'armi
prima congiunte; seguirono frà essi varie battaglie riportandone la peggio per lo
più il Rè di Fokien. Fra tanto dalla Corte s'erano spediti con eserciti varij Regoli del Sangue Reale, il Zio stesso dell'Imp.re nella Provincia Huquam, un'altro in

Chechiam

6

Chechian, e Fokien, un'altro in Quantum, e quangsi. Percio il Rè di Fokien indebo,
lito da varie stragi de' suoi, doppo haver ucciso molti Prefetti con dire d'esser stato in,
dotto da essi à ribellarsi, finalm.te si sottomise al Tartaro, dal quale fù trattato con
Clemenza. quello poi di Canton che da Usanguey non haveva ricevuto altro tito,
lo, che di Capitano, offeso per cio rese di nuovo tutta la Prov.ia al Dominio de' Tartari.
Usanguey finalm.te il di cui unico figlio era stato decapitato in corte infelicemente
morì lasciando pupillo un nepote sotto la tutela d'un segnalato Capitano il qua,
le anche esso finalm.te si rese à Tartari come ultimam.te ci avvisano le lett.re de' n.ri
Il Tartaro non si fidava in tutto del Rè di Canton benche già si fosse sottomesso, co,
noscendo ch'egli era huomo turbulento che haveva grand autorità nell'esercito
e che del commercio benche spesse volte proibitogli da Spagnoli, Olandesi, et altri cavava
grandi tesori, e che per cio era in tanto alla ruina di Macao, la quale era stata forza,
ta di mandargli tutta la suppellettile sacra d'argento cavata dalle Chiese per sadisfare
alla di lui insatiabile, e crudele ingordigia. Avvicinandosi per cio la Divina vendetta fù
gli commandato dall'Imp.re che passasse con il suo esercito contro de' Rebelli della Prov.ia
Quangsi; mà un giorno essendosi ritirato da' suoi soldati fù con un stratagema ri,
condotto nel suo palazzo di Canton, et qui per comando dell'Imp.re fù ritenuto in prigio,
ne honoraria. doppo alcuni mesi da due ministri principali che à gran corsa vennero
dalla Corte nello spatio di 17. giorni circa la quarta hora di notte à 9. d'Ottobre del
1680. gli fù presentato per onore il Capestro, e commandato che si appiccasse decapi,
tandosi al med.mo tempo cento e dodeci altri trà quali erano trè fratelli di lui, fù
Principe per altro degno di meglior fine come quello che haveva favorito la Re,
ligione Christiana come si vide nel tempo del nostro esilio, e ultimam.te ha,
veva commandato che si edificasse nel suo Palazzo una Chiesa col R. P. Fr
Francesco della Concettione francescano, et un altra nella che se ne fabricasse
fuori delle mura della Metropoli, la quale fù fabricata dal R. P. F. Bonaven,
tura Ybankies Provinciale assai bella che anche in Roma sarebbe stata ap,
plaudita.

Doppo la morte di questo Rè Macao respirò alla quale Città fù so,

lamte di meno permesso il commercio con la Metropoli di Canton, venen-
do così à Macao quelli due gran Ministri à fine di significare à Cittadini
la benevolenza dell'Impre il quale gline haueua dato commando fù anche
ricuperata e ricondotta con allegrezza di tutti la suppellettile sacra d'argento
già rubata, come lampadi, Croci, Candelieri, et altre cose tutte intiere poiche qualte li gentili l'haueuano cercato di struggerla e rifonderla, due aspetti
di gran statura apparendo l'haueuano intimoriti, e forzati à desistere conforme attestarono constantemte li gentili stessi. finalmte quanto appartiene al Rè di Tonchin, doppoche gli fù permesso per qualche tempo il guerre-
ggiare sotto del Tartaro finalmte fù squartato nella Corte, et insieme l'
ossa d'Vsanguejo, il quale era morto ò di capestro ò di vecchiaia dissepolte,
e trasferite in Corte ridotte in Cenere furono date à ludibrio de venti, e del
popolo. Questo fù l'esito di tre Rè della Cina che parue esser stato pro-
nostico d'alcuni prodigij interpretati da Tartari per fatali non à se, mà
à suoi Ribelli.

§. 5.

Quali Prodigij accadessero frà queste Cose.

Pare non altro che bene il riferire quali fossero questi prodigij di-
trahendolo dalle lettere scritte di Corte, e da testimonij di veduta. Nel
che prima s'auerta che ciò che di prodigioso accade nella Cina, primieramente da Presidenti de luoghi viene riferito à Governatori della Prouincia poi da questi alla Corte si tramanda nel Tribunale de Riti, dal
quale esaminati et approuati sono stampati come ogni altra cosa che si
stabilisce da sei supremi consigli e dall'istesso Impre e per li Corrieri è di-
uulgato per tutti li paesi dell'Imperio. Si conseruano poi tali cose dall'historia

Imprle

7

Imperiale nell' archivio della Corte per essere inseriti negli annali dell'
Imperio, li quali secondo l'uso della natione si danno in luce nella seguente
famiglia, come gia le cose fatte dalla precedente famiglia si danno in luce da
questa famiglia Tartarica. Questo hò voluto qui di passaggio insinuare perche sono gia incirca 20 anni da alcuni de nostri et altri Religiosi sono state scritte alcune cose incredibili le quali però mai si dissero in corte, mà
(come di poi si seppe) furono finte da alcuni rei di morte e diuulgate per le
Prouincie remote della Corte (come che la Natione Cinese è sagace e pronta à simili fintioni) accio forsi potessero in tal guisa commouere la Clemenza dell'
Impre. Il quale in simili accidenti suole ò sospendere l'esecutioni delle sentenze gia date e dichiararsi per tutte le Prouincie scordato delle cose passate,
ò relassare li pesi de' Tributi.

Che prodigij poi li quali nell' Imperio della Cina paiono piu frequenti
che altroue l'anno istesso cosi scriue della Corte il Pe Ferdinando Verbiest
testimonio di vista di molti.

Nel secondo giorno di settembre 1679. un quarto dopo la 10. hora
della mattina un gran terremoto scosse tutta la Citta di Pekin, e l'altre
Citta d'intorno tanto che nello spatio d'un miserere in circa caddero innumerabili edificij li maggiori Palazzi, li Tempij de' Rei le torri e le porte quasi tutte della Citta. nella sola Citta la piu vicina à Pekin (chiamata
Tumcheu) piu à 300 mila huomini furono sepolti nelle Ruine delle Case,
e che se questo terremoto fosse uenuto di notte gia piu centinaia di migliaia dormirebbero eternamente nel loro letto. Noi quattro che stiamo in
questa Corte, mentre sedeuamo à tauola ~~caduteci dal tetto~~ vidimo con gran
fragore riempirsi la tauola e le sedie con le tegole caduteci dal tetto essendo noi poco auanti scampati per misericordia diuina. del resto la mag-

gior parte della nostra casa caduta ~~mostra~~ anche adesso la ruina che non
ristorarsi con piccola spesa. La Città di Pekin capo dell'Imperio, alla quale
come le ricchezze e delitie di tutte le altre Provincie, così anche vengono li
peccati ~~gente~~ più d'ogni altra Città sotto le ruine de' suoi edificij, l'istessa
terra quasi sdegnando di sostenere più il peso de peccati s'aprì in più luoghi,
et insieme aprì à peccatori più strade verso dell'inferno: Così per tre mesi se-
guitò di notte e di giorno con scuotimenti ora maggiori et ora minori à mostrare orrore dell' humane scelleratezze. Già l'Imperatore e gli altri Personaggi
lasciavano i suoi Palazzi, e li Tartari volontieri ritornavano all'antiche
loro tende alle quali da fanciulli erano avezzi che à superbi edificij le
quali orasi servono; la plebe poi, et il volgo portava seco nella aperta
Campagna la sua povera suppellettile e per molti giorni volle più
tosto sotto delle stuore tolerare l'ingiurie dell'aria che verun terremoto, ò ruina della mura domestiche. Nel medesimo mese cad-
de per così dire il Cielo nella Provincia Occidentale detta Xensi con
pioggie dirotissime non mai intermesse per 20 e più giorni. Certo che
il P. Domenico Gabiani il quale dimorava nella Metropoli di quella ~~Città~~ Provincia, scrive che l'inondatione dell'acqua ~~non~~ hanno ap-
portato minor danno ò strage d'edificij à quella Città che à Pekim li
terremoti.

L'anno 1680 à di Gennaro nella seconda hora doppo la mez-
za notte essendo all'improviso nato un incendio nel Palazzo dell'Imperatore, la sala maggiore d'esso con li prossimi edificij fù ab-
brugiato sino alla distruttione d'ogni cosa: il danno fù stimato pas-

sare –

8

sare due milioni ottocento cinquanta mila scudi. L'Imperatore però per mostrare il suo animo maggiore di quel grandissimo e superbissimo elemento quattro giorni doppo sen' andò à sua caccia reale assai distante della Corte. Sin qui il P. Ferdinando circa di passeggio intorno allo stato politico or parliamo il che spetta alla Religione.

§. 6°

Quanto fosse facile propagare la S. Fede nel tempo della guerra.

Veleggiando sicura frà le tempeste di quelle rivolutioni e battaglie la Fede Cattolica, fece in quel mar di discordie una pesca, et una preda d'anime à Christo, la maggiore che havesse mai fatta nel tranquillo di pace, e ne passati sereni. Perdemo non sò duoi, tre quattro ouero cinque Chiese, che co' suoi Città furono dal furore de Tartari demolite, mà ne acquistammo altroue più di venti, e quel che più rilieua, guadagnammo l'ingresso in un' Isola, la floritissima del mar di Oriente situata frà il Giappone e la Città Suchou della Provincia Nankim non inata Cum olim in cui non era giamai entrato Europeo alcuno, ne senza gran frutto, essendosi inalzate sette chiese al uero Dio, e ridotte al di lui culto molte migliaia di Persone d'ogni conditione dal che puol raccogliersi la somma vigilanza, e zelo de Missionarij, i quali anche frà mugiti d'un borascoso mare di rivolutioni, non tralasciarono di gir-

tare le reti in ogni parte alla pescagione dell'anime, e di tentare il guado ad ogni Paese, per piantarui in esso come albero di pace la Croce di Christo.

In tanto nella Cina messe in rouina dal ferro, e fuoco guer-
riero tochiese Idolatre, restorono libere da ogni ingiuria
le nostre, le quali erano frequentate dalla Christianità colti-
uata nelle uille da Cathechisti, da Popoli ammaestrata nelle
Città e da fanciulli instrutti nella dottrina Christiana. faceuasi
nell'oratorio di S. Ignatio nel primo giorno di ciascheduno mese
da un Giouane prouetto nelle lettere un sacro discorso doppo
quello del Pastore cosa solita à costumarsi anche in più altre chiese
de' nostri non senza gran frutto, et edificatione de Popoli. I Cathechisti poi, i quali erano sotto il titolo e protettione del S.r Sauerio, à quali si apparteneua distribuire i libri sacri, quattro volte
l'anno uisitare le case di ciascheduno Christiano, essaminare
se fosse collocata in luogo decenti l'Imagine di Christo Saluatore; se si trouasse cosa alcuna che hauesse specie di superstitione; se ui fossero fanciulli non battezzati, e finalmente
se ui fosse alcuno, che non hauesse sadisfatto all'annual confessione, ciò che ne quattro tempi dell'anno, secondo il solito rife-
riuan in scritto al Padre per questo deputato.

Il numero de' Christiani suol crescere per ciascheduno anno a 11. 12. e al uolta à 13 mila in questo sommo bene. u'è questo
solo di male, che in una messe si grande v'è tanta scarsezza de'
Operarij, i quali se pieni di Zelo potessero uenire à coltiuar questa
vigna

rigga, ritrarebbero il preggio delle loro fatighe con una raccolta soprabon-
dante.

§. 7.°

Qual sia la Conuersione de Scientiati alla Fede.

Volle Dio con particolar prouidenza, e protettione accreditare i principij
della Chiesa nascente; onde è che mosse il cuore à molti, e primi Dottori del Regno, i
quali di maestri diuennero Scolari nella Scola di Christo, e con la stima, e veneratione che haueuano d'ingegno resero stimabile, e venerata la nostra Religione.
Questi promossero la matematica Europea, di cui non v'era mezzo più opportuno p seminare la fede, e nell'anno 1615 non meno con la voce, che con la loro
autorità fecero salda trinciera alla Religione perseguitata; frà questi segnalato fù il Dottor Paolo supremo Cancellario di tutt l'Imperio il quale attestò
francam.te auanti l'Imperatore che la Religione Christiana propagata dagli Europei, era ugualm.te vera, che sincera concludendo con constanza più che Cinese,
che se dalla Maestà Imperiale, ò qualsiuoglia altra autoreuol persona si fosse
trouata, e prouata cosa alcuña contraria all'asserito si contentaua soggiacere
à qualsiuoglia pena per il che offeriua da quel punto in ostaggio le sue ricchezze
la sua dignità, la sua vita, è quella di tutti i suoi. questo testimonio sì grande ac
illustre più volte stampato non è credibile à dirsi quanto peso habbia appresso
i Gentili.

In questi tempi però in cui la Religione Catt.ca è alquanto cresciuta s'osser-
ua sminuito il concorso de Nobili, e Scientiati, che la professino per esser grande in essi la cupidigia delle dignità e ricchezze e non minor la superbia et arroganza, recandosi à vituperio d'inconstanza abbandonare una setta da loro maggiori nella Cina per tanti anni professata per abbracciare una noua, e sconosciuta Religione in cui il maggior preggio è l'esser pouero e negletto. L'impedimento però maggiore che tratiene questi gran Personaggi dal rendersi vinti
alla verità è un certo rispetto humano e timore di non contrauenire à bandi Regij, de quali ne uiue anche fresca la memoria vietandosi per essi à qua-

lunque.

lunque farsi, e molto meno dichiararsi Christiano. Cio confessò ingennam.te (per
non dir degli Altri) al nostro Padre Grimaldi un Regolo Parente dell'Imp.re il qua
con la sua moglie adempiendo quanto si richiedeva da un buon Catt.co non si potè
indurre à ricevere il Battesimo per timor di non contravenire à' bandi promu
gati quindi ne nasce, che molti nobili [illegible] quantunque Cattolici fuggono l'appa
rirlo, e nell'operare si governano più con la politica del mondo che con la sapi
enza di Christo. Ne vogliono più honorare co' loro prefationi, e sigilli i nostri l
ri cosa pratticata per il passato anche da Primati e Dottori Gentili, che in cio far
si stimavano onorati da noi. Niente dimeno concorse un gran numero de Bac
calaurei, quali da noi si ricevono lentam.te e doppo lunghi esperim.ti si ametto
al Battesimo, cio che non sogliamo usare con le persone rozze e plebee, non essen
queste tanto ovvie à pericoli d'essere sovvertiti. quelli però che stanno sal
alle prove sono ammessi al grembo della Chiesa, la di cui opera è alla Religione
utilissima perche essendo costoro di talenti e virtù grandi, sono anche rispetta
da Grandi.

§. 8.

Morte d'alcuni de' Compagni [illegible] e de che maniera gli altri succedono.

Quello che più ci afflisse frà tumulti della gia accennata guerra per 8. an
continuata fù la morte d'alcuni nostri Padri [illegible], i quali piam
si può credere che andassero à premij delle fatighe sofferte per tanti anni. In
luogo di questi convennero succedere altri, e raddoppiar la fatiga che hav
evano per l'incombenza alle sue Chiese particolari: altri segretam.te chiama
da Macao, entrarono in questi Paesi, imperoche essendo noi nominatam.te richia
mati per lettere regie ogn'uno al suo luogo per ivi privatam.te attendere a
culto Divino, bisognava introdurre gli altri come compagni e confratelli
medema famiglia (costume usitato appresso i Cinesi, che frà di se stabil
cono queste sorti di fraternità, siche qualunque volta accada che noi sia
interrogati circa la venuta di questi novi) cosa assai facile à seguire,
potremo rispondere essere questi venuti per assistere alla morte et al
sepoltura de loro fratelli e per haver de med.mi cura, la qual cosa quanto

sia

sia stimata non puol esprimersi con parole, essendo questa la Cerimonia principale e maggiore che sia nella Cina, e la mostra sin-
golare d'obedienza, osservanza che ogni uno gareggia continuare
sopra degli altri verso i suoi Maggiori Defonti e suoi Maestri.

Questo genio Cinese cosi partiale à Morti, è à noi di grand'utile, poiche
se mai si desse il caso (il che tolga Iddio) che i Missionarij fossero cacciati
da tutta la Cina, haverebbero un pretesto gagliardissimo di ritornarvi, dicendo venire puram.te per fare gli anniversarij à Defonti, quasi sicuri di non
esser esclusi, essendo i Cinesi tanto religiosi per quel che spetta al guardar e ri-
staurare i sepolcri, che nè pure à proprij nemici sanno negare il passare un
simil'offitio di pietà verso i Morti, quindi è, che i Nostri Padri vedendo essere
i sepolchri il refugio piu sicuro per introdurvi la Relig.ne quando fosse bandita,
hanno ristaurati à Morti Compagni le sue sepolture.

Dunque al mio partir della Cina erano in quei Paesi 10 de' nostri Sacerdoti aspettando fra tanto gli altri che di Europa erano giunti à Macao l'
occasione d'entrare, e cio per quasi tre anni intieri, nel qual negotio quanta
diligenza, circonspettione, e tanto inganno deva adoprarsi si vedrà per quel
che io soggiungo.

Nell'anno 1680 due Padri Reverendi di Predicatori per consiglio et aiuto del nostro Padre Sebastiano d'Almeida Visitatore, erano entrati in Canton. Doppo sopravennero à questi due de' PP. Augustiniani, cioè il Rev.
P. Fr. Alvaro da Benevento, et il Rev. P. Fr. Gio. Ribera, l'uno e l'altro per
virtù e prudenza segnalati, i quali nel giorno e festa de' SS. Innocenti dell'
anno medessimo essendo pervenuti al luogo, e Casa del Rev. P. Fr. Bonaventura Ybanhes, questo sopraffatto da tal novità ne scrisse al
nostro Padre Filippucci à 31. del Decembre l'anno medesimo con queste

parole: Al vederli mi meravigliai della loro temerità, gli esaggerai il fatto mostrando il pericolo con cio di rovinar tutti noi; e poco doppo: Scriverò à Manila, che non si pensi più oltre à mandar di là in quà Religiosi, perche in modo alcuno non li ammetteremo. &c. Che se della Città di Macao dalla qual sola alla Cina è aperto il passo, si deve entrare con tanta cautela, chi non vede con quanto pericolo della Religione, e della Fede in quei Paesi sia per tentarsi l'ingresso da huomini stranieri in queste parti! e pure à questi tempi la libertà di dilatare la Religione Cattolica sotto all'Imperatore Tartaro, che ne dissimula gli avanzamenti tanta è quanta à pena si potrebbe sperare in quella parte d'Europa, dove si permette il libero essercitio d'ogni religione, anzi è maggiore di quella, che fosse ne' tre primi secoli della Chiesa, siche doverebbe haver' ogni riguardo à non impedirne vantaggi quasi sicuri.

Potrei qui raccontare le virtù e glorioso transito di nostri Missionanti che per venti, trenta e più anni faticarono nella vigna Cinese, come furono i Padri Ignatio d'Acosta, Michele Trigaultio, Francesco Brancato, iquali morirono nell'esilio: e di altri Padri che doppo la ritornata alle nostre Chiese passarono à meglior vita, cioè i PP. Claudio Motel, Francisco de Ferrarijs, Pietro Canevari, Gabriele de Magalhanes, Antonio de Gouvea, Jacobo le Faure, Humberto Augeri, Emanuele Georgio, Francesco de Rugemont, Luigio Buglio: mà per maggior brevità, me contentarò di passarli sotto silentio, e solo m'accingo à descrivere le virtù e la morte d'una gran Serva di Dio:

Narratti la:

§. 9.

Narrasi la morte della Ill.ma Sig.ra Candida: chiamata secondo la favella Cinese Hiu

Richiede ogni ragione di gratitudine farsi qui in ultimo da me mentione del felicissimo transito all'altra Vita di questa sì nobile Matrona
à cui deve molto, non meno la nostra minima Comp.ia che tutta la Religione Catt.ca per gli aiuti singolari che da essa hà ricevuti ò si guardi-
no quelli che spettano all'elemosine, o quelli che s'appartengono agli
esempij che sono i più efficaci per l'accrescimento della fede Christiana;
e sì come nella morte dell'Avo si stimò da Christiani tolto il Padre,
così essa defonta si credette perduta la madre.

Era questa l'ultima Nipote di quel celeberrimo Dottore e Cancellario Siu
Paolo, e come egli schiettam.te confessava la più diletta delle sette, che
ne haveva: quasi scorgesse in essa una singolar pietà, e prudenza accompagnata da un sommo zelo d'ampliare la fede, le quali virtù pareva-
no spuntare nel di lei volto al nascere della ragione. E per toccar qualche
prerogativa sua particolare, in cui si rese riguardevole anche fanciulla
hassi da sapere che sin dal decimo anno di sua età, legossi quasi con voto
di onorare con speciali divotioni la gran Madre di Dio, ~~et in particolare~~,
et in particolare di recitare ogni giorno il S.mo Rosario, non mai intermesso,
salvo che nella somma violenza d'infermità più gravi. Restò di 14. anni
priva di Madre D. Maria Siu e di sedici anni accasata nella famiglia
Hiu molto bene stante, e riccha; di trent'anni incirca perdette il Con-
sorte già prima con la fede instillatagli guadagnato à Christo, à cui
parim.te soggettò con il Santo Battesimo otto frà figliuoli, e figliuole, che

2

n'hebbe, tutti di bell'indole, e gran speranza. sciolta ella dunque da ogn
legame, e fatta gia di se stessa Padrona, riuolse con l'animo tutte le s
forze à porger aiuto alli Propagatori della Fede, dal ben'esser de qua
dipende la Conuersione della Cina. Or sapendo per una parte questa
sauia Matrona l'angustie, e pouertà estrema de' Nostri Padri, come g
li, à quali ueniuano assegnati dall'elemosine d'Europa intorno à
scudi d'oro apena basteuoli, non che d'una Missione, al sostentamen
di due soggetti; per l'altra quanto disconuenisse à Nostri Sacerdoti e
Missionanti mendicare da Christiani l'elemosine come sogliono fare
presso i loro Gentili i Bonzi, e porre per ciò Polize ò cassette, ment
i Cinesi non hanno motiuo più gagliardo per abbracciare la nostra
de, che il vederla da noi per tante fatighe, e pericoli annunziata loro
senza riceuere ne pure à conto d'elemosina un minimo denaruccio, n
perdonò à spesa ò industria alcuna per prouederci, tanto più essendo ad es
ben noto, che il minor bisogno di quattrini era in ordine al nostro aiuto,
vestito in riguardo à quell'estremo, che haueuamo per fomentare l'am
icizia co' Mandarini, da quali dipende tutta l'autorità de Missionanti
à deprimere gli emoli del Vangelo, per amministrare à moribondi pou
i Sacramenti, per souuenire gli estremam.te bisognosi, per stampar lib
per far con il deuoto decoro tanti viaggi. Non solo dunque ci manten
con le sue entrate di nascosto, mentre erauamo nell'essilio di Canton, m
in ogni luogo prouedendoci sempre occultam.te con ampie limosine, in tu
li 30. anni della sua Vedouanza. Ne contenta delle sue entrate giunse
disfare gli argenti, à ristringere il suo vitto, à rompere in minuti pezzi
il lembo d'argento della veste, che con molti titoli gli haueua donata
l'Imperadore à cagione della sua lunga e gloriosa dimora nello sta
to vedouile, e finalm.te à ricamare, tessere veli, et impiegarsi con l

altre

42

serue in lauori non disdiceuoli ad una nobile Matrona per souuenirci.

Et acciò l'Europa ben capisca il Zelo e Pietà d'una Sig.ra si pia, mi fo qui lecito tradurre dalla lingua Cinese nell'Italiano fedelm.te una sua lett.a, che 20. anni sono inuiò al P. Francesco Brancati. questa così dice.

„ Hò riceuuto una lett.a del V.ro Spirituale scritta di suo pugno. le cose che „ in essa si contengono sono à me molto note. mà subito che giunsi à „ quel punto in cui il P. Spirituale scriue mancare à Padri il neces„ sario sostentam.to quotidiano, e à pena uiuere, fui talm.te nel cuore „ punta dal dolore come se due Saette me l'hauessero trapassato, onde „ alzata dalla sedia corsi alla Cappella, et ingenocchiatomi auanti l'ima„ gine del Crocifisso, feci voto di porgere qualche aiuto à Padri si necessi„ tosi e si meriteuoli; determinai per ciò assegnare per ciascun Padre „ ducento scudi d'oro, la qual determinatione sigillata dal voto, che hò „ fatto, rinnouai cinque volte il giorno al Rè del cielo domandandogli „ gratia di poterlo subito adempire giunta che sarò alla mia abitatione, „ alla quale lo prego che mi facia quanto prima tornare. Jo dunque come „ figliuola Spirituale subito che giungerò alla mia casa darò di mia mano „ l'argento al Padre spirituale, acciò lo distribuisca secondo il bisogno à „ ciascheduno de Padri. Non vorrei però, che pensassero i Padri douersi „ al mio figliuolo quest argento guadagnato ne Tribunali e forse mala„ mente acquistato, poiche deuono sapere, che da quel tempo, in cui mi „ sposai con il Sig.r Hiu Jo in compagnia delle mie serue lauorando „ giorno, e notte incessantem.te ora fabricando reti, ora tessendo ricami, or „ impiegandomi in altre simili opere, venni ad ammassare qualche som„ ma di danaro quale hauendolo consegnato à due miei Seruii Puon „ e Chao, acciò lo trafficassero, è finalm.te oggi giunto ad alcune migliaia,

„ di scudi d'oro, da quelli potranno esser sollevati in questo tempo la
„ necessità de' Padri.

Mà il sin quì narrato è poco in paragon di quello, che è da narrarsi di questa nobilissima, e santissima Contesa. Ella fabricò nove Chiese sontuose per cinque Provincie, oltre le trenta e più inalzate nel suo proprio Paese, di molte delle quali fù sola fondatrice, dell'altre tutte confondatrice provocando con le sue larghe limosine, quelle de Neofiti. Troppo tempo consumar dovrei, se volessi far minuto racconto delle migliaia de libri, et imagini fatte stampare, e spargere in dono, singolarm.te di quelle, che rapresentano l'effigie del Salvatore, e della Vergine, come fù dipinta da S. Luca, essendo una tale imagine molto à caro à Cinesi; ne bastandoli le stampe, faceva lavorare i penelli, impiegandovi anche essa il suo, reso arguto e pregevole non meno dal suo ingegno naturale che dall' innata divotione. Che dirò delle migliaia d' Agnus dei, brevetti, e crocette, le quali fece penetrare fino nella Corte reale; di tanti si varij e ricchi ornam.ti tessuti in oro e messi à ricamo, con cui abelli tante Chiese, de quali, assieme con un sacro Calice mandò à regalarne, e ornarne in Roma l'altare di S. Ignatio, altri sacri abellimenti mandò in Goa per l'altare di S. Xaverio, altri in varie parti d'Europa, à ciò non vi fosse angolo alcuno del Mondo Christiano, ove non fossero i pegni della sua pietà e Religione.

Mà più oltre l'avanzò il suo zelo, ne bastandoli haver adornato con le sue facoltà e fatighe i sacri tempij, passò ad abellire con Apostolica carità l'anime che sono i tempij vivi dello Spirito Santo. Per conseguir cio più facilm.te si servì di questa industria, e fù che quanto

Donne

43

Donne Christiane sapendo esser dotate dalla natura di molta eloquenza, et arrichite di non minor sapere, appresso ne libri, tutte le manteneua à sue spese, acciò à guisa de Cathechisti annuntiassero Christo alle Matrone Gentili, le disponessero al Battesimo, non tralasciando in tanto di spronare le Christiane all'uso frequente della Confessione e communione, visitar gl'infermi, assistere à moribondi; faceua di più larghi presenti alle Raccoglitrici à ciò que fanciulli nati da' Gentili, che stimauano douer presto morire gli purgassero con l'acqua del Battesimo, onde morti alla terra rinascessero al cielo.

Persuase al Dottore Basilio suo unico figluolo, che nella Città paterna nominata Sumkiam erigesse un magnifico Palazzo per riceuer in esso, et educare i fanciulli esposti, alla qual opera di pietà concorse co' mandarini, et altri nobili principali lo stesso Vicerè, il quale diede in cura d'una famiglia Christiana quel edifitio, nella quale ogni anno essendone battezzati à centinaia, à centinaia ancora volauano à popolare il Paradiso.

Alli Defonti essa à sue spese faceua fare il funerale, et il sepolcro, hauendo comprato, e fatto benedir à quest' effetto un campo, oue honoreuolmente giacessero que corpi innocenti. Prouidde parimente di sepoltura tutti quei Vedoui, e quelle Vedoue che con le sue limosine haueua sostentato se ben non restringeua à questo solo genere di persone la sua Christiana liberalità, mà à tutti da quali riceueua in ricompensa un numero determinato di rosarij, e preci, quali inuiaua in elemosina all'anime del purgatorio, delle quali era sommamente diuota. Anzi hauendo inteso, che i R.di Padri di S. Domenico s'obligauano à ricompensar l'elemosine con altre tante opere di pietà, essa uolendo insieme souuenire alle loro necessità, et alle anime purganti, mandò più volte quantità d'argento. A' quelli poi, che invitati da Noi venivano ad aiutarci à confessare nel loro partire oltre molte limosine, daua il viatico vesti nuoue, libri, et altre simili galanterie.

Al Padre Spirituale diede le cose più pretiose, e suo, et hereditate da Maggiori, che dall'Europa li fossero venute, canochiali, altri lauori di vetro e cristallo come specchi &. pitture et altre curiosità europee, le quali tutto che à presso di noi qui si stimano poco sono molto pretiose nella Cina, come horologi à ruota &: acciò le donasse à Prefetti Regij e Mandarini, senza riceuerne da essi in ricompensa regalo veruno, col quale si disobligano se sono uguali, o rendono schiaui gli animi altrui se sono maggiori. La ricompensa dunque diceua essere il loro fauore, e protettione, del quale sempre siamo bisognosi, molto più quando si sollevasse qualche borasca di persecutione.

Haueua tre fratelli, ancora sopraviuenti, i quali per mezzo del suo Padre Spirituale la pregauano à voler esser più liberale de danaro verso loro: la risposta di questa Savia Signora era, hauer loro hauuta la lor parte molto copiosa nella diuisione ugualmente fatta da suo Padre la quale tutta haueuano sprecata ne conuitti, e nel lusso, hauer di più notato, che quando abondauano di ricchezze erano molto tiepidi e quasi freddi negli esercitij di religione, ora che scarseggiano, esser molto feruenti et edificatiui; e però acciò si mantenessero così, voleuali dare sol tanto, quanto li basta à viuere volta per volta, e niente più: stimarsi assai meglio impiegato il danaro verso i Padri Europei, tutti intesi alla Conuersione de' Popoli, et alla Salute dell'

anime

44

anime, alla conversione delle quali li parena poco concorrere puram.te
col'oro, se non vi concorreua ancora con le sue opere, e fatighe.

Fù conferita al suo figliuolo Basilio una nobile Prefettura: volle ella ac-
compagnarlo (cosa per altro insolita) sin'alla Provincia Kiangsi, e di
poi all'altra Huguan con soffrir molti incommodi nel viaggio, e tutto
questo non per altro, che per dilatare la Religione, e fabricar molte Chiese, come
si venne fatto dichiarandosi esser apparecchiata ancora à venire in Europa se ciò li fosse lecito e possibile, per esporre à quelle Matrone quanto gran campo sia nella Cina da dilatare la Religione, e quanta scarsezza e povertà d'operari.

Queste sono l'opere raccontate in iscurcio, et in breve d'una sua sola virtù
ciò è del suo Zelo della Religione Catt.ca or che dovrei dire, se mi volessi inol-
trare di narrare tutte quelle delle sue molte virtù, le quali ora tralascio,
~~perche~~ in altro tempo mi riserbo à metterle, et esporle in un grosso, e lungo volume, in cui oltre l'heroico e pregievole ~~delle~~ sue opere si leggeranno
li favori singolari, con cui Dio l'esaltò in modo maraviglioso. Morì
alli 24. d'Ottobre del 1680. nel qual giorno si predisse la morte. Ricevuti con somma riverenza tutti li Sacramenti quel tempo, che altri
passano con estremi dolori d'agonia, passò ella con dolcezza di Paradiso
dicendo tutt'allegra vedere Iddio, e gli Angioli suoi, che l'invitavano alla
Patria celeste. oltre molti legati di pietà lasciò alla Chiesa della Vergine fabricata da essa fuori delle mura una tenuta vastissima per abondan-
te mantenimento. Li fù dal figliuolo inalzato un sontuoso sepolcro di
legno il più pretioso, e come essi chiamano incorruttibile per cui spese
più d'ottocento scudi d'oro. La pianse 2do il costume Cinese per tre anni,
ne quali s'astenne d'ogni offitio civile con splendida pompa, ne com-
pilò in un libro fatto stampare la vita e le virtù, e mandollo in dono

à Mandarini in testimonio dell'affetto che conservava ardentissimo verso la sua Madre, e del conto che faceva delle di lei maravigliose attioni.

Secondo il costume pratticato inviolabilmte della Compia la quale à coloro, che danno tanto, quanto basta alla fondatione d'un Collegio fà dire da tutti li Sacerdoti tre messe e da non sacerdoti tre corone, e cio per due volte: anzi p mostrarsi sempre riconoscente de benefizi hà stabilita ad ogni sacerdote una messa il mese ad ogni Laico una corona per i Benefattori. Demmo avviso della morte di questa si gran Benefattrice in ogni parte del Mondo, ove si trova sparsa la nostra Religione, acciò ne fossero celebrati p l'anima i soliti suffragi, e ne habbiamo qui dato ora un piccolo saggio del suo gran Zelo, acciò s'intenda non mancar nella Cina sù primi albori della Religione nasciente quello splendore d'heroiche operationi che ~~nel meriggio della fede romana~~ ammirò Roma nelle sue Marcelle e Lucine &c:

49

§. 10.

Qual sia hoggi la libertà della Religione Christiana.

Nelli primi anni che la Missione incominciò nella Cina non si facevano Chiese publiche mà solo Oratorij e Capelle nelle nostre Case, ò de qualche Mandarino ò Principale venuto alla nostra S. Fede, doue si faceua la radunanza dei Neofiti con gran circonspettione e riguardo: però circa il fine dell' Impero Cinese, e nel Principio del Presente Impero Tartarico in riguardo dell' Astronomia Europea se sono aperte e dilatate in maggior numero le Chiese di modo che ardisco credere che da settanta anni in quà si contino più Chiese cattoliche, e publiche nella Cina che si contanano in Europa nelli tre primi secoli de' suoi Natali. Oltre ciò hebbe sempre Imagini, et altari publicamente esposti, quali, anche in tempo di persecutione quando eranamo citati in giuditio, come rei di rebellione, uscì legge Imperiale, che niuno ardisse di distrugere e profanare.

fanare le nostre chiese. Chi non si marauiglia, che Regoli e Gouernatori di primo nome e carica Gentili venuti à visitar le nostre habitationi prima d'ogni altro ingenocchiati auanti una sacra imagine con la testa in terra prostrato adorare il Saluatore, quando doppo 300 e più anni nella Chiesa di Roma publicamente consacrata da S. Silvestro Papa ~~fonca~~ doppoi prima in una pariete ~~molto~~ esposta alla publica veneratione l'Imagine del Saluatore! A chi non ~~sembrerà~~ hauer specie di miracolo ciò che continuamente vedeuasi far da Christiani che in tutte le feste e le Domeniche in molte Città si adunauano à tempij per udire la predica, e la Messa dissimolando questa publica pietà i Tartari et i Cinesi che la vedeuano? Finalmente che cosa può dirsi di più illustre, e conspicuo in cui trionfasse la Religione Christiana, ~~quanto che non solo nelle Provincie~~ ~~lontane~~ quanto che non solo nelle Prouincie lontane, nè dalla Corte Imperiale mà anche nell'istessa Città doue risiede l'Imperatore con infinito applauso di moltitudine celebrarsi con rito Cattolico la pompa funerale de Defonti precedendo ad essa la S. Croce in una machina superbamte adornata et portata da molti huomini et altre machine con l'Imagine della Vergine e dell'Arcangelo San

michae

26 VIII.

Michele con sacri stendardi, trombe, ed incensieri girare per le strade più frequentate fremendo l'Inferno, l'Idolatria, l'empietà, l'arroganza politica,
e la perfidia Maomettana, da quelle pacifiche insegne profligata; ne ciò una
sol volta, mà più e più volte, e specialm.te nel celebrarsi l'essequie à PP.ri Longobardo, Adamo, Magalanio, Buglio, e certam.te (come ci fù fece noto dalle lett.e
scritte dalla Corte à 24. d'Ottobre del 1682. l'Imperatore istesso intesa la
morte del Buglio stato Missionario 45. anni, l'honorò con un bello e glorioso Epitafio mandati 200 scudi d'oro, e 10. pezza di seta per la spesa, un
Primate, et altri Nobili d'inferior dignità, i quali accompagnassero l'essequie et à suo nome facessero al Defonto gli ultimi officij; secondo l'uso
della nostra Religione, del quale l'istesso Imp.re volle prima esser fatto consapevole. † Non solo concilia gran credito à nostri la Cortesia dell'Imp.re mà
anitra gran veneratione alle Chiese da lui privilegiate con queste 4 parole
Tum, chi, guei, tam. cioè: Per Decreto Regio ritorno alla Chiesa. le quali parole con lettere cubitali, et indorate impresse nella seta imperiale e scolpite nelle
tavole si mostravano per tutta la strada del nostro ritorno, come in trionfo
dell'esilio: et oggi si vegono affisse in tempij. Ciò che però diede molto più d'
autorità alle nostre Chiese, furono due caratteri cubitali scritti col pennello
di sua mano dall'Imp.re et ornati del suo sigillo, e donati à Padri di Pekin, i
quali caratteri questo Gran Monarca scrisse, quando à 12 di Giugno dell'
anno 1675. venne la p.ma volta in casa nostra, e per due hore in circa vidde
la nostra Chiesa, il nostro giardino, e la nostra Casa. I Caratteri, la di cui
copia meco porto, son questi Kiem tien. cioè venerare Coelum. venera
il cielo, il che significa lo stesso che adora il Sig.re del cielo, secondo il modo di
parlare famigliarissimo à Cinesi, i quali sogliono pigliare il contento per
il contenuto, la Regia per il Padrone della Regia, la Curia per i Senatori &c.
le copie di queste parole furono mandate ad altre Chiese, e da esse ricevute
in un panno di seta ricamato d'oro con quella veneratione, con cui sogliono
riceversi i doni Reali, cioè in genocchioni, e con la testa nove volte inclinata
à terra, indi collocate ò nè frontispicio de Tempij, ò altro luogo magnifico,

† Il quale si è degnato [illegible] e promulgato per la Cina [illegible] che molti altri [illegible] proibite più officiose &c.

con l'armi et insegne reali, per maggior stabilità e credito appresso quei popoli che vedono onorata da affetto regio la nostra Religione. Le copie di quelle l'hebbero in mano e le affissero alle loro Chiese li Padri di S. Domenico e di S. Francesco, stimando per quello, essere assicurate maggiorm.te

Questa libertà però di Religione non è sempre e d'ogni tempo, mà vuol usarsi con gran cautela, e prudenza, mentre ancora sono nel suo vigore e possanza i rigorosi bandi con cui si prohibiscono le adunanze à tempij anche Idolatri, e l'abbracciare qualunque straniera Religione, nel che tal'hora troviamo in molte angustie per non poter rimovere i Neofiti, che in gran moltitudine concorrono alle Chiese non sempre con tutta la prudenza, e circospetione, che si deve, dal che può temersi che non si perda in un punto la fatica di molti anni.

[…]rità di propagare la Relig. Christ. senza dubbio devesi alla astronomia Europea […] di cui, come ho detto altre volte ci siamo fatti largo appresso de' Grandi, quali ci hanno havuto in molta stima e con questa habbiamo havuto […] di promulgar la d.a legge. Conobbe il primo di tutti esser questo […] modo di legare gli animi Cinesi congl'insegnam.ti matematici per tirarli alla fede, quell'Apostolo della Cina S. Saverio. indi […] il P. Matt. Ricci, il quale doppo le persecut.i e contrasti di [illegible] anni arrivò finalm.te […] corte Cinese, dove doppo dieci anni morì pieno di meriti, […] coronata di Gloria p la conversione di quel Regno […] felicem.te cominci[…] fù veduta in una revelatione dal P. Mancinelli come ampiam.te si racconta nella sua vita lib. 3. cap. 10. stampata in Roma.

Di questa scienza si servirono ancora tutti i seguaci di lui sino à questo tempo, ne altro che la matematica fù, che ricondusse trionfante nella Cina la Religione doppo l'ultima persecutione, e nostro essilio: il che quantunque sia noto ad ogni uno, niente di meno, mi giova qui porre il testimonio verace del m.to Rev. Pre Commissario Provinciale […] dell'ord. serafico di S. Francesco, il quale nella lett.a scritta al P. Verbiest a 28. di […]vemb

Ie f. 16v.

con l'armi, et insegne reali, per
poli, che vedono onorata da affett
lett.mo l'Gobbero in mano e le a
e di S. Francesco, stimando per g

Questa libertà però di Religion
si con gran cautela, e prudenza
sanza i rigorosi bandi con cui
Idolatri, e l'abbracciare qualun
ignitie per
ro alle Chie
dalli lo più

§. 11.
La predetta libertà doppò Iddio decise
alla mathematica Europea e alli
fauori Regij.

Questa libertà di propagare la Relig[illegible] senza dubb
di cui, come si detto altre volte
quali ci siamo hauuto in molta
di promulgar la d.a legge. Com
modo di legare gli animi Cinesi
alla fede, quell'Apostolo della
Ricci, il quale doppo le persec
corte Cinese, doue doppo deci
coronata di Gloria per la conduct
fu veduta in una reuelatione
ta nella sua vita lib. 3. cap.

Di questa sienza si seruiron
tempo, ne altro che la matem
Cina la Religione doppo l'alt
tumque sia noto ad ogni uno,
monio verace del m.to Rev. P.re
serafico di S. Francesco, il quale

Ie f. 16v. con il titolo aggiunto.

47

vembre del 1679. in idioma spagnolo così dice:

Si è dato à vedere manifestam.te in questa persecut.ne passata, che i mezzi che V.ra Re[illegible] hà presi, e conserua sono stati efficaci à risarcire la rouinata missione di questo Regno, e sono ancor attissimi in questo tempo à mantenerla, e maggiormente ste[illegible] derla. Q.e e in due altre lett.e scritte allo stesso à 13. et 31. di Maggio del 1679. dice Iddio p mezzo della matematica di V.ra Reu.a hà ridotto allo stato primiero la Religione Christiana rouinata nella Cina, quando era gia in procinto d'esser totalm.te esterminata con esserne cacciati e di lei [illegible] Promulgatori, e sicome per opera di S. Siluestro Papa fù posto fine alla persecutione della Chiesa, così per opera di V.ra Reu.a fù messo termine alla persecut.ne della Chiesa Cinese.

Questo testimonio finalm.te basti, che il Santissimo Pontefice regnante Innocenzio XI. con un suo breue mandato allo stesso Padre Verbiest nel mese di Decembre del 1681. si degnò d'approuare il tratto, scriuendo così: Iucundissimum profecto nobis fuit cognoscere quam sapienter, atque opportune profanarum scientiarum usum ad Sinensium populorum salutem et ad Christianae fidei incrementum [illegible] adhibueris. e poco doppo: [illegible] ipsam non solum [illegible] libertati, dignitatique restitueris, sed etiam ad meliora in dies [illegible] promoueris.

[illegible] tanti e si straordinarij segni della cortesia e benignità reale ci danno occasione da molto temere che li Bolzi e gli Inimici della Corte della [illegible] Imperiale [illegible] maledicenza e false [illegible] cangino le gratie in castighi, e la beneuolenza in sdegno [illegible] arriui [illegible] non cessiamo di pregarlo per [illegible] sopra tutte le [illegible] [illegible] calunnie contro i suoi Serui [illegible] in ester[illegible] della sua Chiesa crescente; giachè dal solo fauore del Rè come da un filo dipende la Religione Xtiana: ne può conseruarsi altrimenti la beneuolenza regia, che con la matematica, la quale guadagnandoci l'amore del Rè e de Regij assicura i progressi della fede.

Il che conoscendo benissimo Colui, che mosse la tempestà della persecutione contro la Religione Yam, guam nel suo libro carico di Calunnie ripette esser cosa indegna dell' Imper.re e del nome Cinese riformare il proprio Calendario secondo le Regole della Astronomia Europea il che è lo stesso che soggettare à un piccolissimo Regno, e straniero un Vastissimo e fioritissimo Impero. Una istessa cosa dunque è togliere la matematica, et il fauor del Rè che da quella suol deriuarsi in noi, che alienare da noi i Principali di tutto l'Imperio, come sperimentamo nella ultima persecutione; imperoche i Politici non riguardano alla nostra Religione, mà alla propensione del Rè verso gli Europei, secondo la quale si gouernano nel perseguitarci, ò fauorirci.

Nè questo [illegible] accade nella Corte Imperiale, [illegible] tutte le Prouincie ad essa soggette, in cui i [illegible] Operarij tanto [illegible] di credito, e tanto fanno di frutto quanto [illegible] fauoriti dal Rè [illegible]

Sì che l'[illegible] i Padri della Corte così ben veduti [illegible] si portono [illegible] quanto di bene [illegible] la dignità et il [illegible] dalli [illegible] tanto stimati in corte [illegible] le raccomandationi col [illegible] tanto [illegible] di pari soggetti, che sono sparsi à illuminare l'Euangelio in [illegible] Città [illegible] loro gouerno [illegible] Onde [illegible] colà [illegible] à [illegible] ne nasce [illegible] una veneratione appresso il Popolo, [illegible] Bonzi, i quali [illegible] [illegible] trattarci [illegible]

18

maltrattarci con parole, ò insidiarci co' fatti, e però resta à noi libero campo da promouere la Religione e predicare Christo Crocifisso.

§ 12.

Si proua ciò con essempij

Quanto habbino giouato alla fede Xpiana in questi anni li detti fauori, et in qual maniera essi giouano non solam.te nella Corte e nella persona d'un solo, mà à tutta la Missione et à ciascun promulgatore del Vangelo si potrà conoscere da quel poco, che qui soggiungo.

Primo. Ritornando ciascuno dall'esilio nelle sue Chiese Il P. Francesco de Ferraris Operario di questi 30 anni era morto nella Prou.a di Nankim e perciò la gran Christianità della Prou.a Konsi doue egli andaua era priua del suo Pastore. Piacque in tanto al P. Gio: Dom.co Gabiani di trasportare iui per quasi 300 leghe la maggior parte per terra il di lui Corpo: ma esso doueua ritornare alla Città Yamcheu della Prouincia Nankim, doue era stato destinato con la patente dell'Imper.re: fù dunque dato un memoriale dal P. Ferdinando, acciò fosse lecito à detto Padre il trattenersi in quel luogo alla guardia del sepolcro: l'Imp.re secondo il costume diede il parere del Supremo consiglio de Riti, questo fù tale. Poiche [illegible] s'era iui presa cura della sepoltura potersi stendere la beneficenza della S. M.tà si verso del viuo, come del morto. Acconsenti l'Imp.re e così fù prouueduto à molte migliaia de Christiani, li quali per 23. Città di questa Prou.a sono dispersi, mentre all'hora si promise per indulto dell'Imp.re il fermarsi appresso d'essi.

2.do Il Rev.o P. F. Fran.co Varo Domenicano nel tempo della persecutione era stato nascosto nella Città Fogan della Prouincia Fokien, scoperto fù mandato nella Prouincia di Canton, mà non essendo nel numero di quelli che erano stati citati alla Corte, nè pure fù nominato frà quelli che doueuano ritornare alle Chiese. Il P. de Gouvea V. Prouinciale diede un memoriale, acciò quello potesse ritornare nella Prouincia di Fokien: il Supremo Consiglio di Riti giudicò che doueua rimandarsi à Macao; mà l'Imp.re disse desiderando il Gouvea condurlo seco in Fokien permetto l'andarui acciò possa anche fermaruisi.

3.° In Cina Metropoli della Provincia Xantung la Chiesa e casa del R. P. F. Antonio di S. Maria Francescano, il quale era morto nell'esilio di Canton, et ivi era stato sepolto, era venuto in potere de' Gentili, ma dop po molta fatiga fu restituita à suoi Successori. Della qual casa il R. P. F. Bonaventura Ybanchos scrive al P. Ferdinando 27. di Maggio 1658 con queste parole, tolte dallo spagnolo. Dobbiamo à V. R.za la restitutione della nostra Chiesa nella Metropoli Xantung, altrimente era impossibile che noi potessimo cavarla di mano à quelli che la possedeva.

4.° Era morto esul in Canton et ivi sepolto il P. Michele Trigaul tio Fiamingo, il quale era stato ministro della fede Christiana per qua si trenta anni nella Provincia Xansi, al quale di poi s'era aggiunto com pagno il P. Christiano Herdtrich d'Austria. Mà questo per commun voto di tutti per la matematica che haveva studiato alquanto era stato destinato alla Corte con il P. Filippo Grimaldi, il quale da noi era stato chiamato da Macao, per succedere in luogo del Rev. P. F. Domenico Na- varretes, il quale di nascosto era fuggito dall'esilio in Europa, con prender il di lui nome Cinese, acciò l'uno e l'altro aiutassero il P. Ferdinando nella matematica. Mà frà tanto la Provincia Xansi era priva del suo Pastore, e della speranza di più riaverlo, ne in tanta scarsezza de Compagni v'era à chi potesse commettersi quella Chiesa. Si pregò per tanto l'Imperatore, che poiche gli altri della Comp.a per beneficio della Sua Maestà havevano recuperate le loro Chiese, facesse la med.ma gratia al P. Christiano chiamato dianzi in corte per l'Astronomia, e gli dasse licenza d'andare per alcuni mesi nella Provincia di Xansi, per ripetere dalle mani de Presidenti le Chiese e Case, che haveva amministrate anzi ancora i libri, et istrumenti di Matematica. Acconsentì l'Imp.re, onde il P. Christiano accompagna to da patenti del Supremo consiglio de Riti e del Collegio de Matematici

à 24.

49

à 29. di Settembre del 1672. partito dalla corte felicemente ricuperò le sue case, e Chiese, e primieram.te quella della metropoli, poi un' altra lontana 8. giornate grandissima come quella ch'era stata palazzo del Regolo il quale per opra del P. Adamo era stata data al P. Trigaultio in luogo d'una Chiesa vecchia diroccata dal Presidente della Città nemico de' Christiani. Rimise poi nel luogo, esplendore di prima gli altari, e l'imagini de Santi, e quello che è principale ricondusse al retto sentiero della fede i disviatine dal la paura rinvigorì con li sacramenti della Confessione e Communione li deboli, et accrebbe la gregge di Christo con il numero di 300 novellam.te battezzati: doppo le quali cose essendo scorso il tempo concessogli dall' Imperatore ritornò nel mese di Giugno del 1673: nella Corte à ripigliare l'Astronomia Cinese. Con il di lui ritorno nella Corte fù quella Chiesa di nuovo priva del suo Pastore. Desideravano li Superiori, e particolarm.te il P. Ferdinando di pigliar occasione appresso l'Imp.re per rimandarvelo, mà per due anni non si puotè. Accadde frà tanto (disponendoli la Divina Providenza) che circa le Calende del nuovo anno Cinese il P. Christiano si ammalò talm.te che dava poca speranza di vita, e molta paura di morte, e se ben per gratia di Dio guarì, la convalescenza nondimeno durò molto tempo; doppo questa malatia l'Imperatore chiamati à se in palazzo li nostri Padri, gli diè à vedere la pelle d'un certo animale donatogli da un certo Ambasciatore Moscovita, udì da essi esser quella una pelle di Castore, e con tal' occasione richiedendo varie cognitioni d'Europa, finalm.te si rivoltò al P. Christiano, ancor macilente, e pallido dicendogli come stasse. All'ora il P. Ferdinando, sono, disse sei mesi, che questo nostro Compagno gravemente ammalatosi non hà potuto rihavérsi. l'aria di Pechim gli è poco favorevole, onde egli supplica la Maestà sua che si degni concedergli di mutar aria et andar per qualche tempo nella

Provincia Xansi, à ricuperare l'antica sanità. Il Rè commise la cosa al consiglio de Riti, il quale doppo hauer deliberato supplicò l'Imp.re con un memoriale acciò si degnasse d'acconsentire alla domanda del P., come egli fece. Per tanto sul fine dell'anno 1675, il P. Christiano tornato alla antica sua Provincia ui fatica anche adesso indefessamente, anzi stendendo il suo zelo nella nobilissima Provincia Honan, che dicesi il fiore della Cina hà eretta una nuoua Chiesa nella Metropoli con il fauore de Presidenti appresso de quali uale molto con l'autorità e stima.

Un altro utile ancora si caua non piccolo dal fauore dell'Imp.re uerso la fede Christiana, imperciòche tutto quello che in auantaggio d'essa s'opera da Presidenti, e Gouernatori de luoghi in qualsiuoglia Provincia doppo Dio, si deue à Padri, che dimorano nella Corte. Quanti in quell'Imperio ò di nuouo, ò passati li tre anni aspirano à qualche magistrato, li nomi de quali, patria, gradi stampati ne' quattro tempi dell'anno dalla Corte si diuulgano per tutta la Cina, deuono andare alla Corte per iui ottenere la podestà de suo officio e dignità secondo la sorte, che gli toccarà, la quale ottenuta à spese del Rè uanno per terra, ò per fiume in naui Reali à luoghi destinatigli in gouerno. Se tal'uno uà in Città, doue ui sia chiesa, ò alcuno Europeo della Comp.ia il P. Ferdinando lo uisita con qualche dono Europeo, ò mathematico, al quale sempre si aggiunge d'ordinario un libro della nostra fede et egli raccommanda il P. e la Chiesa: d'onde ne uiene non rare uolte, che il nuouo Presidente auanti d'ogni altro visita nel luogo del suo Gouerno l'Europeo raccommandatogli, il quale con ciò acquista un gran credito et autorità appresso della plebe e de Letterati contro de' Bonzi nostri Emuli: così quei due gran Ministri de quali sempre s'è parlato, doppo hauer ucciso il Regolo di Canton, e li suoi confederati, la medesima mattina uennero con tutta la pompa alla Chiesa, doue presiedeua il P. Filippucci, sospettando intorno la plebe, che qual-

che daino à

20

che danno ci sarrastasse dalla Corte, essi doppo hauer compito le Cerimonie solite frà forastieri, dissero che ueniuano à ricapitare una lettera del
P. Ferdinando, come haueuano promesso. Doppo alcuni giorni con lettere del
medesimo al Senato di Macao e col accompagnam.to di 8m huomini à caualo
uennero meco, e con il P. Alessandro Cicero à Macao, doue accolti con lo
sbaro de' Canoni uisitarono prima la Chiesa, e la nostra libraria, poi entrati nel Senato esposero à Portoghesi la uolontà del suo Imp.re inclina-
tissima uerso d'essi. Chi de Portoghesi allora non conobbe che la conseruat.e
della loro Città doppo tanti pericoli, come anche in bramato successo di
due Ambasiarie antecedenti doueuasi doppo Dio alla sola astronomia, et
al fauore dell'Imp.re partorito da essa! come l'istessa Città et Ambasia-
tori attestano nelle sue lettere scritte ai Padri di Pechim: che se una uolta
(il che Dio non uoglia) accaderà esser sbandita dalla Cina l'Astronomia, e
con essa la Religione confessano essere disperato e finito in quanto al
suo Imperio, e Città, e famiglie fondateui per 140 anni, le quali saranno forzate à trasferirsi ò dentro, o fuori della Cina, come già sarà stabilito nel tempo del nostro esilio di Canton imperoche li Cinesi uoranno
che in eterno sia chiusa quella Città, o porto unico per la quale può
entrare in quell'Imperio l'Astronomia Europea, e la fede Christiana.

Voglio chiudere questo paragrafo con un singolar fatto, con il quale
l'Imp.re mostrò il suo fauoreuole affetto e stima uerso del P. Ferdinando.

Costumo per l'ordinario ogni cinque anni ò quando piace al Rè
che tutti quelli, i quali nella Corte sono in Prefetture, ò grado alcuno
di dignità, offeriscano all'Imp.re un memoriale, in cui ciascuno con ogni
schietezza e sommissione in qualsiasi tempo circa l'aministrat.ne del suo of-

ficio

ficio, e riconoscendo le sue colpe implori il perdono della Clemenza della Maestà sua.

Hà il Governo de Tartari più Concilij et à questi più collegij minori subordinati, ogni un de quali hà due supremi Governatori, un Cinese et un Tartaro:
al Collegio Matematico era stato assegnato un certo Tartaro per nome Itala
poco esperto nelle scienze, che professava di matematica, e più tosto Professore
d'Augurij e indovinelli che astronomo.

Questo dunque con fasto et insolenza da Tartaro trattava non come compagno il P. Verbiest Prefetto del Sommo Calendario; dissimulando tutto il Padre Ferdinando senza lamentarsi appresso d'alcuno, stimando meglio di rimettere à
Dio tutti i travagli, che gli conveniva sopportar ogni giorno. In tanto il Tartaro secondo il consueto offerir con gli altri il suo memoriale con esporre le
sue colpe, e dal Supremo Concilio del Magistrato vien giudicato degno d'esser
assoluto e confermato nella dignità, aggiuntevi di più alcune lodi con le quali
lo stimavano atto ad esser promosso à grado maggiore. Mà l'Imp.re il quale
per longo tempo seco medemo revolgeva il tutto intesa la risposta del Concilio pronuntia dover esser egli degradato dall'officio, e collocato frà plebei
per tutta la vita inabile ad ogni carica. Stupirono à questa inaspettata
sentenza tutti quelli che stavano presenti dalla quale come tocco da fulmi-
ne il Tartaro inorridì essendosi imaginato che l'Imp.re per parte d'altri
fosse stato fatto consapevole de poco buoni portam.ti usati al P.re et avviso
il suo Successore che se voleva perseverare in quell'officio procurasse
di star d'accordo col P.re Verbiest et obligarselo con ogni dimostratione
d'ossequio e d'honore come huomo molto favorito dal Rè e benemerito.
Potrei qui descrivere altri singolari favori mostrati dall'Imp.re all'istesso
Padre singolarm.te quando l'anno 1682 se lo condusse seco verso la Tar-
taria Orientale, e l'anno seguente verso l'Occidentale nel qual viaggio
non permise mai l'Imp.re ch'egli partisse di fianco; ma si conviene provedere alla brevità dell'opera.

§. 10

24

§ 13.

Persecutioni accese e felicemente spente.

Non perciò in tanto favore dell'Imp.re e sicurezza della fede Christiana
quanta sopra s'è mostrata, mancarono le sue persecutioni, le quali apena in
alcun tempo, ò luogo possono mancare nella Chiesa Catt.ca: e queste certam.te par,
ne che fossero profetie da S. Fran.co Saverio zelantissimo Amatore delle Indie,
e particolarm.te della Cina, il quale sopportò quella prima et acerbissima per,
secut.ne fino alla morte, e nel desiderio e sospiri d'entrare nella Cina spirò così
egli dal porto di Sancian alli 16 di Novembre cioè quattordici giorni avanti
alla morte scrisse al Pereira et al Barzeo. Unum vobis mihi plane certissimis
compertum argumentis omni asseveratione confirmo, persuatissimumque vo,
bis esse, incredibiliter exhorrescere diabolum Societatis Jesu ingressum in Sinarum Reg,
num: apparet omni eius rei conatu tangi velut pupillam oculi eius: ita im,
potenter efferatur, sic se in adversum arrigit, adeo vehementibus contra furijs
erumpit. Accipite hunc à me indubitatissimum nuncium ex hoc portu Sanci,
anensi, ubi cum in singula momenta admoliri, cum nobis tot alia supra alia
velut semper prioribus difficiliora trajectûs obstacula sentiam, quæ e,
numerare, aut fando exequi si coner nullus finis sit, clarè videlicèt intelligo
cani classicum in castris Tartari consternatosque males Dæmones universos
in armis pro suo quasi vallo contra nos stare. Certam.te il Padre Alvaro
Semedo asserisce che in questo imperio dal principio della Missione fino all'
anno 1640. sono nate più di 50. persecutioni e quelle in vero che nascono
in luoghi, ò provincie lontane dalla Corte si sopiscono facilm.te ma quando
la cosa viene alla Corte, et al Supremo Concilio de' Riti poiche questo non am,
mette secondo le leggi alcuna Relig.ne straniera il pericolo, è più universale
e maggiore, essendo che quello cosi stabilisce con autorità Regia nella Corte,
suol osservarsi per tutto l'Imperio e doppo molti Anni secondo l'occasione
et il tempo di nuovo si caccia fuori in osservanza: Confesso nondimeno che
la notitia di ciò che si fà in ciascuna Provincia deve mandarsi per Corrieri
alla

alla Corte. eran solo otto persecutioni accese nello spatio di apena ott'anni, io qui racconterò con il felice esito di esse.

Alcuni Eunuchi di Corte haueuano accusato appresso l'Imp.re un Eunucho Christiano Chin Ignatio, perche non adoraua gl'Idoli con essi. L'Imperad.re doppo molti quesiti circa la Relig.ne Christiana che quello professaua s'acquietò talm.te alle sue raggioni, che di poi lo destinò à maggiori negotij di prima: anzi un giorno essendo andato alla Caccia delle Tigri, domandò al medesimo, che cosa di sacro portasse seco, et intendendo che non portaua la Croce, gli disse la Croce in primo luogo è buona.

Nel Territorio di Pekim era nata una gran tempesta contra de' Christiani mossa da un Prefetto nemico giurato della fede: altri furono posti in carcere, altri anche battuti crudelm.te ma con una sola lett.a scritta da un Primario della Corte di Pekin ad instanza del P. Ferdinando nella qual lett.a si conteneuano grandi encomij della Relig.ne Christiana, et il fauore dell'Imperat.re verso d'essa, fù rasserenata la tempesta. In quell'anno però nel quale queste cose in un Villaggio accadero cio è l'anno 1677, nella Corte si battezzorono due mila ducento trenta sei.

In un altra villa del medesimo Territorio un simile turbine sorto arriuò à tal segno, che il P. Valat fù forzato ad accorreruj dalla Prouincia confinante di Xantum per opporuisi con le lett.e di raccommandatione ottenuta da quei della Corte, per opera del P. Ferdinando e de' Compagni, li quali non poteuano andarui, essendo che non gli è lecito partirsi della Corte per essere spesse volte chiamati dall'Imp.re: mostrate le lett.e suani il turbine, e li Christiani che erano ritenuti in prigione, furono liberati da ceppi.

Nella Prou.ia confinante alla Corte, come s'è detto, chiamata Xantum quattro tempestà in diuersi luoghi e tempi furono suscitate particolarm.te da Baccalaurei et in simil modo sopite per mezzo delle lett.e

d'amici

22

d'amici ottenuto, ò da chi coltiuana quella vigna, ò da Padri di Pekin, li quali come sono potenti per il fauore della Corte; cosi anche il più delle volte sono più temuti per tutto l'Imperio. Ne paia ad alcuno marauiglia che in tanta sicurezza (quanta di sopra s'è detto) s'incontrino persecutioni, imperoche durando anche ora l'ultimo editto dell'Impre. con il quale si vieta à Gentili la Relig.ne Christiana, resta libero à Prefetti conforme l'odio, e l'amore il trauagliare la Santa legge, e li stranieri, ò pure dissimulare.

Nella Prou.ia Nanchim doue quello che de' nostri risiedeua, era pure un poco amico del Pretore accadè che in una certa villa cosi persuadendo i Bonzi fù affatto distrutta una chiesa poco auanti fabricata spingendouisi contro in una notte ottocento gentili: datone auiso al Prefetto furono presi li Capi, e condannati ad 100 battiture, le quali benche non siano mortali, con tutto ciò fanno stare in letto le persone per molti mesi, finche dopo non poca spesa si sanino. Per tanto quelli stessi per fuggire il castigo mandarono li amici per intercedere appresso il Padre con promettergli che ritornarebbero la Chiesa. Il Padre, e perche conosceua d'essere forastiere e perche temeua che li posteri de' rei ne farebbero uendetta, e perche speraua con tale piaceuolezza che s'ammollirebbono gli animi di certi à prender la fede Christiana volontieri fece il loro auuocato appresso il Prefetto il quale condescese con patto che la Chiesa fosse ritornata como prima, il che fù fatto.

Nella Città Yamceu della med.ma Prouincia era stata appigionata ad un baccalaureo Christiano la parte della nostra Casa. Il Padre pensaua di fabricare la Chiesa, e già hauena apparecchiate le traui, colonne, et altre cose necessarie. quello hauena promesso che in un giorno stabilito sarebbe uscito di casa con la famiglia. frà tanto il Padre ritornando doppo d'alcuni mesi dalla Corte, trouò che l'huomo non era anche uscito dalla Casa; anzi perche era stato in assenza del Padre mal trattato e strascinato al Presidente de letterati da' Christiani indiscreti perche non era stato alli patti, talm.te s'era infuriato che havria dato un libello d'accuse contro di noi, nel quale raccordava l'editto dell'Imp.re che niuno abbracciasse la legge nostra, nè fabricasse Chiese: di più essere stato introdotti un straniero, cioè questo il P. Francesco Hayoso spagnuolo, il quale in quell'istesso anno andava nella Prov.a Xensi, et altre simili cose, con le quali concitò anche contro di noi altri non pochi Baccalaurei: Il Padre se ne andò con un dono conveniente à trovare il Presidente de' Letterati, e diede anche altri doni minori alli Baccalaurei di maggior nome. Il Prefetto rese al Padre la visita, e se bene vedeva ch'egli havrebbe facilm.te ottenuto appresso il Governatore di tutta la Prov.a che quel Baccalaureo fosse privato del grado conforme meritava, con tutto ciò intendendo che ciò era troppo violento, e negotio di qualche longhezza, e che non poteva farsi senza sdegno di molti Letterati, anzi che forsi gli sarebbe chiesto conto perche in simil cosa si fosse portato più piacevole del conveniente, gli insinuò con queste parole il suo consiglio; Pensate disse, se qui trovaste tre casse de Defonti, e che qualcheduno non le potesse mandar' à sepellire per povertà; non vorreste voi forse anche à vostre spese farle trasportare di casa? Questo Baccalaureo è povero, e si ritrova in angustie per la figlia già nubile, sia soccorso di qualche poco, e con ciò cesserà tutta la tempesta. Il Padre accettò il consiglio: diede à quell'huomo in prestito dieci scudi d'oro, mà da non restituirsi mai, benche ne facesse una amplissima riceuta. Partitosi poscia il Baccalaureo con ciò, e compunto chiese al Padre che ricevesse confessione della moglie, e figliuole pentite del fatto: differendo egli il confessarsi per prima dar sadisfattione al publico, al quale haveva dato un sì gran scandalo.

Nella Provincia Fochien venne dall'America il R.P. F. Pietro della Pinuella francescano, e non consapevole come tutti gli altri che v'entrano la prima volta, di quanto la Cina sia differente dall'America e dall'altre Indie, sì ne' paesi, come ne' costumi, occupò la nostra Chiesa della Città Ciam Lo contro l'ord.

23

tro l'ordine, che forsi non sapeua del Rev.mo Gnal.e dell'ordine Serafico. Accadde che il Gouernatore del luogo condannò à 30 battiture il Venditore della noua Casa et à 20. quello che habitaua vicino alla Casa comprata perche non l'hauesse auisato della uenuta di quello Straniero, douendo secondo le Leggi auuisarlo anche del arriuo di ciascuno che uiene da qualsiuoglia altra Prouincia della Cina. l'accusa passò anche al Supremo Pretore di tutta la Prouincia. Mà il P.e Simone Rodriguez s'adoprò accio si sopisse la cosa. Ora all'ora un certo Licen Christiano, che era stato mandarino nel Collegio de' Matematici: con questo e con un'altro huomo autoreuole e Christiano e caro al Pretore le mosse à far un editto, col quale si uietaua che si molestasse l'huomo Europeo, alche anche giouarono assai li Caratteri Regij affissi alle nostre Case, delli quali sopra habbiamo parlato.

Potrei qui discriuere altre persecutioni, ò nel Canton sotto del P. Filippucci ò nel Xantum, le quali credo essere state sopite per gratia di Dio, mà per breuità le tralascio.

Della tempesta di Fokien mi scriue il R. P. F. Gregorio Lopez Vescouo Basilitano à dieci di Nouembre 1682. con queste parole che traduco dalla lingua Spagnuola: Quest'anno 82 s'è mossa la persecut.ne in Fongan mia Patria, e benche nel principio fosse piccola cosa, poteua col tempo ingrandirsi et abbracciare tutti gli Religiosi delle tre Relig.ni; mà finalm.te è stata sopita con maggior utile che danno, mediante il P. Domenico Gabiani, il quale all'ora si trouaua in Fokien, et insieme le lett.e del P. Ferdinando Verbiest scritte al nostro Vicerè, le quali vennero opportunam.te nel bisogno maggiore: onde in breue fù spento quel fuoco, che harebbe potuto turbare tutta la missione. Ne ciò è detto senza fundam.to imperciochè come scriue il P. Grimaldi dalla Corte di Pekim a 26 di 7bre del med.mo anno: il Vicerè benche per altro il nostro Amico hauena fatto attaccare nelle Chiese lo scritto dell'Imp.re, con il quale erauamo richiamati alle Chiese, mà insieme si vietaua à Cinesi il professare la n.ra S. Legge, commandando seueram.te che si eseguisse. Se sente però di poi il V. Rè dicendo d'hauer fatto ciò per non inasprire troppo li nemici

della nostra Relig.ne dando qualche sfogo al loro sdegno et odio. A nostri acor-
sarij poi era stata Cagione di perseguitarci l'essersi eretta una nuova Chiesa
per la radunanza delle Donne, e l'essersi ritrouato un catalogo, nel quale
si leggeuano li nomi de battezzati, e conuertiti à Christo.

Parte II.da

§. 1.o

Alcuni Documenti utilissimi a Missionarij Cinesi.

Deue supporsi la Natione Cinese esser non men sagace, che sospettosa e però
deue esser trattata con molta diligenza e circonspettione, acciochè non si alieni
e non s'inombri: conuiene auuertirsi di più quanto difficile sia conuer-
tir questi Popoli, mentre con tutto il fauore Regio e l'Astronomia Europea siano stati trauagliati da tante, e tante persecutioni; or che sarebbesi quando fossero atterrati questi due sostegni?

Si hà da trattare con soli Cinesi, non amettendosi alla Cina forastiere di sorte alcuna, saluo che per portare ambasciate e i Portoghesi co' quali traficano gli
fanno trattener à Macao, oue trasmutano le loro merci; siche i Missionanti
vestiti di habito Tartaro Cinese, non possono trattar con altri, che co' proprij compagni Missionanti, ò con quelli dell'istessa Natione e ciò con molta Cautela
e prudenza, il che non auuiene negli altri Regni, oue non solo vi è forastiera
Europea, mà vi sono ancora d'ogni natione Indiana con libertà all'usanza e
rito di loro proprio paese per ogni Natione. Mà se bene hanno questo di scom-
modo i Missionanti che conuertono, hanno questo d'utile i Conuertiti che
lontani dalla vista degli Europei e consequentem.te da loro scandali, fanno più
concetto della nostra Religione hauendola abbracciata l'osseruano con
maggior esattezza.

In oltre molte persone idonee per altre Missioni alli barbari sono inabili
per queste della Cina, le quali richieggono huomini di genio mite e trattabile lontani
da ogni fierezza e bollore di natura, il che in molti Europei notarono i Cinesi chia-
mandoli Sin chièn cioè à dire persone di natura, e genio precipitoso. Di
più

29 x.

più questa Natione molto culta ricche persone assai civili, e molto es-
ercitate in tutti gli Officij di cortesia, e di complimento. e che habbiano
gusto di trattare ugualm.te congli infimi, e co' Supremi, e finalm.te di tal
natura, che se fossero restati nel secolo, sarebbero stati molto fauoriti da
Principi, lontani da ogni Rusticità, prauità, et asprezza, quale suol usarsi
con i Sciani, e con altri Americani, e Indiani di genio Seruile. Il Cinese
tutto che sia persona di poco cuore e molto più s'è pouero, mà letterato,
accorgendosi esser poco stimato da un forastiere, concepisce subito spiriti
di vendetta, quale suol dissimulare sin che ò la speranza di guadagno, ò altra occasione gliela fà metter fuora.

Di più essendo di genio inconstante, è facile ad abbandonar quella fede,
che professò una uolta, qualunque ella si sia, ogni qualuolta speri ricchezze ò guadagno. Assai più di Cortesia e Sommissione deue usarsi co' Nobili
singolarm.te se per qualche dignità, o Prefettura Illustri, i quali oltre il genio
superbo, proprio de Cinesi tenacissimi del Proprio, e conferito honore non
possono soffrire una, non dico reale, mà ne pur apparente ombra di disprezzo; Mà così auueggono d'esser honorati, e trattati con cortesia rimet-
tono della sua alterezza, e s'abassano sino in terra; parlando delle loro
cose molto modestam.te e riceuendo benignam.te quanto concerne alla Dottrina di Christo loro insinuata, ne di questo contenti diuentono Pane-
giristi de loro Lodatori, inalzando sino alle stelle con encomij appresso
d'altri la dottrina appresa; Il che è cagione, che molti altri la lodino
volentieri, e la seguitino.

Quando poi s'accorgono esser noi atti alle loro cerimonie, e prattici de loro
libri, non è credibile quanto più ci amino e ci stimino, sino à darci in qualunque congresso il primo luogo secondo le leggi delle Cerimonie Cinesi,
le quali quen che, cioè al Forastiero stabiliscano douersi il primo
luogo, il che risulta e in ben de' Christiani e in timore de Bonzi.

Raccolga di più chiunque aspirando à Giapponesi Martirij dalla Europa vuol passare nella Cina, che se vuol far frutto bisogna che spogliatosi d'ogni austerità e rigidezza si vesti di mansuetudine, piacevolezza e cortesia, per esser grato à Principali Cinesi, da quali dipende il tener à freno i Bonzi, che contro di noi non infurino, e permettere, che la fede Christiana per il regno si stenda.

Quanto al modo di trattare con le Persone dotte questo solo si deve avvertire, che professandosi essi, et essendo Politici et astuti osservano, e criticano ogni nostra attione, e parole, e però bisogna star molto attento à non ingerire discorsi delle grandiosità Europee, stimando essi, che coll'ingrandim.to di queste vengano ad abbassarsi le loro; e però deve ogn'uno astenersi dal proporre simil cose sal-vo che quando ne viene interrogato; Molto meno deve farsi mentione di guerre, e gran Guerrieri che havendo soggiogate Provincie anelino à nuove conquiste, perche essendo sospettosi e timidi si mettono in fuga et han paura che le armi, tutto che lontane non venghino à soggiogarli. E questa è la ra-gione per la quale non han voluto che ponesse piede e lunga statione ne lo-ro porti i Vascelli Olandesi, havendo inteso quella natione esser molto bel-licosa e potente, quantunque gli Olandesi si sforzarono aprirsi l'adito à quel Regno per mezzo della matematica, come noi havevamo fatto.

Di più si scandalizano che sia luogo à battaglie ove regna la fede, e che quelli tra loro s'uccidano, che hanno per precetto d'amarsi l'un l'altro. possono per certo lodarsi tutte quelle cose che appresso di loro non sono de-gne almeno di vituperio, benche per avventura non siano da paragonarsi con le nostre Europee.

Si avverta di non mettere in discredito e confusione i loro filosofi e i loro Rè antichi che sono appresso tutta la posterità in grande stima; di santi nella legge natural molto meno si dica essere [illegible] opinione frà Christiani penar loro nell'inferno. molto meno ancora si deve condannare subito d'altri errori intorno alla ~~fede~~ loro legge una Na-tione si grande e si antica; Imperoche rispondono à tutto ciò voler eglino

più tosto

25

più tosto sentire, e credere co' suoi Popoli e Principi si antichi, che abbracciare i pareri e legge di gente straniera. Contro i di loro vitij poi, non si gridi più severamente del giusto, mà si dissimulino più tosto quelli che non possono emendarsi particolarm.te di quelli che sopra intendono agli affari publici. In tutte finalm.te le parole et attioni è necessario che risplenda una certa affabilità honestà e prudenza religiosa congiunta con una gravità non affettata senza dar ne pure un minimo segno d'animo alterato ò con gesti scomposti o con la voce sregolata offendendosi di cio non rare volte i Cinesi massime ne' Ministri dell'Evangelio stimati da loro mandati dal cielo.

Finalm.te chiunque da Dio chiamato applica l'animo alla Conversione della Cina seriamente frà di se pensi dover egli passare ad un'altro mondo diversissimo ne' costumi e usi dal nostro. Pensi dover trattare con gente molto più antica della Romana, fioritissima per le leggi e Città, la quale per quattro mila anni fù governata da Principi Paesani con l'istesso habito e norma d'edifitij e leggi, senza variare punto fino alla dominatione Tartarica. Di più con gente educata con termini d'ogni civiltà che non hà mai havuto commercio con gente straniera, non essendo di quella bisognosa in cosa veruna.

§. 2°.

Aiuti per più facilm.te introdurre la Relig.ne Christiana nella Cina.

Ciò che più deve conferire ad abbracciare la Religione Catto.

lica è la propria dispositione de Cinesi in ogni cosa confacevole alla dotta ragione. E di qui è per avventura, che nella Cina non si legono fatti tanti illustri miracoli, quanti altrove; imperoche ottimamente eglino conoscono la verità della nostra Religione, la qual non seguendola spontaneam.te ne pure sono per abbracciarla se i morti stessi per dir così gliela predicassero. E di qui ancora è che nella Cina più tardi che altrove sia stata introdotta l'Idolatria cioè à dire l'anno 65. doppo di Christo e questo per autorità Regia: E una tal' impietà d'Imperadore per altro moderato è dagli Annali loro molto detestata. Ho detto per autorità Regia imperoche è probabile che privatamente si riverissero Idoli, anche avanti di Christo benche alcuni loro scrittori l'o neghino.

Che se più diligentem.te si esaminino le loro memorie, si troverà che fin dal principio della propria Monarchia hanno i Cinesi adorato uno solo Iddio Spirito invisibile Creatore dell'Universo al quale solo l'Imperadore terrestre come figlio addottivo e suo Vicario visibile offeriva solenni sacrificij et anche holocausti come si spiega per la Lettera Ciai. Conoble dio esser un Dio, e questo rimuneratore e che non determina le attioni libere degli huomini, ma prevedendo che cosa essi siano per fare, stabilire loro il premio e la pena conforme i meriti. Quindi la voce e il voto di tutto il Popolo è tenuto appresso i Cinesi in conto di voce e voto di Dio. Credono in oltre che il medesimo Iddio (il quale

sacrei

26

hà creato gli huomini e la lor natura buona diuenuta poi per il vi-
tio molto offuscata) sempre internamente stimoli alla virtù alla di
cui inspiratione non obedendo gli huomini, nascero tutte le calamità
come riferiscono dell' empio Impre. Chie. il quale mille 1500 e più anni regnò auanti Christo il quale hauendolo Iddio auisato prima p.
huomini sauij (i quali credono esser ancora destinati dal cielo) dopo
per prodigij e calamità voluto ridurre alla penitenza resistendo
egli ostinatamente à tante ammonitioni finalmte sicome sforzato lo
hà abandonato da se e spogliato del regno transferendolo in altra
famiglia da se destinata. le quali cose con istesse parole ne' libri
di Persone state mille, e alcune centinaia d'anni prima di Christo
si trouano scritte e doppo commentate da Gentili, i quali se mai
l'Europa vedesse, ammirarebbe fin doue il natural lume de Cinesi
sia arriuato. conobbero in oltre l'anime degli huomini essere
immortali e viuendo bene ritrouarsi dapoi alla presenza del Supremo
Imperatore nell Cielo, sicome chiaramente parlano i testi antichi,
benche i moderni Atheopolitici interpretino tutto secondo il capriccio
di machiauelli

Conobbero finalmte esserui spiriti tutelari à Prouincie Città,
fiumi &c à quali però niente attribuirono che fosse contrario alla
ragione contro l'usato dai Greci e Romani.

Abominano di più le Imagini che danno punto dell'inuerecondo,
et il presente Imperatore Tartaro Sinico hà rinfacciato al Pe. Ferdinando l'immodestia degli Europei d'escolpire nelle cornice d'un
specchio venetiano (donatogli da un Ambasciatore Europeo) al-

cune tirene ignude, onde nè pure le sacre Imagini debbono colà portarsi se non sono conformi ad ogni decenza. anche il bambino Giesù ignudo nel grembo della Madonna pare à molti sia indecente, nè che possa provocare negli animi il dovuto rispetto e devotione.

§. 3°

Virtù morali de Cinesi.

Il giudizio e stima che hà sempre fatto delle virtù morali la Cina lo manifestaranno loro volumi, che frà poco, come spero, si manderanno alla luce; nè solo da loro scritti, mà molto più da quanto tutta ora risplende di virtuoso frà quei Popoli puol' arguirsi quanto sia grande l' integrità de loro costumi, e la rettitudine de loro giudizi. Ne loro libri antichi si ritrovano spiegati i dieci Precetti del Decalogo, il celebre assioma quod tibi non vis alteri ne feceris; la pietà e misericordia verso tutti, e massime i poveri ciechi de i quali l' Imper.re un determinato numero ne sostenta à proprie spese in ogni Città. vi si inculca la negatione de' proprij affetti affinche i semi della natura corrotta si restituischino nella primiera loro e nativa conditione; l' humanità ancora dell' animo, l' ubbidienza à proprij Genitori, l' affabilità anche co' Plebei, l' educatione retta de figliuoli vi essi si prescrive; come ancora la sincerità e verità interiore del cuore senza fittione, la qual virtù se bene hoggidì non è praticata, nondimeno nei loro libri è la più pregiata di tutte. la modestia e pudicitia delle Donne, talmente raccolte in Casa che quasi à tutti si niega l' accesso ad essi; il che

à Predicatori

27

à Predicatori del Vangelio hà causato assai difficoltà, onde un ViceRè à noi affetionato diceua esser spedita la nostra legge, se
trattiamo con le Donne.

Bene dunque notificarsi à Missionanti Europei che qual'ora anderanno vestiti con habito di scientiati Cinesi sarà loro vietato secondo
il costume, trattar con Donne; mà se anderanno con la veste solita ad usarsi da Sacerdoti di quel Paese, potranno all'hora discorrere con esse, alla
presenza però de' loro Parenti e ciò di rado. Mà perche l'andar vestito coll'habito de Sacrificanti Cinesi ci partoriua disprezzo appresso
le persone graui, e grandi, onde eranamo esclusi da loro consessi perciò
abbiamo scielto uestirci più tosto nel modo che usano i Scientiati, che
i Sacerdoti loro, e in ciò contentarsi d'essere esclusi dall'abboccarsi con
Donne purche potessimo trattare con gli huomini singolarm.te stimati e
grandi, ch'è la parte megliore e più utile à progressi della fede, e ciò durò
sinche Iddio hà scoperto la strada et il modo di insinuare alle Donne li dogmi
euangelici per mezzo de' loro mariti fatti Catechisti della loro famiglia, e doppo con il fauor Diuino tanto è cresciuta la stima dell'innocenza e purità
della nostra S. Legge e de' i loro Pred.ri che li mariti anche idolatri mandano
le sue moglie alle chiese della Madonna per godere della messa e delli Sac-
ram.ti di penitenza et Eucharistia.

Qui nella Cina niuna Donna passa al 2do marito se non sforzata
dalla pouertà. Non ui è bisogno d'alcuna dispensa à ragione di Parentela
non essendo lecito ad alcuno ancorche non parente se è dell'istesso casato
contrar matrimonio. Lo stato vedouale è molto stimato et onorato
da questa gente, e dall'istesso Imp.re con titoli honorifichi. Non è lecito
alle Donne frequentar le chiese quando in esse si trouano huomini e perciò
in alcuni luoghi si diceua à buon'hora la messa per gli huomini soli e doppo

altra messa verso il mezzo di ꝑ le Donne, nulla dimeno li gentili ancora restava-
no scandalizzati, e questo è stato il motivo che crescendo il numero degli Huomini e Donne convertite, ne meno contentandosi i Cinesi del separam.to degli huomini dalle Donne, come costumati in Europa, fabricarono i nostri due Chiese, una ꝑ
gli huomini l'altra ꝑ le Donne, e con tutto cio fù un Gover.re della Città Chiamceu nella Provincia de Xansi il quale parendogli anche con cio s'avesse pocho riguardo
alla Modestia delle Donne, fece bandire il Padre Michele Trigaultio, e demolire
ambedue le Chiese le quali pero ꝑ mezzo del P. Adamo furono più ampiam.te e splen-
didam.te cambiate in un palazzo di certo Regolo della famiglia imperiale passata.

Nel principio ancora delle missioni, facendo in alcuni luoghi il Sacerdote un'es-
sortatione alle Donne doppo la messa ꝑ fuggire ogni taccia predicava alle Donne vol-
tate le spalle alle med.me et il volto all'altare, nè vi fù poca difficoltà nello stesso principio di ricever la sacra eucharistia dalle mani del sacerdote, la quale nella primitiva Chiesa
Romana solevano le Donne ricevere dentro un panno.

Per provedere parim.te all'honestà et apparenza di Modestia tanto stimata
in quel Regno, mai usarono i nostri toccare co' sacri crismi le Donne nubili, ma solo
i fanciulli, molto meno usano (non spettando cio all'essenza del sacram.to) ungere
i piedi di quelle con l'oglio santo dell'estrema untione il che da tempi antichi sin ad
ora suol usarsi in tutto il distritto del Vescovato d'Anversa in fiandra; e l'istessa S.
Cong.ne dell'Emin.le Inquisit.ne l'anno 1655 approvandolo il SS.mo Pontefice Alessandro 7°
dichiarò potersi tralasciare ꝑ grave necessità proportionata alcune sacramen-
tali cerimonie nel Battesimo delle Donne, et ancor l'istesso sacramento della
Untione: Imperoche come potrà mai indursi una Donna Cinese, avanti i suoi
Parenti et amici à farsi nudare i piedi i quali mai ne pur dal proprio
marito si vedono, acciò uno sconosciuto Europeo con il suo dito l'unga
e li notti.

Ho Io conosciuto uno, il quale si confessò di gravissime tentationi nateli dall'haver veduta e presa in mano una scarpa di Donna
dalche puol'argu- -

irsi

XIII.

28

cisi quanto poco vi voglia che persone sì facili à prender scandali, e sì ovvie à tentationi, per cose sì piccole, e remote, qual'è una semplice scarpa, se scopriranno alcuni nostri riti, per altro sacrosanti, bandiscono e noi da tutto il Regno, come impudichi, e la nostra Religione, come quella che prescrive cose apparentemente indecenti, certamente non essendo in Europa un tal pericolo, niente di meno il Rituale Romano prohibisce nelle femine l'untione de' lombi. Per la stessa verecondia, e rigorosa modestia, non s'è per anco potuto ottener da Nostri che i Cinesi contraggano il Matrimonio avanti il Parocchiano (il che stimiamo esser indissolubile di sua natura anche secondo l'institutione Cinese) non dico nella Chiesa publica, mà ne pur nella casa privata: et in quelle poche persone di privata et ultima conditione, che l'hà dai nostri ottenuto, s'è fatto in questa maniera, che la sposa con la faccia velata, secondo l'usanza, per non esser vista da circonstanti, stendeva la mano sopra un libro, sopra il quale poste le due parti della stola metteva la sua lo Sposo. Questa Penitenza e straordinaria verecondia è più rigida nelle parti australi: nelle Boreali però è alquanto più dimessa godendo alcune di quelle Provincie una libertà o più tosto una semplicità e sincerità più franca e civile.

§. 4°.

Del modo di trattare co' Bonzi ed altri loro Sacerdoti.

Con tutto che una simil sorte di Gente soglia di ordinario esser bassa, e plebea, non deve però essere irritata da forastieri, ò disprezzata, potendo essi molto nel Popolaccio il quale di leggieri conciterebbono contra di noi, quando non fossero ritenuti dal timor de Magistrati, e dal vedersi favoriti da' Nobili: nè solo la loro potenza si stende à Gente vile, mà anco appresso l'Imperatore il che facilmente si raccoglie da questo fatto. questi anni trascorsi un certo Preside della Città Yam Cheu cognominato Li avendo fatto flagellare con 100. colpi un superstitiosissimo Bonzo, nel quale supplicio poi morì, fù dagli altri Bonzi accordati insieme, et exacerbati accusato nella Corte, e l'accusa passò con tanta efficacia e felicità, che p sentenza dell'Imp.re venne condannato alla testa il Preside, in questa sua miseria beato, che essendo prigioniero riceuette per mano del P. Gabiani il Battesimo, nominato Pietro, e riuisse all'altra uita prima di morire al temporale +.

+ nel giorno che fù la festa di S. Pietro ad uincula

Deuon dunque i Missionanti molto guardarsi dall'inguriare questi Sacerdoti Idolatri, e però deuonsi impugnare, e riprendere i loro errori, e loro vitij, non già le loro persone.

Non deuono esser insultati con abbruggiarli auanti gli occhi i loro Idoli, potendosi ciò fare priuatam.te dal che ne nascerà che rimoueremo le persecut. tentate da quelli animi inaspriti, e smorzaremo ogni bollor di vendetta da farsi da loro nell'abbruggiar le nostre Sante Imagini, il che tal'ora è stato pratticato, e da Bonzi infuriati, e dalla plebe subordinata.

Se uerranno mai da noi, non deuono rigettarsi, mà accogliersi con ogni cortesia non disperandosi della loro salute, mentre ~~molti~~ alcuni di loro connosciuta la verità ne' libri, erudita dalle nostre bocche, hanno mutate le chiese degli Idoli in tempij del Saluatore, e di Ministri d'Idolatria son diuenuti Apostoli di Christo.

Altri non hauendo possibilità da ciò fare si sono dichiarati, che volentieri hauerebbero abbracciata la fede Christiana connosciuta per vera, se hauessero trouato, chi l'hauesse proueduti di vitto; mentre non hauendo altro capitale, che quel che guadagnauano col porger sacrificii gl'Idoli, se si fossero conuertiti, hauerebbero perduto e le loro chiese, et ogni lucro, ne essendo assuefatti ad arte alcuna, sarebbe loro conuenuto morir di necessità, la qual cosa certam.te (sia mi qui lecito slungarmi alquanto) douerebbe prouocare le lagrime ad ogni cuor Christiano, e mouer l'animo d'ogni fedele à porger aiuto à quelle pouere anime, e per mezzo di quelle à una gran quantità d'altre, che à loro essempio si conuerterebbero, e uedendo soggettati alla Croce quelli che erano Ministri della impietà diuentarebbero pij con accrescim.to della Religione nascente, e con esterminio della Gentilità abbattuta. Dio uolesse che uenisse in mente à qualche personaggio grande nelle ricchezze, e maggiore nel zelo, di fondare una elemosina simile à quella della redentione

de schiaui

XIV 29

de schiavi venuti in mano de Barbari per liberare l'anime dalla servitù di Satanasso! quanto spetiosa cosa a Dio grata, et à lui d'infinito merito sarebbe! ×
con quella limosine potrebbero alimentarsi molti, e molti Bonzi convertiti et
ancor disponere al Sacerdotio i Letterati poveri
attissimi à scoprire alla circaspleto tutti gli inganni de loro Idoli, e de loro Sacerdoti. potrebbe certam.te sperarsi con questo mezzo fruttuosissimo, dover quanto prima ridursi sogetto al Vaticano un Regno si vasto, e farsi veder in Roma sogetti ubedienti al Successore di Pietro gli Ambasciadori Cinesi. Per vero se si facesse concetto del vastissimo paese, che è la Cina, e di tanti milioni d'anime che l'habbitano dotate di tante virtù morali, e di bell'ingegno ornate, non credo, che vi sarebbe alcuno, che stringesse avaram.te le mani, e non le stendesse ad un'atto si misericordioso, e si grato al cielo, qual'è la Conversione d'un mezzo mondo, e la Salute di tante anime. Per le quali oltre l'esser scarsissimo il numero degli Europei si aggiunge questo di difficoltà, che non si permette [illegible] entrare in numero considerabile in Pekin Regia della Cina, ò in altra Prov.ia secondo i rigorosi bandi promolgati. Quindi è che non dico per accrescere, mà per stabilire la fede trà quei Popoli, habbiamo necessità di Sacerdoti Cinesi, i quali possino correre, e scorrere per ogni parte senza ostacolo alcuno in quel numero, che vogliono, senza contravenire agli editti, ò ingelosire i Tribunali.

§ 5. Quanto risguardo si richiede nella entrata de Vescovi Europei.

Il far venire [illegible] i Sacerdoti Europei occultam.te nella Cina è cosa talm.te pericolosa, che se si scoprisse potrebbe [illegible] l'esterminio della Religione con esserne esiliati da quel Regno tutti gli Europei, [illegible] de Vescovi [illegible] in quel Paese, posso chiaram.te dimostrarlo da questo caso nel mio tempo avvenuto. imperoche nell'anno 1676 essendosi nella Cina sparsa fama venir mandato da Roma in Oriente l'Ill.mo Vescovo Lamberto Beritense fummo subito per tutte le Prov.ie e Residenze con lett.e circolari avvisati dal Provinciale, che per dovunque detto Vescovo fosse passato con ogni dimostratione d'ossequio, e cortesia fosse ricevuto; Il tutto però si facesse con gran Circonspettione e prudenza. Di più

× quanto gloriose manifesti gli Angioli unirebbero le fondationi di tanti tempij e santuarij vivi et immortali [illegible] per Paulo [illegible]

fossero auuisati i Christiani che ~~non~~ propalassero una tal nouella con gran
strepito, et apparecchi, per non insospettire i Presidi Cinesi, anzi per commun
consenso di tutti era stato assegnata per habitatione al Vescouo la nostra Casa Principale in tutta la Città chiamata Kam hac nella quale all' hora si di-
moraua, stimando bene non riceuerlo nella Prouincia Ham chim
~~per esposta agli occhi de Presidi~~ come quella, che staua nel mezzo di tutto l'Impero, et era piena di gran numero di Christiani, trà quali era facile trouarsi qual-
chuno nel parlare poco prudente, et alla Religione Christiana innocentemente
dannoso; Tutto che fosse operato ~~[illegible]~~ con gran regola di prudenza e somma, hebbe dolorosamente à risentirsene l'anno seguente la Religione Christiana poscia,
che destata contro di noi una violenta e uniuersale persecutione, frà le altre cose che in
essa auuennero fù, che chiamati alcuni de nostri dal Supremo Consiglio vennero interrogati, se vi fosse trà loro alcuno in grado di Vescouo, che chiamano
Ci Supó, il qual titolo hauevan letto nelli ~~nostri~~ libri e haueua
insospettito quel Supremo Magistrato. Dal che deue farsi sapere à ciascun,
que entrerà con tal Dignità alla Cina, che se non vuole affatto spiantare
da quel terreno la Religione, che nasce, non deue ostentare in modo alcuno la
dignità, che hà superiore all'altri Christiani, e per quanto puole (se bene ciò è
molto difficile) deue procurare, che i Christiani non la vadino inconsideratamente spargendo. e
questa è stata la cagion per cui ne' nostri ultimi libri stampati habbiamo e-
letto seruirci d'altro nome, et in vece di quello di Vescouo habbiamo posto il
adoprato nella Cina Ciu chiao ciò è à dire Gouernatore della S. Legge; come ne meno ci seruiamo del nome Papa hauendo che con simil voce si ap-
pella il capo de Maomettani, ma di Chiao Hoam, ciò è Imperatore della S. Legge,
nel che più che manifesto apparisce quanto gentilmente deuono essere toccati
quelli animi à ciò non s'inasprischino, e con quanta cautela, non meno nelle
cose, che ne vocaboli dobbiamo portarci in questa Chiesa ancho fanciulla, ~~in~~
~~cui se bene si numerano 200 e più mila Christiani, si trouano però sopra~~
~~frà~~ tanti d'Idolatri, sospettosi, tenaci delle loro dignità e delle loro Leggi
e contrarij.

Ie f. 29v.

30

e contrarijssimi ad ogni forastiero, molto più se pretenda esser trattato
da grande et honorato da Superiore.

La ragione perche deue usarsi una tal cautela nella venuta di Vescouo
Europeo, è perche apena potrà farsi, che presto ò tardi non uenga in cognitione à Gouernatori della Città, e che sarebbe, se douesse presentarsi a-
uanti di essi? che se la fama di lui arriuasse anche alla corte? che se il Vescouo sarà del Paese senza la qualità de scientiati Cinese certamente ui è meno da pensare e temere, imperioche benche non potesse uisitare il Prefetto
ne fosse ammesso da lui (non essendo Christiano) con quell'honore, con
il quale sogliono esser ammessi gli altri Europei, o letterati graduati, non
dourebbe temerne, ne guardarsene se pure con la debita cautela, e moderatione sapesse indirizzare li negotij della Christianità dentro i limiti
della conditione Cinese. Che se sarà Europeo niente può dirsi di certo,
imperioche tutta la cosa dipenderebbe dall'informatione, et altre circonstanze dal genio propentione et cortesia del Prefetto da quelli che
gli apriranno l'adito ad abboccarsi con li Commandanti, che quali non
poichè particolarmente dopo l'ultima persecutione fuggono [illegible]
et ogni conuersatione de stranieri.

Che se tanta cautela deue usarsi nell'entrare d'un sol Vescouo,
quanta ne bisognarebbe se molti s'ingerissero per uarie Prou.ce con quel
[illegible] ri Cardinali,
ouero taxin fu che uuol dire: gran Santo Padre: benche li Scientiati
più agradano Chiao zum [illegible] è il fondatore e Capo principale della S. Legge [illegible] nà dell'autorità [illegible] Romana [illegible] in tanto imperio, dico sinceramente il mio
sentimento. La Cina (se può crederci) non è anche in tale stato che su q.ti
principij habbia bisogno di molti Vescoui, ancora quella Christianità
è nouella e benche habbia più di cento anni è ancora bambina.

Ie f. 30r. con un'aggiunta (sovrapposta) relativa el f. 29v.

30

e contrariissimi ad ogni forastiero, molto più se pretenda esser trattato da grande et honorato da Superiore.

La raggione è perche deue usarsi una tal cautela nella venuta di Vescouo Europeo, è perche apena potra farsi, che presto ò tardi non uenga in cognitione à Gouernatori della Città, e che sarebbe, se douesse presentarsi auanti di essi? che se la fama di lui arriuasse anche alla corte? Che se il Vescouo sara del Paese senza la qualità de scientiati Cinese certam.te ui è meno da pensare e temere, imperciòche benche non potesse uisitare il Prefetto ne fosse ammesso da lui (non essendo Christiano) con quell'honore, con il quale sogliono esser ammessi gli altri Europei, o letterati graduati, non dourebbe temerne, ne guardarsene se pure con la debita cautela, e moderatione sapesse indrizzare li negotij della Christianità dentro i limiti della conditione Cinese. Che se sara Europeo niente può dirsi di certo, imperciòche tutta la cosa dipenderebbe dall'informationi, et altre circonstanze dal genio propentione et cortesia del Prefetto da quelli che gli apriranno l'adito ad abbocarsi con li Commandanti, de quali non poche particolarmente dopo l'ultima persecutione fuggono, e com et ogni conuersatione de Stranieri.

Che se tanta cautela deue usarsi nell'entrare d'un suol Vescouo, quanta ne bisognarebbe se molti s'ingerissero per uarie Prou.ze con quella suprema potestà? Mi perdonino l'Eminenze de' Signori Cardinali, se io qui parlando non per la conseruatione della Comp.a ma dell'autorità della Romana Chiesa in tanto Imperio, dico sinceram.te il mio sentim.to La Cina (se può credersi) non è anche in tale stato che su gli principij habbia bisogno di molti Vescoui, ancora quella Christianità è nouella e benche habbia più di cento anni è ancora bambina.

Ie f. 30 r. completo.

ducento, e più mila anime de' Christiani, che cosa sono à ducento e più milian che la Cina conta senza contranomia? Se nel tempo del nostro esilio di Can-ton bastava il solo R. P. Lopez, accio per lo spatio di due anni scorresse tutte le Provincie, visitasse le Chiese, et amministrasse i Sacram.ti in ogni luogo; pure non bastarebbe per dar la Cresima, e fare l'altre funtioni da Vescovo, et or-dinare Sacerdoti, quelli che trovasse disposti à tale dignità per età, virtù, et altre conditioni. Nel che certam.te frà questi principij s'ha d'hauere un grande circonspettione; ne devono ammettersi tutti quelli che s'incontrano con qualche tintura di lettere (come sono anche quelli di villa) poiche quanti à all'odore de' denari, o di pensioni volentieri s'ingeirebbono al Sacerdotio; e molto maggiore circonspettione è necessaria nell'ordinare Vescovi Cine-si e Sacerdoti; altrimenti qual concetto formaranno de Principi e Capi della nostra Chiesa Li Dotti, e nobili della Cina. Chi di conditione illustre vorrà aspirare à quel grado al quale vedrà inalzati già gl'ouvij della plebe, e concio à qual bassezza cadrà in un Imperio tanto politico quello stato sublime di Sacerdotio esposto al disprezzo di tutta la Nobiltà Cinese, cio è della setta de Letterati tenacissimi dell'honore e riputatione, appresso de quali stà l'amministratione dell'Imperio, frà quali benche vi siano non pochi vilmente nati, contuttociò quando hanno acquistato col suo bell'ingegno quel Grado Letterario, sono stimati per Nobili, nè possono mercantare e sono tenuti in grand'autorità appresso la plebe, et in gran veneratione appresso le Prefetti.

XV.

31

[illegible]

§. 6.

Quanto importi l' Uniformità de pareri frà Missionanti.

La concordia de costumi, e dottrine stata sempre necessaria per dilattare la Fede in altri Paesi, e necessarissima nel Regno della Cina: imperoche havendo i Cinesi per la gran notitia della Astronomia osservato una ordinatissima vicissitudine ne' monim.ti del Cielo, e havendo indi stabilita una somigli, ante armonia nelle loro leggi e costumi, affinche piu si rassomigliasse il loro stato al tenore uniforme de' globi celesti, conviene ancora, che chiun, que vuole obligarli ad accettar nuovi instituti manifesti una medesima concordia, e Uniformità per mantenere la quale è necessario, che niuno de' Missi, onanti habbia la mira à introdurre nella Cina i privati Riti dei proprij pa, esi, mà si contenti di ubedire alle Institutioni della Sac: Cong.ne de Propaganda la quale ai Vicarij Apostolici, che vanno nelle Indie dà questo ricordo: Nul, lum studium ponite, nullaque ratione suadete illis Populis, ut ritus suos, consuetudines, et mores mutent modò ne sint apertissime Religioni et bonis moribus contraria. quid enim absurdius, quam Galliam, Hispaniam, aut Italiam, vel aliam Europae partem in Sinas inuehere! non haec, sed Fidem importate, quae nullius gentis ritus, aut consuetudines, quae modo prava non sunt aut respuit aut laedit, imo vero sarta tecta esse vult.

Hò udito dal R.P. Dom.co Navarrettes disapprovarsi che nella Cina i proprij Religiosi non seguitassero in tutto la prattica della Chiesa Romana nel Sacri, ficio della messa stimando che quella poca, e non sostantiale diversità pregiu, dicasse al facilm.te introdurre nell' animi delicatissimi de Cinesi la riverenza à tal Sacrificio. Per tale concordia à punto pratticano al presente et hanno pratticato gli antichi Missionarij della Cina, tolerando con patienza cio, che vi si trova di privata costumanza, non contraria all' Evangelio, e des, tram.te sradicando quello, che vi si incontra di prohibito da esso: Il che molto

più fautori; e senza [illegible] ora, quando per la notitia d[i]
la lingua, e studio de loro annali, e libri d'ogni sorte habbiamo potuto insi-
nuarci negli animi loro, et acquistare con la beneuolenza de medemi maggi[or]
cognitione de loro costumi; per tanto doppo li studij di 20. anni continui, e g[li]
essami fatti in varie Provincie con ogni sorte d'huomini, e doppo varie co[n]-
ferenze tenute con molti Theologi, e principalm.te l'anno 1615. co' i Roma[ni]
fra quali era il Padre Lorino, Lessio, Vasquez &. si sono distinte le superstitioni dagli usi puram.te Ciuili e politici, le prattiche lecite dalle illecite, a[f-]
finche l'Europa sappia, non essersi proceduto temerariam.te in affare di ta[n]-
to momento. Si ritrouano ancora oggidi nell'Archiuio d'una Prouinci[a]
Cinese 57. varij trattati e scritti autentici di cose della Cina controuerse per
50 anni fra i Missionarij della nostra Comp.ia, i quali soli all'ora ui si tro-
uauano, ne quali libri principalm.te si tratta di Conseruare l'unità de[lle]
Sentenze, e attioni frà nostri, e di sradicare le superstitioni, e di tolerare [i]
riti politici, nominatam.te delle essequie à morti, e della grata veneratione
al Maestro loro Confutio, contenuta dentro i termini Ciuili, del lecito us[o]
dei Sacri Nomi Cinesi, et Europei, di coprire per riuerenza fra i Cinesi il Ca[po]
nelle funtioni Sacre, fuorche quando si accostano alla Confessione, usand[o]
essi di andar scoperti, quando come Rei si presentano à Magistrati.

Potrei qui apportare il Cattalogo di tutti i libri, e degli Autori dell'anno e lu[o]-
go in cui sono stati scritti, cominciando dal fondatore della nostra Missio[ne]
il P. Matteo Ricci; Non dico qui [illegible] dell' historia delle Missioni da [lui]
con particolar cura scritta, et dal P. Nicolao Trigaultio stampata e de[di]-
cata al Sommo Pontefice Paulo V.to ne della lett.ra del P. Didaco Pantoia [il]
qual fù Compagno del P. Ricci e celebratissimo per i libri Cinesi, la quale fù scri[tta]
l'anno 1602. et in Siuiglia stampata nell' 1605. che parla delle pred.e Cerimonie.

Si ritrouano ancora adesso alcuni ordini del med.mo P. Ricci, doppo una commun[e]
discussione co' compagni, che seruano per la direttione della nuoua Chiesa eretta [l']
anno 1600. Altre ancora del med.mo Pre dell'anno 1603. e dal P. Alessandro Va[li]-
gnano mandato da Roma Visitatore di tutto l'Oriente riconosciuti, e confe[r]-
mati

XVI.
32

mati doppo una informa[illegible] dal P. Emmanuele Diaz.
Vene [illegible] altri [illegible] doppo nuova inquisitione, e segui-
tati dal P. Fran.co Pasio Visitatore del Giappone, e della Cina, come testificano
le di lui ordinationi dell'anno 1611. ne si è mutata cosa veruna intorno ad essi.
Ma perche col progresso del tempo nuova materia di dubij si è cauata da libri Cinesi,
piaque di nuovo al P. Girolamo Rodriguez Visitatore de Giappone, e della Cina
nella Provincia Chekiam fare una consulta con sette i piu antichi e letterati
Missionarij, col parere de quali compose l'anno 21. di questo secolo un Sommario d'ordini, ne quali dichiarò, douersi permettere ai Neofiti le mere Ciuili
Cerimonie circa Confucio, e i morti, toltene le superstitiose. di li à 7. anni
cioè il 1628 per togliere ogni ambiguità di nuouo si essaminarono le medesime
controuersie nella Città di Chia tim della Provincia di Nankim da Vndeci Missionarij là conuenuti da varie Provincie, presenti ancora tre celebratissimi Dottori Paolo, Michele, Leone, e il Licentiato Ignatio, il quale doppo fù V. Rè e
doppo molto finalm.te di nuouo fù approuata la prattica stabilita de primi principij della Missione e dal P. Ricci ordinata e per tanti anni immobil-
mente continuata.
Nel seguente anno 29. Il P. Andrea Palmeiro Visitatore, il quale era stato gia
primario Dottore dell'Accademia di Coimbra, doppo uisitate varie Provincie, e pratticata l'istessa corte, e uditi i Pareri de Compagni attentam.te essami-
nati i predetti ordini, li riconfermò à 15. d'Agosto del 1629. et un altra Consulta de medesimi Compagni fù fatta nella Metropoli della Provincia Chi-
am si il 1633. alla quale interuenne il P. Aluaro Semedo Defensore dell'istesse opinioni con gli altri.
Alla conferma poi di tali prattiche, molto seruirono le risposte date da Romani Theologi sopra i quesiti Giaponesi, cioè a dire quelle, che nell' 1602
furono mandate da Roma, e di poi nell'istesso anno confermate nell' Vni-
uersale Inquisitione auanti il Sommo Pontefice Clemente VIII.o e altre
che il 1616 furono per mezzo del P. Nicolao Trigaultio date à postulati del
Vescouo del Giappone e della Missione Cinese come quelle ancora date circa

l'istesso tempo, [illegible] intorno de Bracmanno à Neofiti pronunziata [illegible] Romani Theologi, e dall' Eminent.mo
Bellarmino, il quale prima era stato di contrario parere.

Da queste e da altre cose che per brevità tralascio, si può raccogliere à quanto
buone autorità siano appoggiate le prattiche dal principio di queste missioni
elette, e continuate fin'ora.

Essercitandosi frà tanto di commune consenso, e approvatione tali Praxi, ecco
l'anno 1631. entrano nella Cina per aiuto nell'annunziare l'Evangelio altri
huomini Apostolici di due Sacri Ordini; e questi come noi sul principio della
nostra Missione talm.te si commossero d'animo e accesero di Zelo contro i riti
e costumanze Cinesi, che senza usarvi essame, ne aspettati i pareri degli altri, il tutto che qui havevano veduto, e udito lo mandano di Manilla con libri stampati nell' America, et Europa, e quanto prima ne rendono consapevole la
Sede Romana.

Frà tanti varij trattati da una parte, e dall'altra usciti alla luce, che in numero di 30. si conservano nell' Archivio della nostra Provincia, tra quali
apparisce una lett.a dell' Ill.mo Arcivescovo di Manila ad Urbano VIII.
scritta l'anno 1631. contro il modo di governarsi della Comp.a, e di più un'
altra lett.a dell'istesso Religiosissimo Prelato scritta nel med.mo anno, con la
quale ritratta appresso il d.o Pontefice tutto ciò, che prima haveva riferito per sinistra informatione e lode con formole molto espressive la
praxi della Comp.ia come ancora Ill.mo Vescovo Zebusense nelle Filippine.

In questo mentre da Macao viene à Roma il R.P.F. Gio: Batt.a de Morales, e nell'istesso tempo scrive da Manila il dì 5 di Marzo 1630. il
Rev. P.F. Clemente dell'istesso Ordine de Predicatori Provinciale nelle
Filippine al P. Emmanuel Diaz della Comp.ia di Giesù Visitatore, che dimorava in Macao, il quale gli rispose à 26. di Giugno dell'istesso anno
dalle lett.re de quali, ch'io ho appresso di me si vede abbastanza l'ardentissimo desiderio dell'uno, e dell'altro di stabilire una Unione e conformità

l'istesso tempo, [illegible] intorno de Bracmanni à Neofiti pronunziata [illegible] Romani Theologi, e dall'Eminent.mo
Bellarmino, il quale prima era stato di contrario parere.

Da queste e da altre cose che per brevità tralascio, si può raccogliere à quanto
sode autorità siano appoggiate le prattiche dal principio di queste missioni
elette, e continuate fin'ora.

Essercitandosi frà tanto di commune consenso, e approvatione tali Praxi, ecco
l'anno 1631. entrano nella Cina per aiuto nell'annunziare l'Evangelio altri
huomini Apostolici di due Sacri Ordini; e questi come noi sul principio della
nostra Missione talm.te si commossero d'animo e accesero di Zelo contro i Riti
e costumanze Cinesi, che senza veruno essame, ne aspettati i pareri degli altri, il tutto che qui havevano veduto, e udito lo mandano di Manilla con libri stampati nell'America, et Europa, e quanto prima ne rendono consapevole la
Sede Romana.

Frà tanti varij trattati da una parte, e dall'altra usciti alla luce, che in numero di 30. si conservano nell'Archivio della nostra Provincia, tra quali
apparisce una lett.a dell'Ill.mo Arcivescovo di Manila ad Urbano VIII.o
scritta l'anno 1631. contro il modo di governarsi della Comp.ia, e di più un'
altra lett.a dell'istesso …
quale ritratta appre… rito per sinistra infor… praxi della Comp.ia co…
l'istesso concorda con il parer del Religios.mo huomo il R. P. Fr.
Fran.co d'Ascalona, che diceva al P. Julio Aleni: se i Padri della Co…
havessero tenuto altro modo da quel che havevan per tanti anni
constantem.te usato, hoggidì la Cina nò haverebbe nè padri nè
Christianità

In questo mentre da… rales e nell'istesso t… … marzo 1630 …
Rev. P. F. Clemente dell'istesso Ordine de Predicatori Provinciale nelle
Filippine al P. Emmanuel Diaz della Comp.ia di Giesu Visitatore, che dimorava in Macao, il quale gli rispose à 26. di Giugno dell'istesso anno,
dalle lett.re de quali, che io ho appresso di me si vede abbastanza l'ardentissimo desiderio dell'uno, e dell'altro di stabilire una Unione e conformità

Ie f. 32v. con un'aggiunta sovrapposta.

XVII. II

33

mità de pareri dell'una, e dell'~~altra parte fra gli~~ Operarij di questa vigna del
Sig.re per promouere ~~la fede di Christo~~. s'aggiunse à queste lett.e un'altra
del R. P. F. Pio Gorgia della Prouincia di Fochien al P. Giulio Aleni,
che prima di tutti haueua condotta colà la fede l'anno 1627. e dimo,
raua all'hora pacificam.te nella Metropoli: la lett.ra era scritta à 16.
di Nouembre del 1639. da Fongan, doue stauano nascosti per occasione
d'una Persecutione insorta due anni auanti, e per cagione di cui haue,
ua hauuto ordine di andar in essilio i Missionarij dell'uno, e l'altro or,
dine: tra le altre cose che trasporto dallo Spagnolo, cosi dice: Giudico
che non sia di seruitio di Dio predicare il Santo Euangelio à questo
Regno ne adesso, ne mai in altra maniera di quello, che usano et hanno
usato li PP. vostri, e cosi ordino à miei; imperoche l'esperienza c'in,
segna dal uedere che sia succeduto si male ai Padri, che stanno in essilio, che il Sig.re
Iddio non vuole che adesso si adopri tale strada, se bene quelli hanno operato con
buon zelo per prouare, se i Cinesi si sarebbero conuertiti per quella strada e per cio
sono degni di qualche scusa: E piu abasso soggiunge: considerando la debolezza
di questa Gente mi recharei à gran scrupolo voler promouere la Conuersione
di essi per mezzo di martirio. Fin qui il predetto Padre, il quale pare in verità
che approui la prattica osseruata constantem.te gia per 100. anni e desidera che
si osserui l'istessa uniformità nel predicar l'Euangelio. # Doppo alcuni anni
furono presentati in Roma alla Sacra Cong.ne de Propaganda Fide 17. quesiti
ai quali fu risposto l'anno 1645 come si poteua aspettare dalla prudenza
e Sauiezza de Sup.mi Principi della Chiesa cio è à dire col condennarsi cio che
si proponeua come cosa superstitiosa, e che haueua ombra di Idolatria, e
col permettersi tutte quelle cose, qua cultum tantum ciuilem redolent.
(il che solo è quanto permette la Comp.ia) aut reduci possunt ad cultum
ciuilem, come si puol uedere dal quesito 15. nel quale in verità è da
notarsi la benignità della Sac. Cong.ne à cui piacque di dilatare l'ampiezza
della Carità negli Animi de Cinesi ristretti piu del douere, mentre dice re,
dolent, aut reduci possunt ad cultum Ciuilem. frà tanto quasi che la Com,
pagnia fosse rea d'una grand.ma scelerag ine d'Idolatria dissimulata e d'hauere

il R. P. Fra
ri della Comp.ia
tanti anni
padri ne

permesso tutte quelle ~~[illegible]~~ nell~~[illegible]~~ maniera proposte, e condennate ai que-
quesiti, s'incominciò da ~~[illegible]~~ contra la prattica della Comp.ia
d'onde i nostri emoli, presero et anche adesso prendono occasione di divolgare
da per tutto con nuovi, e nuovi scritti le sopradette risposte della sac. Congreg.ne
quasi fossero altre tanti fulmini vibrati contro di noi.

Per la qual cosa à difesa giusta della sua causa fummo sforzati ad oppel-
lare al Tribunale della Santa Sede Apostolica, con mandar à Roma il P.
Martino Martini Proc.re della missione, con le informationi havute dal P.
Francesco Furtado Visitatore, del P. Provinciale, ed altri Padri, le quali informationi furono da lui presentate l'anno 1655. alla sac. Cong.ne de Propaganda fide con un memoriale à m.ti Rev.di Pri Qualificatori del S. Officio,
e le risposte date l'anno 1656. dalla sac. Cong.ne dell'Universal Inquisitione
ai quesiti dei Missionarÿ della Comp.ia di Giesù nella Cina, e approuate dal
SS.mo Pontefice Alessandro VII.

Doppo che questo Decreto si seppe tanto nella Cina, quanto nelle Filippine
il Rev. Pre Frà Francesco di Palma Provinciale del S.to Ordine de' Predicatori et Inquisitore generale che dimorava in Malina essortò circa l'anno 1661.
i suoi Sudditi Operari nella Cina, che nelle cose gia un pezzo fa controuerse, e di fresco decise dalla sacra Inquisitione Romana à proposta del P.
Martino Martini si accommodassero alla opinione, e prattica della Comp.ia
come probabile, e sicura per conservare l'uniformità, e concordia in coltivar
questa vigna. Allo stesso modo ancora haveva scritto avanti l'anno 1660
al P. Brancati, e P. de Gouea il Rev. Pre F. Timoteo da S. Antonino Vicario
Provinciale: e le sue parole sono queste: tutt'i nostri veggono, che il modo
e prattica di convertir la Cina è quella, che usa la Comp.ia e se bene da principio per sinistra informatione vi fù diversità d'opinioni; ora però ci accor-
giamo con l'esperienza, e quasi tocchiamo con le mani, che così si deve fare: anzi che l'istessi Neofiti de' Rev.di Pri Predicatori, trà quali v'era un huomo di
grand' autorità detto Chô linus, si congratularono con noi in Kexiam Metropoli della Provincia Nam chen alla presenza degli altri Christiani,

della

XVIII
34

della Concordia delle opinioni già stabilite, della quale si sperava, che sarebbe per seguire una gran messe d'anime, e similmente il Rev. Pre Fra Domenico Coronati Vicario Provinciale. Il quale di poi morì santamente nella Corte al tempo della persecutione scrisse l'anno stesso 1661. dalla Città di Suchen della Provincia di Namchim al P. Brancati: haver egli finalmente determinato di seguire in tutto la prattica della Compagnia, e che l'istesso haverebbe ordinato ai suoi sudditi.

Finalmente non posso tralasciare la lettera scritta à me da Fongan li 7. Agosto 1663. dal Rev. P. F. Garzia Vicario, e doppo Provinciale, la qual lettera io conservo, e venero come pegno d'un huomo santo, e d'un vecchio Missionario: questi doppo haver esposto il desiderio suo, che tutti honoriamo Iddio con un sol cuore, e con una sola bocca, dice di sforzarsi, che tanto per se, quanto per i suoi sudditi si sfuggano gli scandali, causati dalle contraversie con diffendere sempre l'autorità della Compagnia per quanto richiede la carità religiosa. Per ultimo mi prega con premura che gli transmetta Privilegio (che per errore pensava esser stato concesso da sua Santità circa il tralasciare nelle Donne Cinese l'untione de piedi) imperoche, come dice: da che sono in questo Regno in verità sempre mi fo sforza, mentre ungo le Donne, e grandemente mi arrosisco, perche sò bene con quanta verecondia scoprono i piedi e con maggior rossore gli ordino che si scuoprano; e benche sia pochissimo cio, che scoprono sentono nulladimeno cio gravemente. ma io più di esse. Dio volesse ch'io potessi havere un tal privilegio per potermi liberare da questo tormento e rossore, il quale sempre è stato in me, ed anco dura: così egli.

Dal testimonio adunque di tanti Religiosi, e da tanti Superiori e Sudditi dell'ordine di S. Domenico, pare che possa à bastanza constare, quanto sia stata la lor propensione all'uniformità e concordia co' nostri. la qual propensione crebbe molto più doppo che si portò l'ultimo decreto della Sede Apostolica: mà poiche gli animi d'alcuni non anco potevano quietarsi del tutto nelle accennate decisioni, parve, che Iddio disegnasse la pace totale nel tempo d'una gravissima persecutione, quando i Religiosi di tre

ordini dalla Corte, nella quale quattro de' nostri furono ritenuti, per commando
Regio, si ridussero nell'essilio à Canton, doue per lo spatio di anni 6. ci fù dato
tempo di conciliare frà di noi l'opinioni, e gli animi, e stabilire una per-
petua Uniformità.

In questo luogo dunque furono consultate da 23. Missionanti de tre Ordini le praxi conformi alle risposte della Sac. Cong.ne e à statuti de' nostri maggiori, e stabilito con la più parte de suffragij circa il fine dell'anno 1667. ed il principio del 1668. le quali praxi accio fossero osseruate da tutti nell'auuenire,
parue, che l'approuasse la sacra Congreg.ne de Propaganda, quando nel suo libro,
il quale fù stampato in Parigi conforme l'originale di Roma l'anno 1676.
doue si riferiscono le constitutioni Apostoliche, Breui, Decreti etc. per le
Missioni della Cina, Tonchino, gli piacque d'inserirle sotto questo titolo.

Praxes quaedam in Urbe Canton discussae in pleno coetu Missionariorum
trium Ordinum S. Dominici S. Francisci et Soc. Jesu statutae, ac directae ad
seruandam inter nos uniformitatem. pº a. et 4º num.º sic habetur: circa
ceremonias, quibus Sinae Magistrum suum Confucium, et mortuos ueneran-
tur sequenda omninò sunt sanctae Congreg.nis Universalis Inquisitionis Prae-
cepta à SS.mo D.no nostro Alexandro VII. approbata anno Domini 1656.
quia fundantur in valde probabili opinione cui nulla contraria euidens
opponi potest: qua posita probabilitate non est occludenda ianua sa-
lutis innumerabilibus Sinis, qui arcerentur à Religione Christiana si pro-
hiberentur facere, quae licite, et bona fide, facere possunt, et non sine gra-
uissimis incommodis praetermittere cogerentur etc.

Mancaua al suffragio commune particolarm.te l'approuatione di quello il
quale presedeua à due Religiosi del suo ordine con potestà delegatagli dal suo
Prou.le. Accio, che egli approuasse nella radunanza di Canton, fosse approuato
anche da tutti i Missionarij del suo ordine nella Cina, questi per tanto doppo
molti dibattim.ti nell'una, e nell'altra parte, e in publico, e in priuato, e in

voce

XIX
35

voce, et in scritto finalm.te espresse à 29. di 7mbre 1669 il suo parere in una lett.ra al P.re nostro V. Prov.le Antonio de Gouea, che staua con esso nell' Albergo commune: la copia di q.ta lett.ra tradotta dallo Spagnuolo ad verbum sottoscritta dal Rev.do P.re Frà Domenico Sarpetro, io qui soggiungo.

Molto Rev.do P.re

Pax Xti. Se cosi piace à V.R. goderò di communicare la cosa al molto Rev.do P. Visitatore in questa io scriuo, che circa la praxi in ordine à Defonti, e cerimonie de funerali seguitaremo ciò che hà disposto, et ordinato la Radunanza delle RR. VV. tenuta in Nanghin metropoli della Prouincia di Chekiam nel mese d' Aprile l'anno 1642. senza disordine ne pure in un sol punto. quanto poi spetta al Confucio permetteremo ciò che pratticano le VV. RR. ciò è à dire togliendo i due riti solenni, che ne pur permette la Compagnia. quanto ai vocabuli Cinesi Xam ti, espiriti, sapendo che la cosa è stata proposta al Generale della Comp.ia e come stimo anche alla sacra Congregatione di Propaganda Fide, aspetteremo indi la risolutione, frà tanto ci accommodaremo all' ordinationi delle RR. VV: che se in progresso di tempo occorreranno nuoue difficoltà, niente si determinerà senza prima consultarne il Rev. P.re V. Prov.le che allora sarà. e cosi tutte le cose anderanno pacificam.te &.

Seruo indegno di V. R. N.N.

A questa lett.ra rispose il P.re nostro Prouinciale alli 10 di Ottobre del medesimo anno, rallegrandosi con lui e con tutti, e amettendo con somma sua allegrezza e commun planto ciò è che in quella radunanza (della quale però nel nostro Archiuio non si troua memoria alcuna) haueua scritto esser stato stabilito, il che certam.te è la medesima praxi che la Comp.a da primi tempi hà osseruato fin' adesso; e che s' accorda in tutto con il decreto ultimo d' Alessandro 7.° come si raccoglie manifestam.te dalle risolut.ni stessi tradotte da essi dalla lingua Portoghese nella spagnola le quali io qui non apporto per brevità.

Chi potrà spiegare quanta qui fosse la consolatione di tutti nell'esilio vedendo già terminati tanti dubij e controversie, estabilita la pace, e conformità di voleri, e giudicij tant'anni sospirata, si che unite l'armi, e le forze con la gratia di Dio potessero i Zelatori della fede impugnare l'idolatria, e consacrare à Christo tante migliaia d'anime tolte all'Inferno.

Poco doppo il medesimo dal esilio di Canton improvisamente n'andò verso l'Europa, per esser ivi annuntiatore come credevamo della pace seguita, mentre della medesima nell'esilio n'era stato arbitro, e principal Promotore. Mà nel trasferirmi dalla Cina nell'Europa trovai le cose del tutto diverse, e le nostre speranze, e desiderij messi altrimente, parve, che tornassero à risuscitare le controversie altre volte agitate nella commune radunanza, anzi che i libri del P. Nicolò Longobardo, quali per commandamento del Visitatore erano stati condannati al fuoco, vengono di nuovo à luce, e ciò per persuader agli Europei che la Cina non haveva per l'adietro mai conosciuto Iddio, ne immortalità dell'anime, onde haver errato il P. Matteo Ricci, egl'altri della nra Compagnia che conforme all'Apostolo delle Genti Paolo, e degli altri Padri havevano à Gentili dimostrata la Divinità per mezzo de loro stessi scritti e libri: Se ciò (come egli si sforza provare) è vero, che bisogno hà dunque egli d'impugnare si lungamente, come fà le cerimonie, che fanno i Cinesi à Confusio, et all'anime de defonti: mentre non credendo (come egli dice) i Cinesi esser l'anime immortali, non hanno che temere, ne che sperare da quelle, e però in una tal credenza quella cerimonia si ridurrebbe à pura attione, e dimostratione Civile

Mà che diremo dell'esporti à Roma et al Mondo tutto ciò che per .13. anni in circa ò nella Corte, ò ne viaggi ò nell'esilio di Canton fù detto da ciaschedauno di noi nella domestica conversatione con alterarsi, ò con esporti in altri termini le cose, che furono dette, ò per inavertenza ò per imprudenza d'alcuno, acciò sopra di esse essamini e decida la Santa Congregatione.

36

Dunque di nuovo furono ripigliate à dietro le nostre Apologie, e fattene dell' altre per chiaramente dibattere le obietioni fatte al modo di procedere della Compagnia e per dimostrare che il P. Martino con ogni fedeltà e sincerità haveva proposto à Roma tutto cio che haveva proposto; e per difendere ancora con tutto lo sforzo l'autorità della risposta della S. Universale Inquisitione, e l'integrità d'Alessandro VII, nel approuar quell'istesse cose, doppo udita l'una e l'altra parte. Rimangono dunque oltre 57. trattati dati alle stampe prima che altri sacri Ordini entrassero nella Cina, altri venti dati in luce doppo il luoro ingresso, e questi che sono qui posti per ordine.

1. Tractatus R. P. Fr. Dominici Maria Sarpetri vel à S. Petro Ordinis Prædicatorum ad lectionem S. Theologiæ Panormi approbati, quo refutat tractatum P. Longobardi è cineribus redivivum, et defendit praxim Societatis in usu nominum, quibus Deus, Angeli, anima &c compellanda sunt in Sina, scriptus est anno 1668 in Cantoniensi exilio. Non addo hic testimonium eius authenticum datum ad S. Congregationem die 4. Augusti eiusdem anni, quo confirmat praxim Societatis Jesu in Sinensi Missione.

2. Disputatio Apologetica de Officiys et ritibus Civilibus quibus Sinæ memoriam recolunt Confucij et Progenitorum suorum vitâ functorum, auctore P. Prospero Intorcetta Soc: Jesu anno 1668.

3. Patris Francisci Brancati 35 annorum Missionarij responsio ad dubia proposita contra ritus Sinicos fusissima additis textibus Sinicis 4. 7bris 1669.

4. Dissertatio Theologico-historica de avita Sinarum pietate erga defunctos et eximia erga Confucium Magistrum suum observantia à P. Jacobo le Faure olim Professore Theologiæ scholasticæ Pictavij facta anno 1669 item eiusdem appendix cum Epilogo.

5. Tractatus R. P. F. Dominici Mariae Sarpetri anno 1670. scriptus, cui titulus, Breve notitia de unos de los fundamentos, que hay para permitir a los Christianos Chinas el Culto del Confucio, y de los defunctos que los permitio la Sag: Congregation de la Universal Inquisition en tiempo del Papa Alexandro Septimo.

6. De Ritibus Ecclesiae Sinicae permissis Apologetica dissertatio pro S. Universalis Inquisitionis responsis, ad quaesita Missionariorum Soc: Jesu Romae datis, et authoritate Pontificia confirmatis anno Domini 1656 à P. Joanne Dominico Gabiani V. Provinciale Sinensis Missionis facta anno 1680.

7°. Eiusdem appendix Apologetica dissertationis de cognitione veri Numinis et Spiritualis substantiae apud Sinas, legitimoque Sinensium Vocabulorum usu, quibus Deus et Spiritus exprimuntur.

8°. Eiusdem item Synopsis Apologetica criminationum in Sinenses Societatis Jesu Missionarios.

9. Brevis responsio P. Ludovici Buglij 45. annorum Missionarij ad librum improbantem praxim Missionariorum Soc: Jesu in praedicando Sinis Evangelium confecta anno 1680.

10. Responsum Apologeticum P. Ferdinandi Verbiest Soc: Jesu ad aliquot dubia S. Congregationi proposita, in quibus Patres Soc: Jesu Pekinenses sugillari videntur.

11. Notae P. Fran. Xaverij Philippucij Provincialis Japoniae anno 1680, quibus ostendit interpretationes textuum plane erroneas fuisse ex imperitia Litteratorum Sinensium.

12. Eiusdem tractatus, quo respondet calumniae nobis impositae, quasi in praxibus Sinicis mala fide operaretur Societas, et quasi P. Martinus diminutas et parum fideles informationes dederit S. Congregationi.

13°. Eiusdem de Ritibus Sinicis ad repraesentandam Defunctorum memoriam institutis.

37

14. Eiusdem explanatio germina 37. textuum Sinicorum circa ritus Civiles cum suis responsis ad proposita dubia.

15. Eiusdem notæ et censura in quosdam libros Classicos

Eiusdem tractatus anno 1682. quo probat 1° quod 17. quæsita Romæ sub Innocentio X° proposita continerant 42. falsas suppositiones. 2° quod responsa S. Congreg.nis diminute et non fideliter, et cum magna imperitia linguæ Sinicæ versa sunt. 3° quod in dicta versione facta in Sina omissa sint puncta essentialia, et ea quæ, et Nobis et Sinensibus favebant. 4° evidenter ostendit quam non sincera Fide Impugnatores nostri in re tanti momenti processerint.

16. Eiusdem tractatus circa easdem controversias dictus Sagitta retorta.

Non rammento qui libri stampati in Cinese vg. R.P. Fr. Gregorio Lopez Vescovo Basilitano in favore delle nostre Sentenze. Ne ancora un'altro libro piu antico sotto il nome del R.P. F. Antonio di S. Maria Francescano nel quale si confermano li mistrij della nostra Relig.ne con li testi del Filosofo Cinese Confucio, oltre molti libri delli scienziati Christiani et anche le larghe Prefationi de Dottori Gentili alli nostri libri nelle quali dimostrano il Dio che predicamo, esser l'istesso che loro libri e Rè antichi professarono per tanti secoli la qual cosa contuttocio hà cagionata tante dispute frà li Missionanti della Cina.

Ma che giova finalm.te il trattar di nuovo di queste cose? se doppo le Dispute agitate per 80. anni, se doppo l'ultima decisione d'Alessandro 7° udite C.mo l'una e l'altra parte; se dopo il congresso di Cantone, doue venti tre Missionarij di tre diversi Ordini Religiosi per tanto tempo, e si maturam.te consultarono e risolverono in queste materie, di modo che parena gia del tutto stabilita la pace con i voti communi, e nondimeno ancor dopo si è turbata, e rotta questa pace: come potrà sperarsi che sia per stabilirsi ne tempi auuenire? e non dourà di nuovo tornarsi à Contrasti e dispute inutili con la venuta de' nuovi Missionarij, che impatienti di dimora (la quale per ogni modo richiede la matura notitia, e lunga ponderatione della lingua Sinica e de' Letterati e de' libri, e costumi, e usanze di quella gente) in un subito quasi con un colpo taglieranno

quanto p cento anni costantem.te erasi stabilito? Sin quanto dunque dourà
tirarsi in lungo l'atra fune di tante contese, per non dire inettie, con scan,
dalo de' Neofiti, e dispendio di tante anime che p 50. anni poteuano ac,
quistarsi à Christo, et al Cielo, e che acquistar si potrebbero negli anni
auuenire?

Che se almeno quei che qui discordano dalle nostre opinioni e non ar,
discono d'acquietarsi al Decreto d' Alessandro 7.o se, dico, questi si con,
tentassero per predicare la Santa fede entrare in altri Campi diuersi dai
nostri, de' quali ne sono moltissimi e fioritissimi in si vasto Imperio; e se si os,
seruasse cio che si prattica nella missione delle Filippine, e di tutta l'Ame,
rica, doue à ciascun ordine è assegnato Distritto proprio sotto la giurisd.ne
de' suoi Vescovi, allora si trouarebbe forsi modo da consigliare le sentenze
delle parti secondo le varie presenti circostanze. Mà al contrario entrar
nella messe della nostra Comp.ia spargendosi p quelle poche Città e Missioni
nostre, doue habbiamo già le Chiese, e gli Oratorij stabiliti con i Neofiti ivi
da noi istrutti, e voler quivi sparger' altre opinioni, allegando ogni poco in
voce e in iscritto le decisioni e decreti d' Innoc: X.o ai diecisette quesiti
(senza essersi udita la Comp.ia) non facendo in tanto mentione alcuna
della decisione ultima della S. Vniversale Inquisitione, ne del Decreto
d' Alessandro 7.o mentre pure hanno auanti gli occhi due mila e più
Città con tante terre, e Villaggi, et habitatori innumerabili priui del
lume della S. Fede à quali potrebbero stendere l'ardentissimo lor zelo:
come di gratia mai potrà sperarsi l'unione degli animi tanto ne,
cessaria per predicare, et ampliare quiui largamente la Religione
Christiana?

MONUMENTA SERICA MONOGRAPH SERIES

(ISSN 0179-261X)

Edited by ROMAN MALEK, S.V.D. □ Institut Monumenta Serica
Arnold-Janssen-Str. 20, D-53754 Sankt Augustin, Germany

I. ANTOINE MOSTAERT, C.I.C.M., *Textes ordos recueillis et publiés avec introduction, notes morphologiques, commentaires et glossaire*, Peiping 1937, H. Vetch. [Out of print/vergriffen]

II. MARC VAN DER VALK, *An Outline of Modern Chinese Family Law*, Peking 1939, H. Vetch. [Out of print/vergriffen]

III. WOLFRAM EBERHARD, *Untersuchungen über den Aufbau der chinesischen Kultur*. II. *Lokalkulturen im Alten China*. Teil 2: *Die Lokalkulturen des Südens und des Ostens*, Peking 1942, Fu Jen Catholic University Press. [Out of print/vergriffen]

IV. WALTER FUCHS, *Der Jesuitenatlas der Kanghsi-Zeit. Seine Entstehungsgeschichte nebst Namenindices für die Karten der Mandjurei, Mongolei, Ostturkestan und Tibet mit Wiedergabe der Jesuiten-Karten in Originalgröße*, Peking 1943, Fu Jen Catholic University Press. [Out of print/vergriffen]

V. ANTOINE MOSTAERT, C.I.C.M., *Dictionnaire Ordos*, T. I–III, Peking 1941–1944, Fu Jen Catholic University Press. [Out of print/vergriffen]

VI. A. DE SMEDT, C.I.C.M. – A. MOSTAERT, C.I.C.M., *Le Dialecte Monguor parlé par les Mongols du Kansou occidental*, IIe Partie, *Grammaire*, Peking 1945, Fu Jen Catholic University Press. [Out of print/vergriffen]

VII. EUGEN FEIFEL, *Geschichte der chinesischen Literatur und ihrer gedanklichen Grundlage*. Nach NAGASAWA KIKUYA *Shina Gakujutsu* übersetzt von EUGEN FEIFEL, Peking 1945, Fu Jen Catholic University Press. [Out of print/vergriffen]

VIII. WALTER FUCHS, *The "Mongol Atlas" of China by Chu Ssu-pen and the Kuang-yü-t'u*. With 48 facsimile maps dating from about 1555, Peking 1946, Fu Jen Catholic University Press. [Out of print/vergriffen]

IX. KARL BÜNGER, *Quellen zur Rechtsgeschichte der T'ang-Zeit*, Peiping 1946, Fu Jen Catholic University Press. Neue, erweiterte Ausgabe, mit einem Vorwort von Denis Twitchett. St. Augustin – Nettetal 1996, 535 S. ISBN 3-8050-0375-7

X. WALTHER HEISSIG, *Bolur Erike "Eine Kette aus Bergkristallen". Eine mongolische Chronik der Kienlung-Zeit von Rasipungsug (1774–75)*, Peiping 1946, Fu Jen Catholic University Press. [Out of print/vergriffen]

XI. ANTOINE MOSTAERT, C.I.C.M., *Folklore Ordos. Traduction des "Textes oraux Ordos"*, Peiping 1947, Fu Jen Catholic University Press. [Out of print/vergriffen]

XII. JOSEPH JOHN SPAE, *Itō Jinsai. A Philosopher, Educator and Sinologist of the Tokugawa Period*, Peiping 1947, Fu Jen Catholic University Press. [Out of print/vergriffen]

XIII. W. LIEBENTHAL, *The Book of Chao. A Translation from the Original Chinese with Introduction, Notes and Appendices*, Peking 1948, Fu Jen Catholic University Press. [Out of print/vergriffen]

XIV. NOEL BARNARD, *Bronze Casting and Bronze Alloys in Ancient China*. Published Jointly by The Australian National University and Monumenta Serica, Nagoya 1961. [Out of print/vergriffen]

XV. CH'EN YÜAN, *Western and Central Asians in China under the Mongols – Their Transformation into Chinese*. Translated and annotated by CH'IEN HSING-HAI and L. CARRINGTON GOODRICH, Los Angeles 1966, 328 pp. Reprint: St. Augustin – Nettetal 1989 (paperback). ISBN 3-8050-0243-2

XVI. YEN YÜAN, *Preservation of Learning. With an Introduction on His Life and Thought*. Translated by MANSFIELD FREEMAN, Los Angeles 1972, 215 pp.

XVII. CLAUDIA VON COLLANI, *P. Joachim Bouvet S.J. – Sein Leben und sein Werk*, St. Augustin – Nettetal 1985, 269 S., Abb. ISBN 3-87787-197-6

XVIII. W. SOUTH COBLIN, *A Sinologist's Handlist of Sino-Tibetan Lexical Comparisons*, St. Augustin – Nettetal 1986, 186 pp. ISBN 3-87787-208-5

XIX. GILBERT L. MATTOS, *The Stone Drums of Ch'in*, St. Augustin – Nettetal 1988, 497 pp., Illustr. ISBN 3-8050-0194-0

MONUMENTA SERICA MONOGRAPH SERIES

XX. LIVIA KÖHN, *Seven Steps to the Tao: Sima Chengzhen's "Zuowanglun"*, St. Augustin - Nettetal 1987, 205 pp. ISBN 3-8050-0195-9

XXI. KARL-HEINZ POHL, *Cheng Pan-ch'iao. Poet, Painter and Calligrapher*, St. Augustin - Nettetal 1990, 269 pp., Illustr. ISBN 3-8050-0261-0

XXII. JEROME HEYNDRICKX (ed.), *Philippe Couplet, S.J. (1623-1693). The Man Who Brought China to Europe*. Jointly published by Institut Monumenta Serica and Ferdinand Verbiest Foundation, Leuven, St. Augustin - Nettetal 1990, 260 pp., Illustr. ISBN 3-8050-0266-1

XXIII. ANNE S. GOODRICH, *Peking Paper Gods. A Look at Home Worship*, St. Augustin - Nettetal 1991, 501 pp., Illustr. ISBN 3-8050-0284-X

XXIV. MICHAEL NYLAN, *The Shifting Center: The Original "Great Plan" and Later Readings*, St. Augustin - Nettetal 1992, 211 pp. ISBN 3-8050-0293-9

XXV. ALFONS VÄTH S.J., *Johann Adam Schall von Bell S.J. Missionar in China, kaiserlicher Astronom und Ratgeber am Hofe von Peking 1592-1666. Ein Lebens- und Zeitbild*. Neue Auflage mit einem Nachtrag und Index. Eine gemeinsame Veröffentlichung des China-Zentrums und des Instituts Monumenta Serica, St. Augustin - Nettetal 1991, 421 S., Abb. ISBN 3-8050-0287-4

XXVI. JULIA CHING - WILLARD G. OXTOBY, *Moral Enlightenment. Leibniz and Wolff on China*, St. Augustin - Nettetal 1992, 288 pp. ISBN 3-8050-0294-7

XXVII. MARIA DOROTHEA REIS-HABITO, *Die Dhāraṇī des Großen Erbarmens des Bodhisattva Avalokiteśvara mit tausend Händen und Augen. Übersetzung und Untersuchung ihrer textlichen Grundlage sowie Erforschung ihres Kultes in China*. St. Augustin - Nettetal 1993, 487 S., Abb. ISBN 3-8050-0296-3

XXVIII. NOEL GOLVERS, *The "Astronomia Europaea" of Ferdinand Verbiest, S.J. (Dillingen, 1687). Text, Translation, Notes*. Jointly published by Institut Monumenta Serica, Sankt Augustin and Ferdinand Verbiest Foundation, Leuven, St. Augustin - Nettetal 1993, 547 pp. ISBN 3-8050-0327-7

XXIX. GERD WÄDOW, T'ien-fei hsien-sheng lu. *„Die Aufzeichnungen von der manifestierten Heiligkeit der Himmelsprinzessin". Einleitung, Übersetzung, Kommentar*, St. Augustin - Nettetal 1992, 374 S., Abb. ISBN 3-8050-0310-2

XXX. JOHN W. WITEK, S.J. (ed.), *Ferdinand Verbiest (1623-1688): Jesuit Missionary, Scientist, Engineer and Diplomat*. Jointly published by Institut Monumenta Serica, Sankt Augustin and Ferdinand Verbiest Foundation, Leuven, St. Augustin - Nettetal 1994, 602 pp., Illustr. ISBN 3-8050-0328-5

XXXI. DONALD MACINNIS, *Religion im heutigen China. Politik und Praxis*. Deutsche Übersetzung herausgegeben im China-Zentrum von ROMAN MALEK. Eine gemeinsame Veröffentlichung des China-Zentrums und des Instituts Monumenta Serica, Sankt Augustin - Nettetal 1993, 619 S. ISBN 3-8050-0330-7

XXXII. PETER WIEDEHAGE, *Das „Meihua xishen pu" des Song Boren aus dem 13. Jahrhundert. Ein Handbuch zur Aprikosenblüte in Bildern und Gedichten*, St. Augustin - Nettetal 1995, 435 S., Abb. ISBN 3-8050-0361-7

XXXIII. D. E. MUNGELLO (ed.), *The Chinese Rites Controversy: Its History and Meaning*. Jointly published by Institut Monumenta Serica, Sankt Augustin and The Ricci Institute for Chinese-Western Cultural History, San Francisco, St. Augustin - Nettetal 1994, 356 pp. ISBN 3-8050-0348-X

XXXIV. *Der Abbruch des Turmbaus. Studien zum Geist in China und im Abendland. Festschrift für Rolf Trauzettel*. Hrsg. von INGRID KRÜßMANN, WOLFGANG KUBIN und HANS-GEORG MÖLLER, Sankt Augustin - Nettetal 1995, 314 S. ISBN 3-8050-0360-9

XXXV. ROMAN MALEK (ed.), *Western Learning and Christianity in China. The Contribution and Impact of Johann Adam Schall von Bell (1592-1666)*. [In print/im Druck]

XXXVI. EWALD HECK, *Wang Kangnian (1860-1911) und die „Shiwubao"*. [In preparation/in Vorbereitung].

XXXVII. SECONDINO GATTA, *Il natural lume de Cinesi. Teoria e prassi dell' evangelizzazione in Cina nella Breve relatione di Philippe Couplet S.I. (1623-1693)*

MONUMENTA SERICA MONOGRAPH SERIES

XXXVIII. ZBIGNIEW WESOŁOWSKI, *Lebens- und Kulturbegriff von Liang Shuming (1893–1988). Dargestellt anhand seines Werkes* Dong-Xi wenhua ji qi zhexue, Sankt Augustin – Nettetal 1997, 487 S. ISBN 3-8050-0399-4

XXXIX. TIZIANA LIPPIELLO, *Auspicious Omens and Miracles in Ancient China. Han, Three Kingdoms and Six Dynasties.* [In preparation / in Vorbereitung].

XL. THOMAS ZIMMER, *„Baihua". Zum Problem der Verschriftung gesprochener Sprache im Chinesischen. Dargestellt anhand morphologischer Merkmale in den „bianwen" aus Dunhuang.* [In preparation / in Vorbereitung].

XLI. ULRICH LAU, *Quellenstudien zur Landvergabe und Bodenübertragung in der westlichen Zhou-Dynastie (1045? – 771 v. Chr.).* [In preparation / in Vorbereitung].

XLII. TIZIANA LIPPIELLO – ROMAN MALEK (eds.). *"Scholar from the West." Giulio Aleni S.J. (1582–1649) and the Dialogue between China and Christianity*, Sankt Augustin – Nettetal 1997, 671 S. ISBN 3-8050-0386-2

Other works in preparation:

☐ JEONGHEE LEE-KALISCH, *Das Licht der Edlen. Der Mond in der chinesischen Landschaftsmalerei.*

☐ RICHARD C. RUDOLPH, *Comprehensive Bibliography of Manchu Studies.* Enlarged and edited by HARTMUT WALRAVENS.

☐ CH'EN YÜAN, *The "Shih-hui chü-li". On Avoiding the Tabooed Names in China.*

☐ *"Lettres et Mémoires" d'Adam Schall S.J. édités par le P. HENRI BERNARD S.J. – "Relation Historique". Texte latin avec traduction française du P. PAUL BORNET S.J.* (Tientsin 1942). Mehrsprachige Studienausgabe / multilingual study edition.

☐ *Collected Papers on Johann Adam Schall von Bell (1592–1666) up to 1992.*

☐ SA'ID ALI AKBAR, *Khataynameh: Report on China (Istanbul 1516).* An English Edition.

☐ CLAUDIA VON COLLANI, *Joachim Bouvets „Tianxue benyi".*

Other publications:

☐ ANNE SWANN GOODRICH, *The Peking Temple of the Eastern Peak. The Tung-yüeh Miao in Peking and Its Lore,* with 20 Plates. Appendix: *Description of the Tung-yüeh Miao of Peking in 1927* by JANET R. TEN BROECK, Nagoya 1964, 331 pp., Illustr.

☐ ANNE SWANN GOODRICH, *Chinese Hells. The Peking Temple of Eighteen Hells and Chinese Conceptions of Hell,* St. Augustin 1981. Reprint 1989, 167 pp., Illustr.

☐ *Monumenta Serica. Journal of Oriental Studies. Index to Volumes I-XXXV (1935–1983).* Compiled and edited by ROMAN MALEK, S.V.D., Sankt Augustin 1993, 471 pp. ISSN 0254-9948; ISBN 3-8050-0312-9

☐ STEPHAN PUHL, *Georg M. Stenz SVD (1869–1928). Chinamissionar im Kaiserreich und in der Republik.* Mit einem Nachwort von R.G. TIEDEMANN (London): „Der Missionspolitische Kontext in Süd-Shantung am Vorabend des Boxeraufstands in China". Hrsg. von ROMAN MALEK. Nettetal 1994, 317 S., Abb. ISBN 3-8050-0350-1

☐ DAVID LUDWIG BLOCH, *Holzschnitte.* 木刻集. *Woodcuts.* Shanghai 1940–1949. Hrsg. von BARBARA HOSTER, ROMAN MALEK und KATHARINA WENZEL-TEUBER. Eine gemeinsame Veröffentlichung des Instituts Monumenta Serica und des China-Zentrums, Sankt Augustin – Nettetal 1997, 249 S., 301 Abb. ISBN 3-8050-0395-1

Place order with:

Editorial Office
Institut Monumenta Serica
Arnold-Janssen-Str. 20
D-53754 Sankt Augustin, Germany
Tel.: (02241) 23 74 31
Fax: (02241) 20 58 41
e-mail: monumenta.serica@t-online.de

or

Steyler Verlag
Postfach 24 60
D-41311 Nettetal, Germany
Tel.: (02157) 12 02 20
Fax: (02157) 12 02 22

MONUMENTA SERICA MONOGRAPH SERIES
Vol. XVII

Claudia von Collani

P. Joachim Bouvet S.J.

Sein Leben und sein Werk

Steyler Verlag, Nettetal 1985
269 S., Illustr.
ISBN 3-87787-197-6 □ ISSN 0179-261X

Die vorliegende Arbeit beschäftigt sich mit dem Figurismus in China, der zu den interessantesten Kapiteln der chinesischen Missionsgeschichte gehört.

Diese Studie von C. von Collani ist die bisher ausführlichste Würdigung des Figurismus als Theorie in der Chinamission. Neben der Biographie des Initiators des Figurismus, P. Joachim Bouvet S.J. (1656–1730), werden die wichtigsten Aussagen und Ziele des chinesischen Figurismus zusammengestellt.

Die Verfasserin weist nach, daß viele Vorwürfe theologischer wie sinologischer Art von Zeitgenossen, aber auch von späteren Autoren (z.B. Virgile Pinot und René Etiemble) zu Unrecht vorgebracht wurden. Claudia von Collani stellt fest, daß die Figuristen mit ihrer Theorie in vieler Hinsicht ihrer Zeit weit voraus waren und sie deshalb zwangsläufig in einen für die damalige Zeit unlösbaren Konflikt mit der herrschenden Meinung gerieten.

"This is the only modern biography of Bouvet, and the first extensive discussion of his philosophical system in 50 years. ... the work will serve us well until such time as Bouvet's writings are collected and edited."

(ROBERT SCHREITER in *Missiology*)

Aus dem Inhalt: Einführung (1-9); Der Figurismus im Leben des P. Joachim Bouvet S.J. (9-97); Das figuristische Gedankensystem Joachim Bouvets (97-203) - hier u.a.: China im europäischen Weltbild des 17. Jahrhunderts - Die Göttliche Offenbarung in China - Die Spuren der Uroffenbarung in China - Der Erlöser der Welt in der chinesischen Literatur u.a.; Würdigung (203-212): Bouvets Persönlichkeit - Bouvets Werk; Literaturverzeichnis, Manuskripte und Briefe; Zeittafel; Glossarium und Register (mit chinesischen Zeichen).

MONUMENTA SERICA MONOGRAPH SERIES
Vol. XXII

Jerome Heyndrickx (ed.)

Philippe Couplet, S.J. (1623–1693)

The Man Who Brought China to Europe

Jointly published by Institut Monumenta Serica, Sankt Augustin
and Ferdinand Verbiest Foundation, Leuven

Steyler Verlag, Nettetal 1990
260 pp., Illustr.
ISBN 3-8050-0266-1 □ ISSN 0179-261X

The book contains the proceedings of the 1986 International Conference on Philippe Couplet in Louvain, organized by the Ferdinand Verbiest Foundation, China-Europe Institute at the Catholic University Leuven. Through his *Confucius Sinarum Philosophus,* Philippe Couplet was the first in history to introduce Chinese Confucian thinking to Europeans in an European language.

"These articles on Couplet constitute an indispensable body of literature for the study of this great Belgian Jesuit missionary ..."
(MIN-SUN CHEN in *Sino-Western Cultural Relations Journal*)

Contents: Jerome Heyndrickx, "Introduction: I. The Ferdinand Verbiest Foundation; II. The Philippe Couplet Study Project; III. Study on the 19th and 20th Century Catholic Missions in China" (11-16); "Philippe Couplet: A Short Biography" (17-19); Peter Gordts, "Philippe Couplet of Mechlin, a Jesuit in Belgium" (22-35); Claudia von Collani, "Philippe Couplet's Missionary Attitude Towards the Chinese in *Confucius Sinarum Philosophus*" (37-54); Albert Chan, S.J., "Towards a Chinese Church: The Contribution of Philippe Couplet, S.J. (1622–1693)" (55-86); Paul Demaerel, "Couplet and the Dutch" (87-120); Theodore N. Foss, "The European Sojourn of Philippe Couplet and Michael Shen Fuzong, 1683–1692" (121-142); John Witek, S.J., "Philippe Couplet: a Belgian Connection to the Beginning of the 17th Century French Jesuit Mission in China" (144-161); Edward J. Malatesta, S.J., "The Last Voyage of Philippe Couplet" (164-181); David E. Mungello, "A Study of the Prefaces to Ph. Couplet's *Tabula Chronologica Monarchiae Sinicae* (1686)" (183-199); Knud Lundbaek, "Philippe Couplet in the Writings of T.S. Bayer" (201-209); Lin Jinshui, "Recent Developments in Chinese Research on the Jesuit Missionaries" (211-223).

MONUMENTA SERICA MONOGRAPH SERIES
Vol. XXV

Johann Adam Schall von Bell S.J.
Missionar in China, kaiserlicher Astronom
und Ratgeber am Hofe von Peking 1592–1666
Ein Lebens- und Zeitbild
von
ALFONS VÄTH S.J.
Unter Mitwirkung von LOUIS VAN HEE S.J.

Neue Auflage mit einem Nachtrag und Index

Eine gemeinsame Veröffentlichung
des China-Zentrums und des Instituts Monumenta Serica, Sankt Augustin
Steyler Verlag, Nettetal 1991, 419 S., Abb.
ISBN 3-8050-0287-4 □ ISSN 0179-261X

Aus Anlaß des 400. Geburtstages des Kölner Jesuiten und Chinamissionars Johann Adam Schall von Bell (1592–1666) wurde die 1933 im Bachem-Verlag erschienene Biographie von Alfons Väth S.J. neu aufgelegt.

"... a thorough yet lively description of the life and times of a Jesuit courtier in imperial China. It is a work of love. It is not uncritical of the subject but it is partisan, and perhaps that is as a biography should be."

(ARNE SOVIK in *International Review of Missions*)

"What is remarkable is how this work remains to this day a grand tale of narrative history and a veritable mine of information that is unsurpassed in treating its subject. Those interested in its contents would extend beyond specialists to include a semi-popular audience. The scholarly value of the book has been enhanced in the new edition by the addition of a bibliographical addendum by Ms. C. von Collani, in which the bibliography of the first edition is enlarged and brought up to date. In addition, a new index was prepared by Fr. R. Malek, S.V.D. that includes Chinese characters. Finally, a new genealogical tree featuring Schall's relationship to his family was contributed by a contemporary descendant of Fr. Schall, the Graf Schall-Riaucour. This is a surprisingly inexpensive, well-produced hardbound work that would be a valuable addition to any personal or institutional library in the field of Sino-Western cultural relations."

(D.E. MUNGELLO in *Sino-Western Cultural Relations Journal*)

Bestellungen über den Buchhandel oder:
Steyler Verlag, Postfach 24 60, D-41311 Nettetal, Germany
Tel.: 02157/12 02 20 □ Fax: 02157/12 02 22

MONUMENTA SERICA MONOGRAPH SERIES
Vol. XXVI

Julia Ching - Willard G. Oxtoby

Moral Enlightenment
Leibniz and Wolff on China

Institut Monumenta Serica, Sankt Augustin
Steyler Verlag, Nettetal 1992, 288 pp., Illustrations, Facsimile
ISBN 3-8050-0294-7 □ ISSN 0179-261X

Eighteenth-century Europe, commonly referred to as the Age of Enlightenment, witnessed a growing interest in China on the part of many great thinkers, inspired by reports of the Jesuit missionaries.

The German philosophers Gottfried Wilhelm Leibniz (1646–1716) and Christian Wolff (1679–1754) were among the admirers of Chinese thought and civilization. Leibniz' contribution to the Western understanding of China was mainly metaphysical and religious. His younger contemporary and friend Wolff focused on Chinese ethics, concentrating on the practical morality and political ideals of Confucius.

Julia Ching and Willard G. Oxtoby present English translations of important texts related to China by Leibniz and Wolff, accompanied by two introductory essays on the philosophical and historical context. The epilogue sketches the reversal of the European opinion on China in the succeeding centuries, as reflected in the writings of Kant and Hegel.

"There is no doubt that Ching and Oxtoby have made tremendously important material accessible to the English-speaking world through their translations and introductions to the Chinese influence on the two German philosophers."

(RUNE SVARVERUD in *Acta Orientalia*)

Texts included:
Leibniz on China: Letter to Father Grimaldi (1692); "The Secret of Creation:" New Year's Letter to Duke Rudolph August (1697); On the Civil Cult of Confucius (1700); An Explanation of Binary Arithmetic (1703); Discourse on the Natural Theology of the Chinese: Letter to Nicolas Rémond (1716).
Wolff on China: Discourse on the Practical Philosophy of the Chinese (1721); On the Philosopher King and the Ruling Philosopher (1730).

Place order with:
Steyler Verlag, Postfach 24 60, D-41311 Nettetal, Germany
Tel.: 02157/12 02 20 □ Fax: 02157/12 02 22

MONUMENTA SERICA MONOGRAPH SERIES
Vol. XXXIII

The Chinese Rites Controversy
Its History and Meaning

Edited by D.E. MUNGELLO

Jointly published by Institut Monumenta Serica, Sankt Augustin,
and The Ricci Institute for Chinese Western Cultural History, San Francisco
Steyler Verlag, Nettetal 1994, 356 pp.
ISBN 3-8050-0348-X □ ISSN 0179-261X

400 years ago when European explorers and missionaries began spreading throughout the world, they encountered a land whose great size, population, wealth and culture challenged European intellectual and spiritual authority. One of the forms this challenge took was the Chinese Rites Controversy. The issues involved in the Controversy were quite narrow: What was the proper Chinese name for God? Were Chinese family rites to ancestors and scholar-official rites to Confucius idolatrous? The debate raised the question of whether Christianity had become overly Europeanized. Ultimately, it became entangled with political issues which pitted the authority of the pope in Rome against the authority of the emperor in China.

Christian missionaries divided on their degree of willingness to accommodate Chinese culture. The mendicant orders were resistant to compromise while the Jesuits were more amenable to accommodation. While the mendicants viewed themselves as theological purists, the Jesuits saw them as cultural purists who confused Christianity with Western culture. While the Jesuits viewed themselves as more knowledgeable about Chinese culture, the mendicants saw them as immoral power-seekers.

18th-century papal rulings against the accommodationists were reversed in 1939 and the deeper issues involved in the Rites Controversy remain crucial to the development of Christianity in China. This collection presents the proceedings of an international conference on the significance of the Rites Controversy in Sino-Western history, held in San Francisco in 1992. It contains fifteen articles by contemporary mainstream China scholars from four continents, including some of the most eminent names in Sinology today.

ORDER FORM
MONUMENTA SERICA MONOGRAPH SERIES

Anzahl Quantity	Band Volume	Autor Author	Preis (DM) Price (DM)	Summe Amount
	XV	Ch'en Yüan	50.-	
	XVI	Yen Yüan	30.-	
	XVII	Collani	65,80	
	XVIII	Coblin	80.-	
	XIX	Mattos	148.-	
	XX	Köhn	70.-	
	XXI	Pohl	70.-	
	XXII	Heyndrickx	48.-	
	XXIII	Goodrich	148.-	
	XXIV	Nylan	60.-	
	XXV	Väth	35.-	
	XXVI	Ching/Oxtoby	70.-	
	XXVII	Reis-Habito	50.-	
	XXVIII	Golvers	80.-	
	XXIX	Wädow	65.-	
	XXX	Witek	120.-	
	XXXI	MacInnis	50.-	
	XXXII	Wiedehage	90.-	
	XXXIII	Mungello*	60.-*	
	XXXIV	Krüßmann *et al.*	55.-	
	XXXVIII	Wesołowski	80.-	
	XLII	Lippiello/Malek	120.-	
Andere Publikationen / Other publications				
	Goodrich, *Peking Temple*		30.-	
	Goodrich, *Chinese Hells*		38,50	
	Puhl, *Georg M. Stenz*		40.-	
	Malek, *„Fallbeispiel" China*		67.-	
	Malek, *Hongkong*		58.-	
	Bloch, *Holzschnitte/Woodcuts*		65.-	
			Summe / Sub Total	DM

* U.S. Price: $ 40.00. This title is distributed in the U.S.A. by:

LOYOLA UNIVERSITY PRESS
3441 N. Ashland Avenue, Chicago, IL 60657
Tel.: 1-800-621-1008 • Fax: 312-281-0555

MONUMENTA SERICA • JOURNAL OF ORIENTAL STUDIES

Anz. Qty	Band (Jahr) Volume (Year)	Preis (DM) Price (DM)	Summe Amount
	I (1935) - XII (1947)	*	
	XIII (1948)	40.–	
	XIV (1949–1955)	40.–	
	XV (1956)	40.–	
	XVI (1957)	40.–	
	XVII (1958)	40.–	
	XVIII (1959)	40.–	
	XIX (1960)	40.–	
	XX (1961)	40.–	
	XXI (1962)	40.–	
	XXII (1963)	40.–	
	XXIII (1964)	40.–	
	XXIV (1965)	40.–	
	XXV (1966)	40.–	
	XXVI (1967)	*	
	XXVII (1968)	*	
	XXVIII (1969)	*	
	XXIX (1970–1971)	60.–	
	XXX (1972–1973)	55.–	
	XXXI (1974–1975)	90.–**	
	XXXII (1976)	87,77	
	XXXIII (1977–1978)	94,16	
	XXXIV (1979–1980)	111,28	
	XXXV (1981–1983)	123,05	
	XXXVI (1984–1985)	132,68	
	XXXVII (1986–1987)	158.–	
	XXXVIII (1988–1989)	158.–	
	XXXIX (1990–1991)	158.–	
	XL (1992)	158.–	
	XLI (1993)	158.–	
	XLII (1994)	158.–	
	XLIII (1995)	158.-	
	XLIV (1996)	158.-	
	XLV (1997)	158.-	
	INDEX to Vols. I-XXXV	90.-	
		Summe / Sub Total	DM

* = Vergriffen, Nachdruck in Vorbereitung / Out of print, reprint in preparation
** = Nachdruck / Reprint

ORDER FORM

German and European customers will be invoiced by our distributor, the STEYLER VERLAG in Nettetal.

Non-European customers are kindly asked for prepayment. Please add charges for postage and handling to your order. Delivery to customers will be made by STEYLER VERLAG upon receipt of payment.

Porto und Versandkosten / Postage and Handling (Surface Mail):

Journal, per copy: DM 9.-
Monograph, per copy: DM 7.-

Summe / Sub Total	DM
Porto und Versandkosten / Postage and Handling	DM
Gesamtsumme / Total	DM

PAYMENT

☐ Cheque (payable to Monumenta Serica Institute)
☐ International money order
☐ Credit card: ☐ VISA ☐ MasterCard

Card No ☐☐☐☐ ☐☐☐☐ ☐☐☐☐ ☐☐☐☐

Expires ☐☐/☐☐

Unterschrift / Signature ______________________________

Datum / Date ______________________________

Name ______________________________

Anschrift / Address

Bestellungen an / Place order with:

INSTITUT MONUMENTA SERICA, Arnold-Janssen-Str. 20
D-53754 Sankt Augustin, Germany
Tel.: 02241 / 23 74 31 • Fax: 02241 / 20 58 41 • E-mail: monumenta.serica@t-online.de

MONUMENTA SERICA was founded in 1934 at the Fu-Jen Catholic University in Peking by Fr. Franz X. Biallas, S.V.D. (1878–1936).

MONUMENTA SERICA is an international journal devoted primarily to traditional China. It covers all important aspects of sinology, counting noted scholars among its contributors and advisors.

45 volumes with an average of 450 pages have been published up to 1997, as well as 42 monographs in the Monumenta Serica Monograph Series (MSMS). An Index to Volumes I–XXXV (1935–1985) of the journal has been published in 1993.

The editorial office is situated in Sankt Augustin near Bonn. For subscriptions, orders of back issues, and a free brochure of publications, please contact the editorial office or the **STEYLER VERLAG, Postfach 2460, D-41311 Nettetal, Germany.**

MONUMENTA SERICA subscription rates per volume: DM 158.- (excl. postage).

Place order with:

MONUMENTA SERICA INSTITUTE

Arnold-Janssen-Str. 20
D-53754 SANKT AUGUSTIN, GERMANY
Tel.: 02241/237 431
Fax: 02241/20 58 41
E-mail: monumenta.serica@t-online.de

MONUMENTA SERICA
Journal of Oriental Studie

ISSN 0254-994

Order forn

Please enter my subscription t **MONUMENTA SERICA** at the rate o DM 158,- plus DM 9,- postage (sur face mail).

Paymen

German and European customers wi be invoiced by our distributor, th STEYLER VERLAG in Nettetal.

Non-European customers are kindl asked for prepayment. Please ad charges for postage and handling t your order. Delivery to customers wi be made by STEYLER VERLAG upo receipt of payment.

☐ Cheque (payable to Monumenta Seric Institute)
☐ International money order
☐ Credit card:
  ☐ VISA ☐ MasterCard

Card No
☐☐☐☐ ☐☐☐☐ ☐☐☐☐☐☐☐☐
Expires ☐☐/☐☐

Signature ____________________

Date ____________________

Name ____________________

Address: